Jacques Chalifour

L'intervention thérapeutique

VOLUME 2

Stratégies d'intervention

gaëtan morin éditeur

Montréal ▫ Paris

Données de catalogage avant publication (Canada)

Chalifour, Jacques, 1942-

L'intervention thérapeutique

Publ. antérieurement sous le titre : La relation d'aide en soins infirmiers. 1989.
Comprend des réf. bibliogr.
Sommaire : v. 1. Les fondements existentiels-humanistes de la relation d'aide – v. 2. Stratégies d'intervention.

ISBN 2-89105-742-2 (v. 1)
ISBN 2-89105-743-0 (v. 2)

1. Relations infirmière-patient. 2. Infirmières – Attitudes. 3. Soins infirmiers – Pratique. 4. Soins infirmiers – Aspect psychologique. 5. Patients – Counseling. 6. Malades – Psychologie. I. Titre. II. Titre : La relation d'aide en soins infirmiers.

RT86.3.C52 2000 610.73'06'99 C99-941571-9

Tableau de la couverture : ***Journal de Zlata***
Œuvre de **Claudette Poirier**

Claudette Poirier est née à Saint-Étienne, au Québec. Dès sa plus tendre enfance, les rêves de cette autodidacte étaient peuplés de formes et de couleurs.

Depuis 1984, avec un groupe de peintres, elle explore le domaine de la gestuelle comme moyen de favoriser la créativité. Elle participe à la création et à la gestion de l'Atelier du geste, organisme sans but lucratif où l'on expérimente le maniement libre des formes, des couleurs et des plans ; elle y anime également des groupes.

La peintre utilise l'huile, la gouache, l'acrylique et le pastel sec. Elle a tenu de nombreuses expositions solos, et plus d'une centaine de ses œuvres se trouvent dans diverses collections privées et publiques.

Montréal, Gaëtan Morin Éditeur ltée
171, boul. de Mortagne, Boucherville (Québec), Canada J4B 6G4. Tél. : (450) 449-2369

Paris, Gaëtan Morin Éditeur, Europe
105, rue Jules-Guesde, 92300 Levallois-Perret, France. Tél. : 01.41.40.49.19

ISBN 2-89105-743-0

Révision linguistique : Jean-Pierre Leroux

Imprimé au Canada 1 2 3 4 5 6 7 8 9 0 09 08 07 06 05 04 03 02 01 00

Dépôt légal 1er trimestre 2000 – Bibliothèque nationale du Québec – Bibliothèque nationale du Canada

À Mariette,
Guylaine
et Geneviève

Remerciements

La production de ce livre a été facilitée par l'appui de plusieurs personnes qui, de différentes façons, ont été présentes au cours de cet exercice de réflexion et de synthèse. En premier lieu, je désire remercier Mariette Chalifour, d'abord en tant que compagne de tous les jours, pour sa présence stimulante et sa patiente écoute, puis comme infirmière psychiatrique, pour s'être prêtée de bonne grâce à la relecture attentive de mon texte et m'avoir fait bénéficier de ses précieux commentaires et conseils.

À l'occasion d'une formation récente en Gestalt thérapie, j'ai eu la chance de rencontrer un formateur exceptionnel, le psychologue Gilles Delisle. Ses écrits sur la Gestalt thérapie, la qualité de sa réflexion sur la psychothérapie et ses qualités humaines ont eu une influence marquante sur le fond et la forme de ce livre. Je tiens à le remercier de sa grande générosité. Je désire aussi souligner les échanges très stimulants que j'ai eus au cours des dernières années sur la relation d'aide et sur l'intervention thérapeutique avec plusieurs enseignants en soins infirmiers et avec quelques infirmières cliniciennes, notamment Mariette Montecino, Ginette Henri, France Collin, Nicole Beaulieu, Nicole Dufour et Nicole Giroux. Je les remercie de leur apport précieux à ma réflexion.

Merci aux auteurs cités et à leurs éditeurs, qui ont accepté que je reproduise dans ce livre quelques tableaux et figures de même que des extraits de textes pour le bénéfice des lecteurs. Enfin, je tiens à souligner la collaboration et la compétence des membres de l'équipe de Gaëtan Morin Éditeur, qui m'ont prodigué des conseils avec professionnalisme.

Avertissement

Dans cet ouvrage, le masculin est utilisé comme représentant des deux sexes, sans discrimination à l'égard des hommes et des femmes et dans le seul but d'alléger le texte.

Table des matières

CHAPITRE 2 Les entretiens

CHAPITRE 3 La démarche de solution de problème

CHAPITRE 4 L'intervention en situation de crise

CHAPITRE 5 L'accompagnement des personnes endeuillées

Chapitre 6
La thérapie de soutien

Avant-propos

L'importance que les intervenants des professions d'aide doivent accorder à la qualité de leur communication et à la relation qu'ils nouent avec leurs clients n'est plus à démontrer. Là-dessus, un très grand nombre d'ouvrages et de recherches soulignent le fait que l'efficacité des interventions psychothérapeutiques y est étroitement associée. À ce propos, Lecomte et Castonguay (1987, p. 216) mentionnent : « De plus en plus, les praticiens et les auteurs de toutes les orientations théoriques reconnaissent que la relation thérapeutique est la condition minimale nécessaire pour obtenir des résultats positifs. »

Il est en effet difficile d'imaginer une intervention dans un contexte professionnel sans se préoccuper de créer un lien de confiance et de collaboration avec le client, sans manifester de l'intérêt et de la considération à l'égard de ce client, sans se laisser toucher et se sentir interpellé par ce qui lui arrive, et sans avoir le goût de le comprendre et de l'aider.

Plusieurs d'entre nous, dans notre pratique quotidienne, avons été à même de constater le lien très étroit qui existe entre le soin que nous apportons à la qualité de la relation et les effets bénéfiques qu'elle engendre, que ce soit, par exemple, sur la création du lien de confiance, sur la qualité de l'engagement du client au cours de la thérapie ou sur les retombées positives qui en découlent.

La relation qui s'établit entre l'intervenant et le client est d'une telle importance que certaines approches psychothérapeutiques, comme la psychanalyse, et celles qui s'inspirent d'une vision existentielle et humaniste, comme l'approche centrée sur la personne, la Gestalt thérapie et l'abandon corporel, la situent au cœur du changement thérapeutique d'une thérapie qui vise certaines modifications de la personnalité et le développement de la personne (Delisle, 1998 ; Hamann, 1996 ; Rogers et Kinget, 1965). Aussi, nous croyons que tout professionnel de la santé, pour intervenir dans une pratique diversifiée, même si elle ne vise pas en premier lieu l'*insight* ou la prise de conscience de soi (*awareness*), doit avoir certaines connaissances, habiletés et attitudes que nous résumons dans le modèle général qui suit (voir la figure 1).

Dans le volume 1 (Chalifour, 1999), nous avons décrit en détail ce modèle. À titre de rappel, nous reverrons chacune de ses composantes.

La partie tramée du modèle représente trois types de sujets qui ont fait l'objet du volume 1 (Chalifour, 1999). Dans ce livre, nous postulons que tout intervenant doit fonder ses observations et ses interventions sur une certaine conception de la personne. À ce propos, nous présentons les caractéristiques majeures de la personne dans une vision existentielle et humaniste. Pour entrer en relation, tout professionnel doit aussi posséder une bonne connaissance des règles de base qui régissent toute communication courante. En prenant appui sur ces règles et sur sa vision de la personne, il pourra, grâce à la connaissance et à la maîtrise de certaines techniques de communication, communiquer avec le client. Cependant, ces techniques ne peuvent, à elles seules, garantir une aide efficace à moins que l'intervenant n'adopte en les appliquant certaines attitudes fondamentales. Une bonne connaissance et une bonne maîtrise de ces sujets lui permettent d'offrir des services professionnels en tenant compte de la qualité de la relation qu'il établit avec le client. Cette relation d'aide professionnelle qui permet d'offrir une bonne écoute n'est toutefois pas toujours suffisante si le client présente des difficultés d'ordre psychosocial. Le clinicien qui désire lui apporter de l'aide au regard de ce type de difficultés doit également posséder une certaine conception de la psychothérapie, une bonne maîtrise des stratégies d'entretien de même que certaines stratégies thérapeutiques. Ces trois dernières conditions, qui apparaissent dans la partie non tramée du modèle général, sont celles que nous aborderons dans ce volume 2.

Voyons un peu plus en détail les principaux sujets qui seront traités dans ce livre. Dans plusieurs contextes de pratique, les intervenants sont en contact avec des clientèles variées qui présentent des besoins d'aide tout aussi variés. Par exemple, certains clients, à cause de leur état mental, ne peuvent bénéficier des effets d'une approche thérapeutique de type expressif visant en premier lieu la prise de conscience de soi (*awareness*) et l'*insight*. D'autres clients, pour différentes raisons, ne désirent pas s'investir dans une telle démarche et préfèrent qu'on les aide à mieux maîtriser certains symptômes ou certains problèmes auxquels ils font face. D'autres, enfin, ressentent des difficultés d'adaptation qui se prêtent particulièrement à certaines approches thérapeutiques éprouvées. L'intervenant qui, dans un contexte de pratique générale, désire offrir de l'aide doit, en plus de maîtriser les connaissances, les habiletés et les attitudes nécessaires à une relation d'aide professionnelle, posséder différentes stratégies psychothérapeutiques qui tiennent compte à la fois des caractéristiques des personnes qui consultent et de leurs demandes d'aide particulières. De plus, il doit être capable de reconnaître que certaines demandes ne relèvent pas de sa compétence et être en mesure de les diriger vers d'autres intervenants susceptibles de répondre aux attentes exprimées. Le présent volume devrait l'aider à répondre à ces exigences.

FIGURE 1
Un modèle général de l'intervention thérapeutique

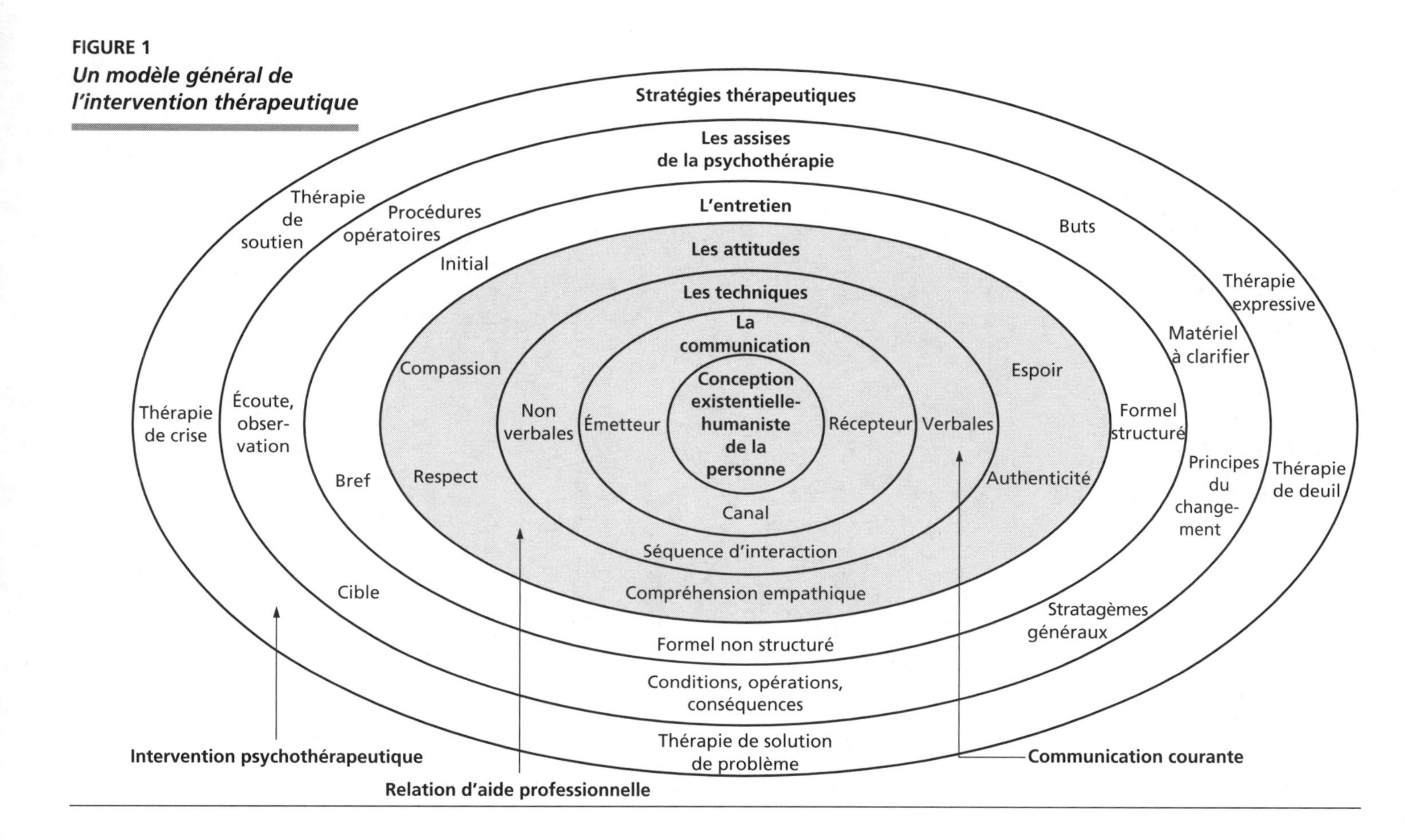

Ce livre se divise en six chapitres. Le chapitre 1 porte sur les assises de l'intervention psychothérapeutique dans une perspective existentielle-humaniste. En nous appuyant sur les huit composantes qui, selon Mahrer (1989), permettent de décrire une théorie de la psychothérapie, nous ferons une synthèse des principales assises de l'intervention psychothérapeutique d'inspiration existentielle-humaniste. Pour ce faire, nous présenterons le point de vue de plusieurs auteurs sur ce sujet, notamment ceux qui se sont intéressés à l'approche centrée sur la personne, à la Gestalt thérapie et à l'abandon corporel. Ce chapitre non seulement expose les assises théoriques de ce livre, mais il fournit aussi au lecteur une stratégie thérapeutique dite expressive qui vise avant tout la prise de conscience de soi (*awareness*) du client.

Dans le contexte d'un suivi psychothérapeutique, les échanges entre le thérapeute et le client se déroulent au cours d'entretiens. Une bonne connaissance de la structure générale de l'entretien de même que des principales formes qu'il peut prendre est un appui indispensable à l'intervention psychothérapeutique choisie. Aussi, au chapitre 2, nous examinerons ce sujet en faisant d'abord un rappel des principales composantes d'un entretien utilisé dans un contexte d'aide professionnelle. Ensuite, nous décrirons les formes d'entretiens dans divers contextes d'intervention psychothérapeutique. Ainsi, nous verrons l'entretien formel structuré, en accordant une place particulière à l'entretien initial et à l'entretien unique, nous distinguerons l'entretien formel structuré de l'entretien formel non structuré, et soulignerons les particularités des entretiens fréquents et des entretiens de courte durée.

Par la suite, nous nous pencherons sur quelques stratégies d'intervention psychothérapeutique utilisées couramment par les professionnels de la santé. Le choix de ces stratégies a été fait à partir d'observations et d'échanges avec des intervenants du domaine de la santé qui exercent dans des champs variés, et à partir d'une revue des écrits sur ce sujet. Par exemple, Delisle (1992) classe les « relations d'interventions » en fonction du rôle exercé par le thérapeute ; on y trouve la relation de contention, la relation de prescription, la relation d'aide-conseil et la relation thérapeutique, cette dernière étant associée à la relation de longue durée visant à développer et à transformer la personnalité. Bloch (1982), pour sa part, regroupe les thérapies en fonction des buts poursuivis, soit l'intervention en situation de crise, la psychothérapie de soutien, la psychothérapie orientée sur le symptôme et la psychothérapie orientée sur l'*insight*, cette dernière catégorie d'intervention étant selon lui très différente des trois autres quant à sa finalité.

Nous avons choisi de décrire quatre de ces stratégies qui, tout en ayant un lien direct avec les auteurs cités, couvrent un large éventail des réponses offertes par plusieurs professionnels aux demandes d'aide qui nécessitent une intervention psychothérapeutique.

La première stratégie porte sur la solution de problème (chapitre 3). À cette fin, après une description du processus général de solution de problème, nous en présenterons trois applications, soit dans le contexte d'une intervention psychothérapeutique, dans le contexte des soins infirmiers et dans le contexte de la psychothérapie orientée vers les solutions.

La deuxième stratégie consiste dans l'intervention en situation de crise (chapitre 4). Une attention particulière est accordée aux étapes de la crise ainsi qu'à un processus d'intervention qui comprend neuf étapes, lesquelles vont des premiers instants du contact jusqu'à l'évaluation finale des résultats.

La troisième stratégie thérapeutique porte sur l'accompagnement des personnes endeuillées (chapitre 5). En plus de décrire les étapes du deuil, nous présenterons les tâches à assumer et les moyens de favoriser le travail de deuil.

La dernière stratégie abordée concerne la thérapie de soutien (chapitre 6). Nous verrons six des principales interventions qui sont reliées à celle-ci et qui consistent à rassurer, à enseigner, à encourager, à favoriser la catharsis, à servir d'agent de la réalité et à rendre l'environnement prothétique. Pour chacune d'elles, nous indiquerons en quoi elle consiste et à qui elle s'adresse particulièrement. Nous présenterons aussi les processus, les stratégies et les techniques qui leur sont propres.

Nous espérons que cet ouvrage répondra aux attentes du lecteur. Pour notre part, nous nous adressons en premier lieu aux étudiants de différentes professions d'aide qui désirent se sensibiliser à diverses approches thérapeutiques qu'ils auront à utiliser dans leur travail. Nous nous adressons aussi aux professionnels en exercice qui désirent faire le point sur leur pratique générale d'intervention.

De même, nous espérons que ce livre aidera le lecteur à mieux comprendre et distinguer les différentes stratégies psychothérapeutiques présentées, et à les utiliser de façon sélective en privilégiant certaines d'entre elles en fonction de la demande d'aide du client et du contexte de l'exercice. Bien entendu, l'intervenant qui désire utiliser ces stratégies doit non seulement les connaître, mais aussi les maîtriser et les mettre en rapport avec une conception de la personne, avec ses caractéristiques à lui et celles de la relation thérapeutique. Ce faisant, il sera plus en mesure d'offrir des services de qualité adaptés aux différents besoins des clients qui le consultent.

Nous suggérons au lecteur qui n'a pas acquis le savoir-faire et le savoir-être nécessaires à l'emploi de certaines de ces stratégies de veiller à les acquérir. Une excellente façon de le faire consiste à s'inscrire à une formation d'appoint ou à se joindre à un groupe de supervision qui s'intéresse au développement d'habiletés cliniques sur le sujet privilégié.

Bibliographie

Bloch, S. (1982). *What Is Psychotherapy?*, New York, Oxford University Press.

Chalifour, J. (1999). *L'intervention thérapeutique*, vol. 1 : *Les fondements existentiels-humanistes de la relation d'aide*, Boucherville, Gaëtan Morin Éditeur.

Delisle, G. (1992). « De la relation clinique à la relation thérapeutique », *Revue québécoise de Gestalt*, vol. 1, nº 1.

Delisle, G. (1998). *La relation d'objet en Gestalt thérapie*, Montréal, Éditions du Reflet.

Hamann, A. (1996). *Au-delà des psychothérapies. L'abandon corporel*, Montréal, Stanké.

Lecomte, C. et Castonguay, L.G. (1987). *Rapprochement et intégration en psychothérapie*, Montréal, Gaëtan Morin Éditeur.

Mahrer, A.R. (1989). *The Integration of Psychotherapies. A Guide for Practicing Therapists*, New York, The Human Sciences Press Inc.

Rogers, C. et Kinget, G.M. (1965). *Client-Centred Therapy*, Boston, Houghton Mifflin.

CHAPITRE 1

Les assises de l'intervention psychothérapeutique dans une perspective existentielle-humaniste

Depuis quelques années, de plus en plus de cliniciens et de chercheurs portent un regard nouveau sur les dimensions théorique et clinique de la psychothérapie. Plusieurs d'entre nous se souviennent des nombreuses querelles où l'on tentait de démontrer, à l'aide d'illustrations parfois douteuses, la supériorité d'une approche thérapeutique par rapport à une autre. Heureusement, ces discussions stériles sont de nos jours beaucoup moins présentes. Les résultats de recherches menées au cours des dernières années sur l'efficacité de la psychothérapie en général et de certaines approches thérapeutiques en particulier ont sûrement contribué à modifier la façon de réfléchir sur les fondements de la psychothérapie, sur ses stratégies et sur son efficacité.

À ce propos, Bouchard (1990, p. XVII) mentionne ceci :

> La psychanalyse, le behaviorisme et l'humanisme représentent les courants majeurs en psychothérapie. C'est à partir de ces grandes orientations qu'émergent, se définissent ou se distinguent toutes les interventions psychologiques. [...] Depuis quelques années, cependant, plusieurs membres respectés de ces mêmes orientations ont reconnu l'importance d'élaborer des conceptions plus complètes de la personne et de son changement, de même que la nécessité de développer des méthodes thérapeutiques plus efficaces. Ces mêmes auteurs n'hésitent plus à souligner les limites de leur propre approche et à considérer les contributions bénéfiques des autres courants. Parallèlement, les thérapeutes reconnaissent de plus en plus que leur

conception théorique ne correspond pas toujours aux réalités cliniques de leur intervention, et un grand nombre d'entre eux intègrent à leurs stratégies thérapeutiques des techniques provenant d'autres orientations.

En effet, la variété des professionnels qui utilisent dans leur pratique différentes stratégies psychothérapeutiques s'est agrandie considérablement au cours des années. Par voie de conséquence, la diversité des lieux de pratique de même que des clientèles bénéficiaires de ce service s'est aussi accrue de façon significative.

Pour bon nombre d'entre eux, la pratique s'éloigne de façon importante de la vision classique de la psychothérapie en bureau privé dans le contexte de rencontres hebdomadaires ou bihebdomadaires. Cette dernière se poursuit souvent pendant plusieurs années auprès de clients ayant à la fois la motivation nécessaire à une telle démarche et les capacités physiques, intellectuelles et financières qu'exige une telle entreprise. Les cliniciens de différentes disciplines, eux, font face à des clientèles variées présentant des problématiques tout aussi variées et souvent très complexes. En outre, plusieurs travaillent dans un contexte qui a ses exigences propres, notamment au regard de la fréquence ou de la durée réduites des rencontres. Ils ont pour mandat d'offrir une réponse efficace à court terme aux besoins psychosociaux des clients souffrants qui leur sont adressés. Dans bon nombre de cas, l'intervention psychothérapeutique visant le développement et la transformation de la personnalité, qui nécessite une formation plus poussée du thérapeute et une durée d'intervention s'étendant fréquemment sur plusieurs années, s'est transformée en projet thérapeutique de moyenne et de courte durée. Les buts poursuivis sont le soutien, la modification de comportements ou de symptômes, la gestion de crise, le travail de deuil ou la solution de problèmes bien circonscrits. Ces interventions sont la plupart du temps réalisées en quelques semaines ou quelques mois, et ce souvent à l'aide d'un soutien pharmacologique.

Dans ces cas, les approches traditionnelles de la psychothérapie nécessitent des ajustements majeurs pour s'adapter à ces contextes de pratique. Ces ajustements obligent à une remise en question de la définition traditionnelle de la psychothérapie. D'ailleurs, plusieurs auteurs, comme Bloch (1996) et Corsini (1984), donnent des définitions élargies de la psychothérapie qui incluent ces stratégies thérapeutiques.

À partir de ces considérations, il n'est pas surprenant de constater que de plus en plus de cliniciens se disent éclectiques dans leur pratique, tentant d'ajuster leurs interventions aux besoins variés de leurs clients. À cette fin, ils utilisent certaines stratégies et techniques relevant de différentes théories de l'intervention thérapeutique. D'ailleurs, cette façon de faire est fortement recommandée par Mahrer (1989, p. 182) comme moyen de favoriser l'intégration des approches thérapeutiques. De toute façon, comme le souligne cet auteur, une observation des cliniciens en exercice permet de constater que plusieurs d'entre eux font déjà à leur insu une intégration informelle d'autres approches thérapeutiques (Mahrer, 1989, p. 21). Cet éclectisme est aussi favorisé par une documentation très abondante présentant des systèmes de psychothérapie variés et par l'expérience de cliniciens formés à des approches thérapeutiques diversifiées.

Ce questionnement sur la pratique psychothérapeutique est très stimulant. Cependant, il fait appel au sens critique du clinicien. Par exemple, si l'utilisation d'une nouvelle technique ou approche auprès d'un client donné se fait de façon impulsive, cela peut parfois constituer un moyen plus ou moins inconscient adopté par le thérapeute pour répondre à son besoin de se sentir efficace ou pour éprouver le sentiment de maîtriser une expérience complexe où il est à la fois témoin et participant. Les nombreuses techniques et stratégies thérapeutiques proposées dans la documentation n'étant pas toujours pertinentes, il est important que le psychothérapeute les choisisse avec soin en s'assurant qu'elles s'harmonisent avec les assises ou les fondements théoriques de sa pratique professionnelle. Il évitera le piège de voir sa pratique se résumer en l'application plus ou moins ordonnée de techniques à la mode, et perdre ainsi le sens profond de l'intervention thérapeutique, à savoir la relation (Buber, 1969 ; Delisle, 1992 ; Rogers et Kinget, 1969a ; Watson, 1998).

Le thérapeute élabore son propre modèle de pratique au cours des années, ce qui nécessite une démarche systématisée de réflexion continue dans l'action. C'est ainsi que Benner (1995) et St-Arnaud (1993) proposent des guides méthodologiques pour diriger cette réflexion. Le thérapeute doit alors se familiariser avec certaines théories de base de l'intervention thérapeutique, que celles-ci soient d'inspiration psychanalytique, d'inspiration behavioriste ou d'inspiration existentielle-humaniste. Puis il doit choisir la théorie qui servira de toile de fond à sa pratique. Ce choix devrait se faire notamment à partir de ses valeurs, de ses croyances et de sa personnalité (Corsini, 1984).

Après avoir acquis une connaissance approfondie de la théorie choisie et après avoir expérimenté cette dernière sous supervision sur le terrain, il sera plus facile au thérapeute, en prenant appui sur ces fondements, d'emprunter à d'autres théories thérapeutiques certaines stratégies et techniques complémentaires d'intervention compte tenu des caractéristiques de ses clients et de leurs besoins d'aide. Dans l'application, elles prendront la couleur de sa conception de l'intervention psychothérapeutique.

Dans les pages qui suivent, nous tenterons d'illustrer ce propos en décrivant les assises de notre vision de l'intervention psychothérapeutique, qui s'inspire à la fois de notre pratique et de plusieurs auteurs appartenant au courant existentiel-humaniste. Afin de nous assurer que cette description inclura les différentes composantes de ces assises, nous la ferons à partir des catégories que propose Mahrer (1989) au sujet des composantes d'une théorie de l'intervention thérapeutique[1].

Bien entendu, le lecteur comprendra qu'il ne s'agit pas de présenter ici une nouvelle théorie de la psychothérapie, mais bien de faire un rappel des assises de l'intervention psychothérapeutique à partir de quelques auteurs représentatifs du courant de pensée existentiel-humaniste. Cette description devrait guider le lecteur dans sa façon d'intervenir dans le contexte d'entretiens visant le développement et la transformation de la personnalité de même que dans sa façon de comprendre et d'appliquer les stratégies d'interventions psychothérapeutiques de plus courte durée qui seront décrites dans les chapitres suivants.

Selon Mahrer (1989, p. 31) :

> [...] une théorie de la psychothérapie est différente d'une théorie de la personne. Ses composantes sont différentes de même que les questions qui la concernent. Chaque théorie de la psychothérapie provient ou est en lien, d'une façon générale, avec une théorie de la personne ; mais une théorie de la personne n'est pas semblable à une théorie de la psychothérapie.

Dans un volume récent portant sur la relation d'aide professionnelle dans une perspective existentielle-humaniste (Chalifour, 1999), nous présentons une conception de la personne inspirée de cette école de pensée. Cette conception est en relation avec le choix des assises théoriques de l'intervention que nous présentons ici. Elle est aussi en accord avec Rogers et Kinget (1969a, p. 44), qui, à ce propos, mentionnent qu'« une théorie de la personnalité, c'est-à-dire du développement humain, constitue la base de toute psychothérapie – encore que cette théorie ne soit pas toujours explicite ».

Mahrer (1989) énumère sept composantes que l'on devrait retrouver dans la description d'une théorie de la psychothérapie. Il les situe entre une théorie de l'être humain et des procédures opératoires spécifiques et concrètes qui sont de l'ordre des techniques (voir le tableau 1.1). Il reconnaît cependant que plusieurs théories de l'intervention psychothérapeutique ne traitent pas tous ces aspects.

Dans ce chapitre, nous décrirons brièvement ces composantes selon Mahrer (1989) et indiquerons comment elles se traduisent selon nous dans une vision existentielle-humaniste de l'intervention psychothérapeutique. À cette fin, nous présenterons les principaux points que la Gestalt thérapie et l'approche centrée sur la personne ont en commun concernant l'intervention psychothérapeutique dans une perspective existentielle-humaniste.

---

1. Le lecteur intéressé à voir une illustration de l'application détaillée de cette structure d'analyse est invité à consulter le texte très éclairant de Delisle (1995).

TABLEAU 1.1
Les assises d'une théorie de la psychothérapie selon Mahrer

Théorie de l'être humain
Théorie de la psychothérapie
1. Un matériel utile à clarifier
2. L'écoute et l'observation : comment et à quelles fins
3. Une description d'ordre supérieur du client et de la cible du changement
4. Les buts de la thérapie et les directions du changement
5. Les principes du changement thérapeutique
6. Les stratagèmes généraux
7. Les conditions, opérations, conséquences
Procédures opératoires spécifiques et concrètes

Source : Mahrer (1989, p. 34).

1.1 UNE THÉORIE DE L'ÊTRE HUMAIN[2]

Dans un livre précédent, nous avons décrit à partir d'une vision existentielle-humaniste les caractéristiques de la personne en développement et en interaction avec son environnement. Leurs manifestations sont reconnaissables directement ou par inférence pendant la thérapie. Elles fournissent au thérapeute l'essentiel de l'information dont il a besoin pour apporter son aide. Aussi, tout au long des rencontres, le thérapeute doit être attentif aux manifestations de ces caractéristiques chez le client à travers différents processus nécessaires à la conscience de soi, au développement et aux échanges avec l'environnement. Afin de nous remettre en mémoire cette conception de la personne, nous en ferons un bref rappel en décrivant cette conception dans un processus indispensable à la croissance et à l'actualisation de la personne, soit celui que l'on observe dans les rapports que chaque humain entretient avec son environnement. Nous indiquerons comment la personne entre en relation avec elle-même et avec les autres pour se connaître, se développer et s'actualiser, et comment en niant ou en connaissant mal certaines composantes de ces processus internes elle devient vulnérable à la maladie. Il est important de se rappeler que ces processus sont aussi présents chez le thérapeute et que, dans le contexte de la psychothérapie, il doit en avoir une conscience aiguë afin de pouvoir les utiliser à des fins thérapeutiques.

2. Cette section portant sur une théorie de l'être humain est une adaptation de deux conférences données par l'auteur (1995, 1996).

1.1.1 *La personne, un être en relation*

Plusieurs facteurs internes et externes contribuent à nous façonner. L'hérédité que nous portons, nos processus psychophysiologiques, les événements importants de notre vie, notre environnement familial et socioculturel en constituent quelques exemples. Nous pouvons observer que, malgré ces conditions ou grâce à elles, certaines personnes semblent tendre vers un certain bien-être alors que d'autres mènent une vie triste et monotone. En d'autres termes, certaines personnes vivent alors que d'autres survivent. Comment comprendre cette différence ? Les personnes qui vivent sont celles qui, dans leur quotidien, prennent la responsabilité de leur bien-être et travaillent à leur propre développement d'une façon créative.

Pour ce faire, il est essentiel de développer la capacité d'être attentif et syntone à un processus présent en soi qui comprend cinq étapes intimement reliées entre elles et qui tentent continuellement de se reproduire. Elles consistent à **reconnaître**, à **accueillir**, à **choisir**, à **agir** et à **porter**. Le tableau 1.2 résume les étapes de ce processus que nous allons décrire.

TABLEAU 1.2
Les conditions nécessaires pour prendre la responsabilité de son bien-être

Reconnaître

Je suis conscient de mes caractéristiques personnelles de même que de celles de mon environnement physique et humain.

Je sais ce que je veux.

Accueillir

Je reconnais mon droit d'exister comme je suis et d'avoir des attentes, des besoins et des désirs.

J'accorde de l'importance à qui je suis et à ce que je veux.

Choisir

Je sais comment je veux et peux répondre à mes besoins, à mes attentes, à mes désirs, et, ce faisant, m'actualiser.

Je connais des personnes et des ressources qui m'aideront à répondre à mes besoins, à mes attentes et à mes désirs.

Je sélectionne mes comportements en tenant compte de ce que je désire et du contexte.

Agir

Je prends le risque de passer à l'action en faisant des gestes et en communiquant avec les personnes en question.

Porter

J'assume les résultats ainsi que les conséquences de mes actions.

Le déroulement de ce processus peut être observé dans les microcycles et les macrocycles de notre vie. Les microcycles correspondent à nos interactions quotidiennes. Ils sont donc présents chez le thérapeute et le client tout au long de leurs échanges. Les macrocycles, quant à eux, peuvent apparaître dans des modes de fonctionnement qui se reproduisent de façon chronique ou qui sont adoptés souvent depuis plusieurs années ; il est possible de les reconnaître chez le client et le thérapeute notamment au cours du déroulement des entretiens. Ils structurent et colorent en quelque sorte notre personnalité (Delisle, 1995). Nous verrons maintenant chacune des étapes du processus.

Reconnaître

Nous vivons dans un environnement physique et humain dont nous sommes des composantes parmi d'autres. Pour nous développer harmonieusement dans cet environnement, nous devons être conscients de nous-mêmes et des caractéristiques de l'environnement afin de puiser dans celui-ci les ressources dont nous avons besoin et de nous protéger de certaines conditions nuisibles qui peuvent s'y trouver.

Être conscients de nous-mêmes, c'est reconnaître que nous sommes des **êtres en développement**, en interaction constante avec notre environnement et avec une histoire de vie. C'est aussi reconnaître que nous sommes porteurs d'une **hérédité** qui fait de nous des êtres qui ont une façon unique d'être au monde, qui se manifeste dans nos interactions avec l'environnement et dans notre état de santé et de bien-être relatifs.

En fait, nous sommes un **corps** habité par des sensations qui, avec plus ou moins de compétence, goûte, regarde, écoute, touche, sent et ressent, ce qui permet de percevoir et d'entrer en rapport avec les autres et avec nous-mêmes. Notre **intelligence** nous permet de nous souvenir, d'acquérir des connaissances, de penser, de créer, de rêver, de décider, d'avoir une vision de nous-mêmes, du monde et de la vie à partir de laquelle nous construisons notre propre réalité. Les **goûts** et les **besoins** auxquels nous tentons de répondre, les désirs et les valeurs que nous privilégions sont autant de sources qui mobilisent nos énergies et donnent une direction à nos actions. Nos **sentiments** et nos **émotions** teintent notre vie, nous informent et informent les autres de l'importance et du degré de satisfaction de nos besoins et de nos idéaux. Toutes ces caractéristiques personnelles se traduisent avec plus ou moins d'efficacité dans les **paroles**, les **gestes** et les mimiques par lesquels nous entrons en relation avec notre environnement physique et humain.

En plus de reconnaître ces caractéristiques et leurs manifestations en nous, nous devons être conscients de leur degré d'intégrité et de notre compétence à les utiliser et à décoder les messages qu'elles portent sur notre état de bien-être.

En somme, nous reconnaître, c'est notamment devenir conscients de nos caractéristiques et de celles de notre environnement physique et humain. C'est également savoir ce que nous désirons sur les plans personnel et professionnel. Aussi, au cours de l'entretien thérapeutique, le thérapeute existentiel-humaniste prêtera attention à ces différents aspects et invitera le client à faire de même. De cette manière, ils pourront ensemble déceler, par exemple, les impasses sur le cycle de contact (Bouchard, 1990; Delisle, 1995; Ginger, 1992; Zinker, 1981), les incongruences (Rogers et Kinget, 1969a; Shostrom, Knapp et Knapp, 1977) ou tout autre signe d'absence de libre expression qui empêchent la tendance actualisante de se manifester et de mobiliser l'organisme.

Accueillir

Plusieurs sources de stress issues de l'environnement peuvent être des foyers importants de maladie, d'inconfort et de souffrance physique ou morale. Les autres sources de mal-être proviennent du fait qu'au cours de notre développement nous avons appris à utiliser des mécanismes de survie afin de nous protéger des angoisses et des anxiétés profondes liées pour une bonne part aux conflits entre nos attentes, nos besoins, nos valeurs et celles du milieu. Par exemple, à cette fin, nous avons choisi de privilégier les valeurs du milieu et de banaliser ou d'ignorer nos propres valeurs, écartant ainsi certaines informations et certains signaux que nous envoie notre organisme. En refusant de les accueillir, c'est la vie même que nous refusons d'accueillir en nous (Hamann, 1996).

Avec le temps, ces informations et ces signaux sont devenus de plus en plus difficiles à reconnaître et à interpréter à la lumière de notre expérience réelle. Autrement dit, nous sommes devenus étrangers à une partie de nous-mêmes. Quand cela se produit et dure pendant un certain temps, nous devenons vulnérables, créant ainsi un milieu intérieur propice à la maladie. Dans ces conditions, non seulement nous devons nous occuper de la maladie qui nous afflige, mais nous devons aussi recevoir l'aide nécessaire pour reprendre contact avec nous-mêmes, nous familiariser de nouveau avec les signaux de notre organisme et réapprendre à les décoder afin de reconnaître notre bien-être ainsi que les menaces à notre intégrité.

Ces signaux peuvent être physiques, cognitifs, émotifs, sociaux ou spirituels. Sur le plan **physique**, la fatigue, les insomnies fréquentes, les douleurs inexpliquées, les tensions, les grippes à répétition, le besoin de boire ou de manger de façon incontrôlée sont quelques-unes des nombreuses manifestations qui meublent notre quotidien. Sur le plan **cognitif**, la difficulté à se concentrer, les oublis fréquents, la baisse de curiosité intellectuelle, les regrets, certains rêves éveillés, la rigidité, les préjugés et les défenses sont quelques exemples de manifestations d'inconfort. Sur le plan **émotif**, l'indifférence affective, la méfiance injustifiée, l'ennui, la dépression, les sentiments de colère, de peine, d'anxiété, voire d'angoisse inexpliquée, sont autant d'exemples du fait que l'organisme a des besoins qui ne sont pas comblés. Sur le plan **social**, les comportements de retrait et d'évitement ou ceux d'envahissement des autres, l'incapacité d'aimer ou d'être aimé sont des indices de cet inconfort. Enfin, sur le plan **spirituel**, la perte d'aspirations, de désirs, de passions, d'idéaux constitue aussi un signal d'alarme.

À force de nier la présence de ces différents signaux, nous pouvons même parvenir à croire qu'ils n'existent pas. Malheureusement, la maladie représente un triste rappel de ceux-ci, à moins qu'elle se soit déjà installée depuis longtemps au moyen de l'utilisation chronique de mécanismes de défense, qui se manifestent par la présence de troubles de la personnalité, de névroses, voire de psychoses.

Afin de pouvoir accueillir ce que nous reconnaissons en nous, il faut apprendre à tolérer la présence d'une certaine angoisse. De plus, nous devons développer la confiance en nous-mêmes et dans les autres. Ces attitudes nécessitent le fait de lâcher prise, le deuil de certains idéaux qui nous ont été inculqués ; elles réclament également de l'ouverture et de l'humilité. Si nous acceptons de recevoir ce qui en nous est latent et si nous l'invitons à devenir manifeste, c'est la vie elle-même que nous accueillons. Ce que nous pensons, ressentons et faisons à tous les moments de notre vie, c'est la synthèse de tout ce que nous sommes et avons appris au cours de cette vie.

En situation clinique, non seulement le client doit apprendre à faire cette démarche, mais le thérapeute doit aussi apprendre à s'accueillir et à prendre le risque d'utiliser de façon judicieuse l'information contre-transférentielle en tenant compte à la fois du client et des buts de la thérapie. Ce n'est qu'à cette condition qu'existera une véritable relation thérapeute-client.

Choisir

Plus la personne possède une connaissance poussée d'elle-même et s'accepte ainsi, plus elle est consciente de son environnement et possède les informations requises dans une situation donnée, et plus elle est susceptible de faire des choix qui favoriseront sa croissance et son épanouissement. L'inverse est aussi vrai. Un choix éclairé nécessite la présence des deux conditions précédentes. Les questions présentées au tableau 1.3 sont des exemples d'aspects à considérer dans les choix importants que nous avons à faire dans notre vie.

TABLEAU 1.3
Des questions qui favorisent un choix éclairé

- Quelle est la situation ?
- Au regard de cette situation, du contexte et de mes compétences, quelles sont les actions possibles (dire ou faire)?
- Parmi les actions possibles, laquelle est-ce que je préfère ?
- Cette préférence favorise-t-elle ma croissance et mon épanouissement ou est-elle en relation avec mon besoin de plaire ou d'être considéré ?
- En agissant ainsi, quels sont les effets prévisibles souhaités et non souhaités ?
- Suis-je prêt à assumer tous ces effets ?
- Qu'est-ce qui m'empêche de passer à l'action ?
- De quoi ai-je besoin pour agir ?

L'activité présentée au tableau 1.3 mobilise plusieurs processus internes qui peuvent actualiser certains conflits intrapersonnels ou interpersonnels ou encore mettre en évidence l'harmonie existante. Selon les thérapeutes humanistes, une part de nos difficultés dans l'exercice de nos choix portant sur la façon de répondre à nos besoins vient non seulement d'un manque de connaissance de nous-mêmes, mais aussi de la crainte que si nous faisons des choix qui vont à l'encontre des attentes de personnes-critères de notre environnement, celles-ci pourraient s'éloigner de nous, nous privant ainsi de leur considération (Rogers et Kinget, 1969a).

Dans plusieurs situations quotidiennes où nous possédons déjà les informations et les ressources personnelles pour répondre à nos besoins, il suffit simplement de prêter attention à ces derniers ou bien de nous accorder un peu de temps pour trouver naturellement le geste à faire ou la parole à dire.

Dans notre vie, les actions que nous choisissons de faire devraient le plus possible s'accorder avec nos valeurs, nos croyances et nos idéaux. Plus nous nous en écartons, plus nous devenons vulnérables à la maladie. À l'opposé, quand nous agissons en harmonie avec qui nous sommes, nous avons le sentiment profond que notre vie et notre travail prennent tout leur sens.

Agir

Pour plusieurs personnes, passer à l'action constitue l'étape la plus difficile à franchir. Si, aux étapes précédentes, nous avons accordé de l'importance à qui nous sommes et à ce que nous vivons, si nos choix sont clairs et en harmonie avec notre être, nous aurons alors plus d'énergie disponible pour agir d'une façon délibérée. Cependant, il arrive que certains gestes que nous faisons et que certaines paroles que nous disons vont à l'encontre de cet accord interne. Dans la figure 1.1, nous avons regroupé autour de trois pôles des exemples de comportements quotidiens qui illustrent ces deux façons de se comporter.

FIGURE 1.1
Diverses façons de prendre sa place

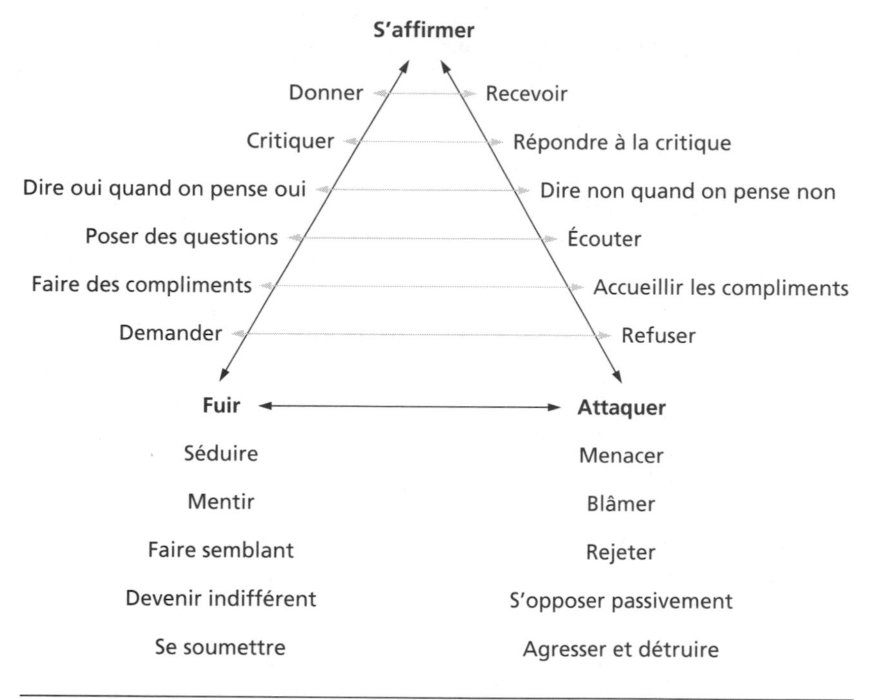

Autour du pôle de l'affirmation sont présentés de façon antagonique quelques exemples de comportements qui, lorsqu'ils s'expriment en harmonie avec ce que nous vivons sur les plans personnel et professionnel, non seulement nous permettent de vivre, mais contribuent à l'actualisation de nous-mêmes.

Les deux autres pôles, qui sont occupés par des comportements de fuite et d'attaque, réunissent quelques exemples de comportements de survie que nous utilisons dans des situations de menace réelle ou imaginée. Ces comportements nous informent de notre refus de reconnaître et d'exprimer ce qui se passe véritablement en nous. Il s'agit là de comportements d'urgence qui, s'ils sont utilisés de façon régulière, mènent inévitablement à un état d'inconfort pour soi et pour les autres, et à la détresse psychologique. Les comportements énumérés sont placés par ordre croissant de fermeture à soi et aux autres, et par ordre croissant d'importance de la dépense d'énergie non productive qu'ils nécessitent.

La prise de conscience de la présence de ces comportements devrait entraîner un questionnement sur la pertinence de leur utilisation, sur ce qu'ils révèlent à notre sujet et sur la perception que nous avons des personnes envers qui nous les manifestons. En effet, comme le souligne Lewin (1959), le comportement d'une personne à un moment donné est fonction de la perception qu'elle a alors d'elle-même et de son environnement. En somme, agir de façon consciente à partir d'un besoin nécessite de savoir comment y répondre et, ce faisant, nous actualiser.

Porter

C'est dans et par l'action, et en acceptant la responsabilité de cette action, que nous nous définissons comme êtres humains. Ce n'est qu'à cette condition que la vie prend son sens. Cependant, le fait d'agir de façon responsable exige que nous prenions certains risques, notamment celui d'assumer avec humilité et humour les effets de nos erreurs ou de porter avec fierté le fruit de nos réussites. C'est à partir de ces expériences accumulées que se créent la représentation que nous avons de nous-mêmes et une part importante de celle que les autres se font de nous. Porter la responsabilité de nos gestes et de nos paroles, c'est en quelque sorte porter la responsabilité de notre vie et de tout notre être.

Plusieurs gestes que nous refusons de faire, plusieurs paroles que nous nous abstenons de dire ne sont pas liés à notre manque de connaissance de la situation que nous vivons ou de moyens d'agir. Cette difficulté à passer à l'action est souvent causée par notre crainte d'en assumer la responsabilité ainsi que les effets qu'elle produira sur les autres ou sur l'environnement. Qui n'a pas entendu, un jour ou l'autre, quelqu'un déclarer : « J'aimerais bien lui dire cette chose, mais j'ai peur de sa réaction », ou encore : « J'ai quelque chose à te dire, mais promets-moi de ne pas te fâcher » ? Qui d'entre nous, à la suite d'un compliment qui lui était fait pour une réalisation ou une promotion, ne s'est pas entendu dire qu'il n'y était pour rien ou qu'il s'agissait d'un coup de chance ? Qui d'entre nous n'a pas à l'occasion minimisé une réussite en insistant sur les imperfections ou sur les aspects négatifs, se dévalorisant ainsi et dévalorisant par le fait même l'autre personne à qui l'on disait indirectement qu'elle n'avait pas raison d'adresser des félicitations et que l'on avait peu à voir avec cette réussite ? Une autre façon d'exprimer notre difficulté à porter la responsabilité de nos choix et de nos actions consiste à demander des pseudo-conseils qui, au fond, sont des demandes déguisées d'approbation.

Certains professionnels, qui n'osent pas assumer leurs responsabilités, refusent de faire certains gestes ou de prendre certaines décisions qui relèvent de leur compétence, par peur des réactions de leurs collègues ou de leurs clients. En agissant ainsi, ils sont déçus d'eux-mêmes. Par exemple, certains thérapeutes qui craignent les réactions émotives de leurs clients évitent de leur communiquer ce qu'ils vivent réellement dans leurs rapports avec eux. Il en est de même pour leurs rapports intimes. Dans ces deux types de cas, les échanges demeurent superficiels et distants. La routine et l'ennui s'installent rapidement.

Paradoxalement, en refusant d'agir par crainte de briser les liens que nous entretenons avec certaines personnes, nous faisons apparaître une condition qui favorise l'absence de relation. Ainsi, lorsque nous redoutons la réaction de l'autre, nous subissons certains comportements, mettons en veilleuse nos attentes et certains besoins en espérant que l'autre se rendra compte de la situation, renoncera à son comportement ou répondra enfin à nos désirs sans que nous ayons eu à nous compromettre. À plusieurs reprises, j'ai entendu des clients et des intervenants me dire à quel point ils se sentent seuls à leur travail, alors qu'ils constatent que leurs collègues sont peu sensibles à la complexité et à la lourdeur de leur tâche. Ils sont en colère, ils soupirent, ils résistent passivement lors des réunions en souhaitant que quelqu'un les remarque et s'intéresse à eux. Malheureusement, ils n'osent pas demander de l'aide ou contester par crainte d'essuyer un refus ou pour toute autre raison qu'ils ignorent. Ils reproduisent ce qu'ils font ailleurs dans leur vie.

Dans un tel contexte, ces travailleurs éprouvent des sentiments de colère, de peine et de solitude non exprimés qui les empêchent d'être en relation avec les autres. Les individus qui, dans une telle situation, ont pris le risque d'agir reconnaissent généralement les bienfaits et l'effet de rapprochement affectif que dans plusieurs cas leur action a entraînés. Cependant, quand nous hésitons à agir parce que nous nous sentons incapables d'assumer les effets qui pourraient découler de nos gestes, il est important de ne pas nous blâmer pour notre manque de courage ou de volonté. Il est préférable de tenter de découvrir de quoi sont faites nos craintes et nos hésitations. Si nous mettons de côté ces jugements sur nous-mêmes et les remplaçons par de l'humour et de la tendresse à notre égard, si nous substituons à la fausse humilité un sentiment de fierté pour nos réalisations, si minimes soient-elles, cela facilitera nos apprentissages de cette étape. Malgré le courage que ce cheminement nécessite, c'est à travers nos actions conscientes qu'il nous est donné quotidiennement de nous choisir et, par le fait même, de vivre au lieu de survivre. Comme nous le verrons dans ce livre, différentes stratégies permettent de modifier certains comportements et d'en acquérir d'autres qui s'accorderont davantage avec qui nous sommes.

Cette brève description du fonctionnement humain vu à travers un processus interactionnel dans une perspective existentielle-humaniste oriente les interventions qui s'en inspirent, à savoir l'objet de l'attention du thérapeute, les buts poursuivis au cours de la thérapie, qu'elle soit de courte ou de longue durée, et la façon d'intervenir. À l'aide des catégories de Mahrer (1989), voyons ces différents aspects de l'intervention.

1.2 UN MATÉRIEL UTILE À CLARIFIER

Quel que soit le contexte de l'entretien, le thérapeute doit être conscient des informations auxquelles il prête attention tout au cours de son intervention. À ce propos, Mahrer (1989) souligne qu'une théorie de la psychothérapie précise le type de matériel significatif implicite et explicite qui doit être recueilli chez les clients. Elle désigne le type de matériel que le client apporte, exprime, fournit dans l'échange, montre et fait. Ce matériel significatif peut varier au cours des phases ou stades de la thérapie. À cet égard, dans ce chapitre-ci, nous présenterons sous forme de résumé le matériel auquel prête attention l'intervenant qui travaille à partir d'une vision existentielle-humaniste de la personne. Dans la section du chapitre 2 portant sur l'entretien initial, nous décrirons plus en détail certaines données qu'il faut recueillir au cours des premiers entretiens. Nous verrons également dans ce livre que, lorsque l'on tient compte de différents contextes de pratique, il importe de recueillir d'autres données en rapport avec le type de besoin d'aide exprimé et avec l'intervention thérapeutique choisie.

À titre de réflexion, nous vous invitons, avant de poursuivre votre lecture, à répondre aux questions suivantes :

- De quelles informations avez-vous besoin au cours d'un premier entretien pour intervenir auprès d'un client ?
- Sur quels aspects du client porte votre attention au cours des entretiens ?
- Quelle est la part des données recueillies qui sont liées aux caractéristiques du client et à son fonctionnement, à la problématique qu'il présente et au contexte de votre travail ?

Dans les approches thérapeutiques inspirées du courant de pensée existentiel-humaniste, la relation est au cœur de la thérapie. Aussi, au cours des entretiens, le thérapeute sera attentif à ce qui se passe à la fois en lui, chez le client et dans la relation. Il invitera le client à faire de même. Celui-ci étant porteur de son expérience et de ses difficultés, le thérapeute et le client se pencheront particulièrement sur les différentes façons dont leur expérience réciproque et dont ces difficultés se manifestent dans le moment présent, à la « frontière contact ». Afin de formuler son diagnostic structural et de pouvoir intervenir, le thérapeute se concentrera sur trois aspects particuliers. D'abord, il sera attentif à la manière dont se manifeste l'expérience du client dans le cycle de contact au cours de l'échange.

Ensuite, il fera attention aux fonctions « ça » et « je »[3] qui se manifestent dans les fonctions de contact (sens internes et externes) et à la conscience que le client a de ces manifestations. Enfin, il sera attentif à la « fonction personnalité » qui se manifeste dans la façon dont le client se perçoit et perçoit les autres et aux incongruences qu'il met en place pour conserver intactes ces perceptions. Voyons un peu plus en détail le contenu de ces observations du thérapeute.

1.2.1 *La manifestation de l'expérience du client dans le cycle de contact*

Rappelons brièvement que, pour les gestaltistes, un acte de contact est constitué d'un cycle d'expérience comprenant les étapes du précontact, du contact, du contact final et du postcontact (Bouchard, 1990, p. 61). Pour Zinker (1981), au cours de ce cycle, la personne mobilise un certain nombre de processus internes, qui sont, dans l'ordre, la reconnaissance de sensations physiologiques et émotives, la prise de conscience d'un besoin ou d'un désir, la mobilisation de l'énergie, une action verbale ou physique qui permet d'entrer dans un plein contact et une période de retrait physiologique et psychologique. Pour une personne qui fonctionne de façon optimale, dans les situations de la vie courante, il y a moins de blocages au cours de ce cycle. De plus, quand il y a une interruption, cette personne en est davantage consciente et possède certains moyens pour poursuivre le cycle interrompu. Cependant, chez une personne qui a besoin d'aide, le thérapeute peut observer plusieurs interruptions sur le cycle de contact au cours des échanges. Généralement, on crée ces interruptions en utilisant des mécanismes d'autorégulation de la fonction « je », dont les mécanismes les plus souvent nommés sont la confluence, la déflexion, l'introjection, la rétroflexion et la projection[4].

Les échanges entre la personne et son environnement se passent à la frontière contact. Ils résultent de la mise en œuvre de plusieurs fonctions internes, soit les perceptions, les pensées, les émotions et les besoins. Il est possible d'en reconnaître différentes manifestations dans

3. Ces termes, propres à la Gestalt thérapie, sont définis et expliqués dans Chalifour (1999). Retenons pour l'instant que « la fonction ça, la fonction je et la fonction personnalité sont des systèmes particuliers du *self*. Il s'agit dans chaque cas du *self* lui-même, dans des activités et des états de conscience différents. Le *self* ne peut être confondu ou réduit à l'une de ces fonctions » (Bouchard, 1990, p. 60).

4. Ces aspects théoriques sont abordés de façon plus détaillée dans Chalifour (1999) et dans plusieurs textes portant sur la Gestalt thérapie cités en référence à la fin de ce chapitre. Retenons que ces mécanismes exercent souvent des fonctions semblables à celles qui sont exercées par les mécanismes de défense. Cependant, dans d'autres cas, ils ont un rôle adaptatif quand ils sont utilisés de façon consciente.

la façon dont la personne se comporte à la frontière contact dans ses rapports avec les autres, et notamment avec le thérapeute. Celui-ci peut en observer les manifestations durant le cycle de contact et dans l'utilisation ou la non-utilisation par le client de mécanismes de régulation de la fonction « je ». Aussi, au regard du cycle de contact, le thérapeute prête attention aux aspects suivants :

- la fluidité avec laquelle le client exprime ses pensées, ses émotions, ses besoins, ses croyances et ses comportements ;
- la façon dont ces processus se manifestent librement ou sont interrompus sur le cycle de contact ; il est intéressant, ici, de noter à quels endroits se manifestent les coupures sur le cycle de contact (reconnaissance de sensations, prise de conscience, mobilisation de l'énergie, action, période de retrait) qui contribuent à la présence de situations inachevées ;
- la conscience que la personne possède du fonctionnement de ces processus.

Face au cycle interactionnel que nous avons décrit précédemment, le thérapeute doit être attentif à la fluidité avec laquelle se manifeste ce cycle (**reconnaître** qui il est et quels sont ses besoins, **accueillir** cette expérience et ses manifestations, **choisir** ce qu'il désire faire de cette expérience, **agir** et **porter**, c'est-à-dire assumer la responsabilité et les effets de ses actions).

Par ailleurs, le thérapeute doit reconnaître les composantes du cycle sur lesquelles porte la difficulté du client. En ce qui concerne les mécanismes de régulation de la fonction « je » ainsi que les mécanismes de défense, le thérapeute s'intéressera :

- aux mécanismes qui sont particulièrement utilisés ;
- aux moments de leur utilisation (par rapport au cycle de contact ou au processus interactionnel, ou en fonction de certains sujets abordés) ;
- à la fréquence de leur utilisation ;
- à leurs fonctions au moment de leur utilisation par le client ;
- à la présence d'un emploi adaptatif ou chronique de ces mécanismes révélateurs de la présence d'une névrose, et parfois même d'une psychose ;
- à la conscience que possède le client des mécanismes qu'il utilise ;
- aux réactions du client au moment où l'usage de ces mécanismes est reconnu par lui.

1.2.2 Les fonctions de contact

Selon les gestaltistes, il existe sept fonctions de contact. Ce sont les cinq sens externes auxquels s'ajoutent le mouvement et la parole (Polster et

Polster, 1983). Étant donné que c'est par ces fonctions que le client entre en relation avec l'environnement humain et physique, l'observation de leur utilisation permet au thérapeute de faire certaines inférences sur son fonctionnement psychique. Il doit cependant partager ses observations avec le client afin de les valider. Au regard de ces fonctions, le thérapeute sera attentif aux aspects suivants :

- la façon dont le client utilise ses fonctions de contact pour entrer en relation avec son environnement ou pour couper la communication au cours de l'échange, par exemple regarder ailleurs, se ronger les ongles ou se bercer sur sa chaise ;
- la façon dont son organisme procède pour se couper de l'information qui lui permettrait de sortir de l'impasse, par exemple ne pas être conscient de certaines manifestations physiologiques comme sa gestuelle, ses tensions musculaires, le ton de sa voix, l'humidité dans ses yeux, la rougeur sur son visage, la froideur ou l'humidité de ses mains ou sa respiration ;
- la présence de gestes ou de comportements qui, à première vue, semblent contradictoires, alors qu'en fait ils donnent souvent des indications sur la présence de pensées, d'émotions ou de besoins en partie inconscients qui tentent simultanément de s'exprimer, par exemple proférer des paroles de colère tout en esquissant un sourire ou énoncer des idées agressives d'une voix douce.

1.2.3 La perception de soi et des autres

Au cours des échanges, il est possible de dégager l'image que le client a de lui-même et des autres. Dans le volume précédent, nous avons vu avec Rogers et Kinget (1969a) comment se construit cette image à partir du regard que les personnes-critères portent sur nous et de l'introjection que nous faisons de cette évaluation. Plus une personne a une perception faussée d'elle-même et des gens qui l'entourent, plus elle est souffrante et aura des difficultés d'adaptation, comme c'est le cas de la personne psychotique. Chez la personne en voie d'actualisation, cette perception devient de plus en plus conforme aux caractéristiques réelles de l'environnement et à ce qu'elle est véritablement. Aussi, le thérapeute sera attentif à la perception que le client a de lui-même et des autres, et à la manière dont cette perception évolue au cours de la thérapie. À cette fin, il se préoccupera des aspects suivants :

- la justesse de la perception que le client a de lui-même en ce qui touche certaines caractéristiques objectives ;

- la justesse de la perception qu'il a des autres en ce qui touche certaines caractéristiques objectives ;
- la rigidité ou la souplesse de cette vision qu'il a de lui et des autres, par exemple le fait de reconnaître qu'il a des forces et des limites, ou que ce ne sont pas toutes les personnes qui sont méchantes ;
- la façon dont il perçoit ses difficultés et la signification qu'il leur accorde ;
- les incongruences qu'il manifeste et tente de maintenir pour laisser intacte sa perception de lui et des autres ;
- les incohérences observées entre ce qu'il désire être, ce qu'il croit être et ce qu'il est ;
- l'origine de ses actions et des choix importants de sa vie (locus de contrôle interne ou externe), autrement dit, la manière dont il assume ou fait porter à d'autres la responsabilité de ses choix, de ce qu'il est et de ce qui lui arrive.

En somme, au regard du matériel à clarifier particulièrement au début de la thérapie et tout au cours des entretiens, dans une perspective existentielle-humaniste, ce qui nous intéresse avant tout, c'est l'observation de la personne dans ses interactions avec nous. Cette observation fournit une foule d'informations permettant au thérapeute de poser un diagnostic structural sur le fonctionnement général du client ; par la même occasion, elle lui offre plusieurs pistes d'intervention. Bien sûr, les données apportées par le client portent aussi sur des faits anciens et récents. Le thérapeute tentera de faire des rapprochements entre ces faits et ses observations en étant attentif à la reproduction de ces expériences passées dans la situation actuelle.

1.3 L'ÉCOUTE ET L'OBSERVATION : COMMENT ET À QUELLES FINS

Selon Mahrer (1989), chaque théorie de la psychothérapie indique au thérapeute comment écouter et observer, quoi écouter et observer, et donne des indications sur le sens à accorder aux données ainsi recueillies. De plus, elle dit où le thérapeute doit se situer lui-même quand il écoute.

> À titre de réflexion, nous vous invitons, avant de poursuivre votre lecture, à répondre aux questions suivantes :
> - Sur quoi porte votre attention pendant l'entretien ?
> - Comment écoutez-vous ?
> - Quel sens accordez-vous à ce que vous observez ?

Les assises de l'intervention thérapeutique que nous avons présentées jusqu'ici mettent l'accent sur la relation. Aussi, dans cette perspective, le thérapeute doit, au cours des rencontres, prêter attention à tous les aspects présents dans cette relation, à savoir le **client**, dans sa façon de communiquer tant verbalement que non verbalement, le **processus**, c'est-à-dire le déroulement de l'entretien en cours et de l'ensemble des entretiens, les **contenus** de l'échange et **lui-même**.

À cette fin, au cours de l'échange, le thérapeute existentiel-humaniste se situe psychologiquement dans un espace interne meublé d'attitudes de compréhension empathique, de considération positive, d'authenticité (Meador et Rogers, 1984), de compassion et d'espoir (Watson, 1998). Il est ouvert à sa propre expérience et à celle de l'autre, position que Delisle (1995, p. 89) qualifie d'« indifférence créatrice » et que la psychanalyse qualifie d'attention flottante. Il se laisse habiter par les images qui émergent en figure dans la relation, en prêtant attention à la fois à ce que dit le client, à la manière dont il le dit, à ce qui se passe entre eux et à ce qui se passe en lui-même. Une telle qualité de présence permet au thérapeute de faire un diagnostic structural sur le fonctionnement général du client et d'intervenir à partir de cette position en fonction des difficultés relevées (Delisle, 1992 ; Rogers et Kinget, 1969a, 1969b). Autrement dit, grâce à la qualité de sa présence et de son écoute, le thérapeute est en mesure de partager son expérience relationnelle avec le client dans le but de favoriser chez lui une conscience et une connaissance de plus en plus élevées de lui-même.

Afin de créer des conditions optimales qui permettent au client de reconnaître ses impasses de contact, le thérapeute créera des conditions physiques et psychologiques d'échange qui favoriseront ce contact. Dans ce contexte, le client reproduira avec le thérapeute les impasses du contact (**reproduction**), la manière dont elles se présentent dans la vie de tous les jours. Il en prendra conscience (**reconnaissance**) progressivement avec l'aide éclairée du thérapeute et dans le climat de confiance que ce dernier aura su créer. Dans le cadre d'une expérience de relation véritable, il vivra une expérience réparatrice (**réparation**) (Delisle, 1992). Pour ce faire, le thérapeute humaniste privilégie un contexte thérapeutique le plus près possible de la réalité. La position physique face à face est celle qui répond le mieux à cette exigence.

1.4 UNE DESCRIPTION D'ORDRE SUPÉRIEUR DU CLIENT ET DE LA CIBLE DU CHANGEMENT

Toujours selon Mahrer (1989), une théorie de la psychothérapie offre un cadre de référence, des construits ainsi que des termes pour décrire le client et la cible du changement. Sa terminologie aidera le thérapeute à saisir et à décrire les difficultés que présente le client. Ces difficultés peuvent être définies sous forme de problèmes, de troubles ou de diagnostics. Le DSM-IV est un exemple de catégorisation diagnostique permettant de décrire le client et le trouble qui l'afflige.

À titre de réflexion, nous vous invitons, avant de poursuivre votre lecture, à répondre aux questions suivantes :

- Sous quel vocable regroupez-vous les difficultés observées chez le client (problèmes, diagnostics, difficultés, etc.) ?
- De quel système de classification vous servez-vous pour décrire les difficultés observées chez les clients (par exemple le DSM-IV et les systèmes acceptés par la North American Nursing Diagnosis Association [NANDA]) ?
- De quel cadre de référence (professionnel, théorique, personnel ou organisationnel) s'inspire cette classification ?
- Quelles sont les limites de ce système de classification ?

Le recours au diagnostic dans la pratique de la psychothérapie a fait l'objet de nombreuses discussions, notamment à cause de la mauvaise utilisation qui en a été faite jusqu'à récemment et des répercussions qui en ont découlé sur toute la vie de plusieurs personnes à qui on a posé un diagnostic. Par exemple, certains professionnels, tout en reconnaissant le manque de précision des critères qu'ils employaient pour poser un diagnostic de trouble mental, se comportaient envers les clients auprès desquels ils avaient posé ce diagnostic comme si celui-ci était une réalité objective, allant jusqu'à définir les clients à partir de la pathologie qu'ils leur avaient accolée, parlant d'eux comme de schizophrènes ou encore d'hystériques. Ce n'est qu'au cours des dernières années que l'on a fait un effort réel pour préciser et uniformiser les critères diagnostiques en santé mentale, à l'aide d'une approche par critères comme celle qui est proposée dans le DSM-IV.

Il n'est donc pas surprenant que plusieurs psychothérapeutes, dont ceux qui appartiennent au courant existentiel-humaniste, éprouvent de l'aversion pour les diagnostics qui classifient et « chosifient » en quelque sorte les clients. Ils préfèrent utiliser un diagnostic structural plus descriptif qui évolue selon les changements observés chez le client au cours de la thérapie.

Malgré leurs limites et l'utilisation inadéquate qui peut en être faite, notamment dans le domaine de la santé mentale, les diagnostics ont leur importance tout au moins lorsqu'il s'agit de reconnaître la gravité du trouble dont souffre la personne qui consulte et, conséquemment, de décider du type de soins et de traitements qui lui conviennent le mieux. À notre sens, le problème n'est pas la présence ou l'absence d'un diagnostic, mais ce que celui-ci représente pour le thérapeute et la place qu'il occupe dans ses interventions. À ce sujet, Rogers et Kinget (1969a, p. 29) apportent un point de vue éclairant sur l'importance du diagnostic et sur la façon de l'utiliser dans une intervention psychothérapeutique centrée sur la personne :

> Le type de thérapie par voie d'interviews exige évidemment que le sujet jouisse d'un état mental lui permettant de s'engager dans un processus, fût-il élémentaire, de communication et de relation. Quelque rudimentaires que soient ses capacités d'expression, il doit pouvoir s'en servir de façon plus ou moins cohérente. De même, il doit manifester un minimum de réceptivité et de réactivité émotionnelles. S'il est dans un état de confusion aiguë, désorienté au point d'être incapable de se reconnaître dans le temps et l'espace, s'il est tout prostré ou fort excité, si son affection est principalement organique, s'il est atteint de troubles qui, dans l'état présent des connaissances en psychiatrie, sont considérés incurables, il va sans dire qu'il n'est pas dans les conditions voulues pour exercer les capacités en question – ni, d'ailleurs, les conditions pour profiter de quelque psychothérapie que ce soit.

Nous sommes entièrement d'accord avec ce point de vue s'il s'agit d'une psychothérapie expressive visant la transformation et le développement de la personnalité. Cependant, nous verrons plus loin dans ce livre que cette affirmation peut être davantage nuancée au regard d'autres approches thérapeutiques.

Dans la thérapie existentielle-humaniste, le diagnostic peut se faire à deux niveaux. D'une part, le thérapeute qui désire faire de la psychothérapie de fond et qui travaille dans un bureau privé devrait au moins connaître les grandes catégories diagnostiques du DSM-IV. Elles lui permettront en effet de déceler la gravité des difficultés que présente le client, de déterminer le type d'approche qui lui convient le mieux et de prendre une décision sur le fait de le suivre en thérapie ou de l'adresser à d'autres professionnels qui seront plus en mesure de l'aider. D'autre part, à cette catégorie générale de diagnostic s'ajoute un diagnostic « structural » ou « psychodynamique » qui porte sur différents indices de fonctionnement du client. Ce type de diagnostic est posé à la suite de plusieurs rencontres et défini à partir du cadre de référence qu'utilise le thérapeute. Par exemple, en soins infirmiers psychiatriques, certains auteurs comme Stuart et Sundeen (1995) et Townsend (1997) ont associé à chacun des troubles mentaux du DSM-IV des diagnostics de soins infirmiers qui s'inspirent des catégories diagnostiques de la North American Nursing Diagnosis Association ou NANDA (1996). Ces diagnostics, qui décrivent les symptômes majeurs observés chez les clients, évoluent en fonction des changements observés.

Lorsqu'il cherche à poser un diagnostic structural, le thérapeute existentiel-humaniste s'intéresse aux manifestations des fonctions du *self* sur le cycle de contact et à leur évolution au cours de la thérapie. Pour ce faire, il prête attention aux modes de régulation du contact que la personne utilise ainsi qu'à la conscience qu'elle possède de son fonctionnement, que ce soit dans le contexte de la thérapie ou dans son passé proche ou éloigné. À ce propos, Bouchard (1990, p. 51) souligne ceci :

> Le contact se manifeste à travers trois registres de l'expérience du patient en psychothérapie : ce sont ceux de la situation courante, qui ne concerne pas la relation thérapeutique, de l'histoire passée et de la relation immédiate (transfert) entre le patient et le thérapeute. [....] Il est très utile au thérapeute de pouvoir suivre de près, en tout temps, l'état du contact dans chacun de ces registres [....].

Comme nous l'avons vu précédemment, dans la section 1.2 portant sur le matériel à clarifier, ces modes de régulation sont observables dans leurs diverses manifestations, notamment dans la façon dont la personne :

- s'accorde un soutien autant physiologique – par exemple par sa respiration – que psychique – par exemple en se faisant confiance ou en se sécurisant ;
- utilise sainement ou non ses sept fonctions de contact pour entrer en rapport avec elle-même et son environnement ;
- utilise de façon consciente ou non, de façon créative ou défensive, les mécanismes de régulation de la fonction « je » que sont la confluence, la déflexion, la projection, l'introjection et la rétroflexion ;
- est consciente ou non des sensations et des émotions qui émergent de la fonction « ça », les refuse ou en facilite les manifestations de manière harmonieuse ;
- se comporte de façon défensive et figée en tentant de conserver certaines incongruences ou certaines manières de se percevoir et de percevoir son environnement ;
- manifeste dans ses échanges une certaine cohérence et une certaine intégration des processus affectif, cognitif, sensorimoteur et motivationnel, une dissonance entre eux ou une dissociation avec un ou plusieurs de ces quatre processus.

Les intervenants doivent donc apprendre à mettre en rapport ces deux catégories de diagnostics en examinant la façon dont elles se manifestent chez chaque client et ce qu'elles signifient pour chacun d'eux. Par exemple, les difficultés de contact observées chez une personne atteinte de la maladie d'Alzheimer auront un sens très différent de celles qui sont observées chez une jeune adolescente qui souffre d'anorexie ou chez un jeune homme se trouvant dans une phase aiguë de schizophrénie paranoïde. Il en sera de même pour la façon d'intervenir, d'où l'importance de ce double niveau de diagnostic. Ainsi, nous pourrions dire que le diagnostic fait à partir du DSM-IV se centre sur l'identification d'un trouble mental et que le diagnostic structural est axé sur la reconnaissance des difficultés de fonctionnement que manifeste la personne qui est aux prises avec un problème. Ce second diagnostic est celui qui nous donne des indications sur des modes concrets d'interventions personnalisées au cours de la thérapie.

Dans le contexte de ce chapitre, nous nous intéresserons uniquement à ce niveau de diagnostic, qui est habituellement celui auquel le thérapeute existentiel-humaniste recourt. Nous accorderons une attention particulière aux différentes caractéristiques du client, à son degré d'intégrité et à sa capacité d'utiliser ses ressources pour répondre d'une façon harmonieuse et créative à ses besoins. Cette préoccupation exige que l'intervenant possède des connaissances suffisamment approfondies du fonctionnement humain pour comprendre le lien étroit qui existe entre les caractéristiques du client et la présence possible de causes multiples du trouble qui l'afflige.

Au chapitre 3, nous décrirons, à titre d'exemple, un guide de collecte de données d'un entretien initial utilisé en soins infirmiers psychiatriques, qui fournit des indications sur les différents aspects sur lesquels doit porter l'attention du thérapeute.

Au regard de l'avancement actuel des connaissances, aucun professionnel de la santé ne peut prétendre posséder les connaissances et les compétences requises pour traiter toutes les pathologies, sans prendre le risque de faire subir au client les effets nocifs de cette prétention au savoir universel. En cas de doute, le thérapeute ne devrait pas hésiter à inviter un client à consulter un autre professionnel de la santé s'il soupçonne chez son client la présence d'un problème qui ne relève pas de sa compétence. Si ses craintes se confirment, il devra décider avec le client de la possibilité de laisser à cet expert le soin de traiter l'affection en question.

1.5 LES BUTS DE LA THÉRAPIE ET LES DIRECTIONS DU CHANGEMENT

La quatrième composante d'une théorie de la psychothérapie, selon Mahrer – déterminer les buts de la thérapie et les directions du changement –, est à la base du processus thérapeutique. Elle le met en action et imprime sa direction. En effet, elle indique au thérapeute ce qu'il devrait faire pour favoriser ou provoquer le changement. Les buts de la thérapie et les directions du changement doivent être déterminés par le client en fonction de son besoin d'aide, et par le thérapeute en fonction de la conception de la psychothérapie sur laquelle il appuie sa pratique.

À titre de réflexion, nous vous invitons, avant de poursuivre votre lecture, à répondre aux questions suivantes :

- Au regard de l'approche thérapeutique que vous utilisez, quels sont les principaux buts visés par votre intervention ?
- En fonction de votre contexte de travail, comment ces buts s'adaptent-ils aux caractéristiques des clients ?

Dans le contexte de ce livre, nous décrirons les assises sur lesquelles s'appuient différentes stratégies d'intervention ayant une visée psychothérapeutique. Aussi, compte tenu de la variété des contextes de pratique des intervenants à qui s'adresse ce livre et de la variété de leurs clientèles, ces buts seront très diversifiés et s'inscriront dans différents cadres théoriques. En effet, dans ce livre, la psychothérapie à laquelle on s'intéresse n'est pas en premier lieu la psychothérapie de fond des troubles de la personnalité. Elle concerne plutôt des personnes présentant des difficultés psychosociales temporaires ou permanentes qui les affectent et qui se manifestent sous forme de symptômes, de problèmes et de difficultés d'adaptation. Aussi les buts visés seront-ils de deux ordres, quoique dans les faits cette division soit moins évidente puisque ces ordres ne sont pas entièrement séparés.

Nous pouvons cependant dire que la psychothérapie de fond vise la transformation de la personne de façon qu'elle atteigne une plus grande harmonie interne et la pleine utilisation de ses ressources dans son fonctionnement. Quant à la thérapie de courte et de moyenne durée, elle vise davantage la résolution de problèmes, le changement de comportements ou l'adaptation en fonction d'une situation temporaire ou permanente qui oblige à des ajustements importants. Afin de bien saisir ces deux types d'objectifs et leurs imbrications dans la pratique courante, nous citerons les propos de Simkin et Yontef (1984, p. 294), selon qui

> [...] le patient débutant en thérapie est préoccupé particulièrement par la solution de problème. L'attention du thérapeute gestaltiste portera sur la façon dont le patient s'accorde du soutien en résolvant ses problèmes. La Gestalt thérapie facilite la solution de problème en augmentant l'autorégulation et l'autosoutien du patient. Par la suite, quand la thérapie progresse, le thérapeute et le client prêtent davantage attention à la personnalité du client.

À titre d'illustration, nous verrons un peu plus en détail les principaux buts visés par le thérapeute qui s'inspire de ces deux contextes d'intervention.

1.5.1 *Les buts reliés à la personne*

Bien entendu, quels que soient la stratégie d'intervention utilisée et le contexte de pratique, le but visé dans le contexte d'une psychothérapie qui s'inspire des approches thérapeutiques existentielles-humanistes est d'amener la personne à se connaître et à se développer de façon optimale, en respectant sa nature profonde, grâce à la qualité des relations qu'elle entretient avec elle-même et son environnement physique et humain. Dans le contexte d'une psychothérapie de fond visant la transformation et le développement, ce but est au premier plan. Cependant, dans le contexte d'une psychothérapie de courte durée ou de moyenne durée, ce but, même s'il n'est pas au premier plan, peut servir de guide et d'appui à l'intervenant dans le choix des stratégies et dans la manière d'appliquer les techniques d'intervention qu'il privilégie. Au regard des différentes composantes du processus que nous avons décrit en début de chapitre, nous pouvons associer au moins un objectif général à chacune des composantes qui contribue à la réalisation de ce but :

- **Reconnaître :** que le client devienne de plus en plus conscient des différentes manifestations de son organisme sur les plans physique, moteur, cognitif, affectif, social et spirituel, et des moyens qu'il met en place pour éviter cette conscience de lui-même.
- **Accueillir :** que le client reçoive sa vie telle qu'elle est dans toutes ses manifestations.
- **Choisir :** que le client fasse les choix suivant ses forces et ses limites, ses valeurs, ses croyances et ses besoins, tout en tenant compte du contexte de même que des efforts que nécessite l'actualisation de ses choix.
- **Agir :** que le client acquière les compétences cognitives, sociales, affectives et instrumentales requises pour entrer en rapport avec son environnement et faire des gestes qui lui permettront d'actualiser ses choix.
- **Porter :** que le client assume les conséquences de ses gestes et acquière ainsi une meilleure conscience et une meilleure connaissance de lui-même dans l'exercice de sa liberté.

1.5.2 Les objectifs spécifiques reliés aux difficultés du client

Dans certaines situations thérapeutiques de courte et de moyenne durée, les objectifs ne visent pas essentiellement la transformation, mais portent davantage sur le soutien de la personne, sur le maintien de ses acquis, sur l'apprentissage, sur l'adaptation, sur la modification de comportements, sur la solution de problème, etc. Dans la thérapie de fond, ces objectifs peuvent aussi être présents à certaines phases ou à certains moments de la thérapie, et contribuer à la réalisation des objectifs de transformation ou de développement que nous avons énumérés précédemment. Cependant, ils ne sont pas au premier plan dans la thérapie. Dans les chapitres qui suivent, nous présenterons d'une façon plus détaillée certaines stratégies d'intervention reliées à ces objectifs spécifiques. Pour l'instant, nous en ferons un survol afin de mieux comprendre la grande variété des contextes auxquels elles s'appliquent.

Se sentir soutenu

Dans certaines situations, comme celle d'un client vivant un deuil lié à la perte d'une personne qui lui est chère ou à la perte de son intégrité physique ou mentale, l'intervention thérapeutique a pour but d'apporter un soutien qui peut être à la fois cognitif, instrumental et émotif. Dans ce contexte, l'intervention de soutien permettra à la personne de mieux vivre l'expérience qui l'afflige et de prévenir la crise.

Dans certains entretiens de très courte durée, comme ceux qu'expérimentent nombre d'infirmières dans leur pratique, il est parfois utile de recourir à des interventions qui calment, qui consolent, qui aident à mettre en veilleuse certains symptômes afin de rendre la personne mieux disposée à recevoir des soins ou un traitement physiques. Pensons ici à la préparation à une intervention chirurgicale, à un examen complexe pour confirmer un diagnostic de cancer, à un problème de sommeil lié au contexte de l'hospitalisation, et ainsi de suite. Le but de ces interventions ponctuelles est de créer des conditions de confort temporaire qui sont davantage de l'ordre des soins que du traitement et qui, dans ce sens, relèvent moins de la psychothérapie que de la relation d'aide professionnelle.

Faire certains apprentissages reliés à la maîtrise d'une limite personnelle

Dans d'autres situations, le thérapeute crée les conditions nécessaires pour aider le client à acquérir de nouvelles connaissances, à chercher avec courage et confiance une réponse à un problème particulier, à changer une habitude de vie ou à maîtriser un symptôme. En voici quelques exemples : une personne doit apprendre à changer son pansement de colostomie et s'habituer à cette modification importante de son image corporelle ; une autre, à la suite d'un problème de diabète, doit apprendre à s'injecter de l'insuline, modifier ses habitudes alimentaires et se faire à l'idée de la chronicité de son état ; une autre encore, à la suite d'un trouble psychiatrique grave comme la schizophrénie, avec toutes les limites que ce trouble occasionne, doit réapprendre de nouvelles compétences sociales.

Gérer une expérience de crise ou trouver une solution à un problème

Face à une expérience qui menace les valeurs ou la satisfaction de besoins jugés essentiels, un client peut se trouver encore plus désemparé et démuni s'il éprouve des difficultés qu'il doit apprendre à résoudre ou à assumer sans une préparation préalable. Pensons ici à la présence d'une incompétence liée à la difficulté d'assumer un nouveau rôle, comme le fait pour un nouveau parent de prendre soin d'un nouveau-né, ou pour un étudiant de composer avec le stress des études augmenté par l'obligation de travailler. Dans ces cas, les interventions auront pour but d'aider le client à utiliser ses ressources internes et externes de manière à régler le problème ou à gérer la crise, à accroître sa confiance et, si possible, à apprendre de cette expérience.

En somme, les buts visés dans une intervention existentielle-humaniste doivent tenir compte à la fois de la difficulté présentée par le client, de ses attentes, de ses caractéristiques, de ses compétences personnelles, du contexte de l'intervention, de même que des compétences de l'intervenant. Et, comme le mentionne Delisle (1995, p. 92), « les objectifs thérapeutiques et la direction du changement devraient permettre d'établir ce qui semble souhaitable et atteignable pour **ce** client dans le cadre de **cette** thérapie ».

1.6 LES PRINCIPES DU CHANGEMENT THÉRAPEUTIQUE

Une théorie de la psychothérapie doit permettre l'application d'un ou de plusieurs principes pour qu'un changement thérapeutique ait lieu. Dans cet ordre d'idées, Mahrer (1989, p. 46) mentionne que Gelso et Carter (1985) proposent trois principes généraux : l'*insight*, l'*experiencing* ou l'*awareness*, et l'apprentissage :

> Le mécanisme du client qui est le plus important en psychanalyse est l'*insight*. [...] Par contraste, le thérapeute humaniste voit l'*experiencing* ou l'*awareness* du client comme la clef d'un changement constructif et durable. Pour un thérapeute de l'apprentissage, la dimension critique du changement, c'est l'apprentissage (incluant le conditionnement).

Dans ce livre, la conscience de soi (*awareness*) est sans aucun doute, comme nous l'avons déjà souligné, le principe central d'un changement durable dans la thérapie de longue durée. Cette vision est partagée par de nombreux auteurs humanistes. Par exemple, Delisle (1995, p. 93) souligne que « s'il nous fallait nous rallier à un seul de ces trois principes, il est certain que nous choisirions celui de l'expérience/*awareness* ». Pour Simkin et Yontef (1984, p. 294) :

> Le but de la Gestalt thérapie est toujours l'*awareness* et seulement l'*awareness*. [...] L'*awareness* est à la fois un contenu et un processus qui progressent à un niveau de plus en plus profond au cours de la thérapie. À tous les niveaux, l'*awareness* inclut la connaissance de son environnement, la responsabilité de choisir, la connaissance de soi, l'acceptation de soi et l'habileté à entrer en contact. Il inclut également une connaissance et une acceptation de ce que l'on fait et de la manière dont on le fait, et de ce qui nous est fait et de la manière dont cela nous est fait.

Cette conception de la conscience de soi comme un processus dynamique nous permet de mieux en comprendre les multiples facettes et les nombreux angles d'intervention sous lesquels le changement est possible. Elle a un lien direct avec le processus que nous avons décrit au début de ce chapitre.

Rogers et Kinget (1969a) décrivent deux principes du fonctionnement humain qui nous permettent de mieux saisir comment se produit le changement. Selon le premier principe (p. 28) : « L'être humain a la capacité latente, sinon manifeste, de se comprendre lui-même et de résoudre ses problèmes à suffisance pour la satisfaction et l'efficacité nécessaires au fonctionnement adéquat. » Selon le deuxième principe (p. 15) : « La prise de conscience de son expérience personnelle doit servir de guide et de critère au processus de réorganisation de ses attitudes et à la conduite ultérieure de sa vie. » Cette prise de conscience est guidée par le processus d'autorégulation de l'organisme que possède le client et qui l'informe constamment du niveau de satisfaction de ses besoins et de la pertinence de ses choix dans le respect de sa nature propre et de son actualisation. Tout ce mouvement intérieur se fait à partir de l'énergie vitale qu'est la tendance actualisante de l'être et le besoin acquis de considération positive.

Dans une vision élargie d'une intervention psychothérapeutique de courte durée, d'autres principes, comme celui de l'apprentissage (excluant cependant l'apprentissage accompli par le conditionnement volontaire du thérapeute) et celui de l'*insight*, peuvent aussi être à la source de certains changements. En fait, dans la réalité, ces trois principes de changement ne sont pas mutuellement exclusifs. Les deux derniers principes sont souvent la conséquence du premier, en ce sens que la personne peut, par suite d'une prise de conscience de certaines de ses caractéristiques, faire des liens au sujet de l'origine de ses comportements ou encore faire des apprentissages sur sa façon d'être et de se comporter. Elle peut ainsi apporter des changements dans sa vie, qu'il s'agisse de comportements adoptés ou d'attitudes devant la vie.

Dans le contexte d'une pratique thérapeutique élargie, comme celle que propose ce livre, le thérapeute joue un rôle de facilitateur en aidant le client à prendre conscience de son expérience et à faire des choix pour mener sa vie en harmonie avec cette expérience. De plus, il exerce au besoin un rôle d'expert quant au contenu, notamment en aidant le client à acquérir certaines connaissances ou habiletés reliées à la difficulté à cause de laquelle il consulte. Comme le souligne St-Arnaud (1981) et comme nous le verrons dans les prochains chapitres, la distinction entre le rôle de facilitateur et celui d'expert est extrêmement importante en psychothérapie. L'utilisation judicieuse de ces deux rôles doit faire partie des préoccupations du psychothérapeute. Par exemple, si le thérapeute et le client s'interrogent sur l'absence de changement, il sera profitable de considérer la possibilité que le thérapeute ait mal déterminé le type d'intervention qui convient à son client en mettant trop l'accent sur un de ces deux rôles.

Le thérapeute doit être sensible aux enjeux et aux exigences qui accompagnent les changements durables ainsi qu'à leur complexité. À ce propos, le tableau 1.4 présente sous forme d'énoncés les conditions qui facilitent le changement. À titre personnel, il serait intéressant que vous précisiez quels énoncés parmi ceux du tableau vous avez tendance à négliger ou à oublier quand vous effectuez des changements dans votre vie et quand vous aidez des clients à changer au cours de la thérapie.

TABLEAU 1.4

Les conditions et les exigences nécessaires au changement

- Apprendre à devenir un observateur de sa propre expérience en prenant une certaine distance émotive face à ses difficultés
- Acquérir une connaissance élevée de soi
- Reconnaître clairement ce que l'on veut et les sentiments qui nous habitent à ce propos
- Distinguer ce qui peut être changé de ce qui demande à être accueilli et reçu par soi
- Distinguer ses besoins vitaux de ses désirs et de ses fantaisies
- Reconnaître le plus clairement possible l'origine de ses besoins
- Reconnaître comme légitimes ses besoins et ses désirs
- Être convaincu de l'importance du changement que l'on veut effectuer
- Savoir pour qui l'on veut changer
- Accepter d'y consacrer du temps
- Accepter de respecter le temps
- Accepter d'y consacrer des énergies
- Être constant dans ses efforts
- Être conscient de ses ressources
- User de stratégie et de créativité dans le choix des moyens
- Résister au doute et au découragement
- Reconnaître les obstacles internes et externes, et accepter d'y faire face
- Utiliser une stratégie de changement étapiste
- Éviter de se juger lors de ses échecs
- Avoir ou développer le sens de l'humour
- Acquérir une certaine humilité
- Se familiariser avec la solitude
- Accepter de ne pas savoir et tolérer la présence d'une certaine confusion
- Tolérer l'ambivalence et l'incertitude
- Être ouvert à d'autres avenues et aux compromis qui se présentent à soi au cours de cette démarche
- Valoriser autant le processus que le résultat car, souvent, changer, c'est acquérir les qualités nécessaires au changement
- Acquérir pour soi de la tendresse et de la sollicitude comme celles d'un parent aimant à l'égard de son enfant
- Comprendre qu'au fond changer, c'est simplement devenir un peu plus soi-même

Voyons maintenant les moyens dont le thérapeute dispose pour faciliter ces changements.

1.7 LES STRATAGÈMES GÉNÉRAUX

Chaque théorie psychothérapeutique inclut les stratagèmes thérapeutiques que le thérapeute utilise. Ces stratagèmes consistent en un programme général de choses à faire. D'une façon plus concrète, ils se traduisent en procédés spécifiques, en méthodes, en techniques et en procédures (Mahrer, 1989, p. 49).

Dans ce livre, nous nous intéresserons à deux groupes de stratagèmes. Les premiers sont liés aux assises de ce livre et, à notre sens, ils sont fondamentaux parce qu'ils sont à la base d'autres stratagèmes. Ils seront abordés dans cette section. Les autres stratagèmes, tels la gestion de crise, la solution de problème, le soutien et le travail de deuil, seront étudiés dans des chapitres qui portent sur des interventions de courte durée et de moyenne durée. Dans ces chapitres, nous décrirons non seulement ces stratagèmes, mais aussi, pour utiliser le langage de Mahrer, certaines « conditions, opérations, conséquences » et certaines « procédures opératoires spécifiques concrètes ».

Pour bien faire la distinction entre ces deux types de stratagèmes, nous résumerons les propos d'Enright (1971), qui décrit de la façon suivante le rôle du thérapeute existentiel-humaniste dans le contexte d'une psychothérapie de fond visant la transformation et le développement de la personnalité. Selon cet auteur, la tâche du thérapeute est d'aider le client à franchir les barrières qui empêchent la conscience de soi (*awareness*), et de laisser la nature suivre son cours, de telle sorte qu'il puisse fonctionner avec toutes ses habiletés. Il est à noter que dans cette vision du thérapeute, ce dernier n'intervient pas à propos de la difficulté en cours ; il aide le client non pas à résoudre le problème, mais à rétablir les conditions dans lesquelles il pourra utiliser de façon optimale ses propres habiletés afin de résoudre son problème.

À titre de réflexion, nous vous invitons, avant de poursuivre votre lecture, à répondre aux questions suivantes :

- Quelles sont les principales stratégies thérapeutiques que vous utilisez ?
- Laquelle préférez-vous ?
- Quel rapport ces stratégies ont-elles avec les assises de l'intervention thérapeutique que vous privilégiez et avec votre vision de la personne ?

En plus des conditions propres à la relation d'aide, qui, selon nous, sont essentielles si l'on veut prendre soin du client, la relation thérapeutique, qui s'intéresse avant tout au traitement, se propose non seulement de prendre soin du client, mais aussi de favoriser chez lui un certain changement d'état, dans le sens d'un mieux-être, qui devrait être observable dans la présence de certaines modifications du comportement.

À cette fin, l'intervenant doit mettre en place des conditions relationnelles qui facilitent l'échange, l'ouverture et le changement, de telle sorte que le client soit invité :

- à s'engager dans la relation, notamment en parlant de lui, de ses préoccupations et de ses attentes ;
- à prêter attention à sa façon d'être et de se comporter ;
- à laisser progressivement tomber ses peurs et ses défenses ;
- à augmenter sa confiance en ses ressources intérieures et en celles du thérapeute ;
- à remettre en question certaines croyances, attitudes ou habitudes qui nuisent à son développement et à son état de santé ;
- à faire certains choix qui favorisent son mieux-être ;
- à explorer et à expérimenter de nouvelles façons d'être et de faire.

C'est dans un tel contexte que s'inscrivent les stratégies d'intervention utilisées par le thérapeute. Dans la perspective des composantes des assises que nous avons décrites jusqu'à maintenant, nous pourrions les regrouper sous trois stratagèmes généraux qui, dans la pratique courante du thérapeute, sont étroitement reliés et ne peuvent être mis en place de façon isolée même si, au cours de l'intervention, l'un d'eux peut être davantage utilisé.

Dans sa reformulation de la théorie du *self* de Perls, Hefferline et Goodman, à la lumière de la théorie de la personnalité basée sur les relations d'objet de Fairbairn (1998), Delisle (1998, p. 148) a relevé trois stratagèmes thérapeutiques généraux qu'il formule ainsi :

> Dans la psychothérapie gestaltiste telle que nous la concevons, les changements durables et généralisables sont le résultat de la mise en œuvre de trois stratagèmes thérapeutiques généraux interreliés et dont la fonction est de harnacher et transformer l'énergie portée par les principes du changement thérapeutique : 1) le traitement du cycle de reproduction des impasses de contact, 2) dans les divers champs expérientiels du client, 3) au sein d'un dialogue herméneutique.

En nous inspirant directement des propos de Delisle et en les adaptant au contexte général de l'intervention thérapeutique dans un contexte existentiel-humaniste, nous reformulerons ces stratagèmes de la façon suivante. Ces stratagèmes consistent : 1) à traiter les impasses de contact, 2) au moyen d'un échange (dialogue) ponctué au besoin par des expérimentations 3) qui se déroulent dans un environnement physique et humain sécurisant et stimulant, lequel devient un lieu d'expériences correctrices et parfois curatives (réparatrices). Afin de décrire ces trois stratagèmes, nous puiserons abondamment dans les écrits de quelques auteurs qui, d'une façon très particulière, nous aident à mieux comprendre ce qu'ils signifient.

1.7.1 Traiter les impasses de contact

Bouchard (1990, p. 48) traduit très clairement la façon de traiter les impasses de contact dans les quelques citations qui suivent :

> Toute la démarche thérapeutique découle donc des deux principes suivants :
>
> 1. L'expérience phénoménologique, concrète et actuelle, est le fruit de la mise en action de la frontière contact. Autrement dit, dès que le thérapeute et le client sont en présence l'un de l'autre, il se passe quelque chose sur le plan relationnel.
> 2. Tout dysfonctionnement psychologique s'observe et se vit à la frontière contact, là, devant et avec nous. Si l'acte de contact (l'expérience psychologique) a lieu à la surface, tout dysfonctionnement, névrotique, limite ou psychotique, peut aussi être observé et vécu (*experienced*) à cette même frontière contact.
>
> [....] Le thérapeute de l'approche phénoménologique-existentielle tente d'observer avec soin la forme concrète que prennent les interruptions à la zone de contact.

Pour ce faire, le thérapeute prête attention aux différentes informations que lui livre le client, informations que nous avons déjà décrites.

Toujours selon Bouchard (1990, p. 45), « une part importante des interventions du thérapeute phénoménologique-existentiel a pour but de diriger l'attention du client sur ce qu'il fait, sur ce qu'il dit ou ressent en ce moment pour le mettre en figure ».

Cette façon de faire est conforme à la conception du changement que Beisser (1971) propose. Selon lui, le changement se produit quand quelqu'un devient ce qu'il est, et non quand il tente de devenir ce qu'il n'est pas. Le changement n'intervient pas dans une tentative coercitive effectuée par la personne elle-même ou par une autre personne pour changer ; il a plutôt lieu lorsque la personne prend le temps et fait l'effort d'être ce qu'elle est, de s'investir pleinement dans ce qu'elle est habituellement. Le changement peut se produire quand le client abandonne, du moins pour un instant, ce qu'il aimerait devenir et tente de devenir ce qu'il est. La prémisse est que la personne doit s'ancrer dans un endroit, et ce n'est qu'à partir de là qu'elle pourra progresser.

Par ailleurs, d'après Beisser (1971, p. 78) :

> [Une] personne qui recherche un changement en entreprenant une thérapie abrite en elle un conflit entre au moins deux factions intrapsychiques en guerre. Elle fait constamment le va-et-vient entre ce qu'elle « devrait être » et ce qu'elle pense qu'elle « est », ne

s'identifiant jamais à l'une des deux positions. Le thérapeute gestaltiste demande à la personne de s'investir pleinement dans ces deux positions, mais l'une à la fois.

L'actualisation de ce stratagème à l'aide de techniques permettra au client :

- d'augmenter la conscience de lui-même (*awareness*) sur les plans cognitif, affectif et moteur ;
- de prêter attention, par la centration, à ses processus internes de centration (Gendlin, 1982) ;
- de favoriser l'intégration des plans cognitif, affectif et moteur (Shostrom, Knapp et Knapp, 1977) ;
- de se concentrer sur les fonctions de contact pour accéder à son monde interne ;
- de s'attarder aux mécanismes de régulation de la fonction « je » ;
- de prêter attention aux incongruences ;
- d'être attentif aux polarités et à leur intégration.

Les changements qui interviendront se feront grâce à la tendance actualisante de même qu'à la connaissance et à la conscience de soi. En effet, selon Rogers et Kinget (1969a, p. 30) :

> La tendance à l'actualisation est la plus fondamentale de l'organisme dans sa totalité. Elle préside à l'exercice de toutes les fonctions, tant physiques qu'expérientielles. Elle vise constamment à développer les potentialités de l'individu pour assurer sa conservation et son enrichissement en tenant compte des possibilités et limites du milieu.

Quant à la connaissance et à la conscience de soi, ces mêmes auteurs (p. 61) mentionnent ceci : « Plus complète est l'appréhension de son expérience réelle, vécue, plus son fonctionnement sera aisé, efficace et satisfaisant. »

En somme, nous pourrions dire que la tendance à l'actualisation procure l'énergie nécessaire au changement et que la perception que la personne possède d'elle-même et de son environnement donne une direction à cette tendance. Voyons maintenant en quoi consiste le deuxième des trois stratagèmes que nous avons indiqués.

1.7.2 *Un échange (dialogue) ponctué au besoin par des expérimentations*

Non seulement l'échange verbal et l'échange non verbal sont utilisés comme moyens de traiter les impasses de contact, mais les qualités personnelles du thérapeute et le lien affectif qu'il entretient avec le client possèdent aussi des effets bénéfiques. Les expériences traumatisantes ayant été vécues la plupart du temps dans des rapports interpersonnels, c'est également dans un tel contexte qu'elles peuvent être traitées. À ce propos, Ginger (1992, p. 246) mentionne ceci :

> Quoi qu'il en soit, tous les auteurs s'accordent à souligner la place centrale de la rencontre, de la relation établie entre le client et son thérapeute : « Il n'y a pas de psychothérapie sans rencontre », dit Israël [1984], et il va jusqu'à ajouter : « l'aptitude à la psychothérapie se superpose à l'aptitude à la rencontre ».

Et Ginger ajoute (p. 247) :

> Précisons que dans toute psychothérapie, cette rencontre vise non pas à modifier les choses ou les événements mais la perception interne que se fait le client des faits, de leurs interrelations et de leurs multiples significations possibles. Il est clair que les interventions du thérapeute ne cherchent pas à transformer la situation extérieure mais bien l'expérience personnelle qu'en a le client. Le travail psychothérapeutique favorise donc une réévaluation du système individuel de perception et de représentation mentale.

C'est dans le même esprit que Hamann (1996, p. 168) souligne à propos de la psychothérapie d'abandon corporel, qui est une approche d'inspiration phénoménologique-existentielle : « C'est peut-être là le cœur de la psychothérapie d'abandon corporel : faire en sorte que les contenus que chacun exprime d'une manière ou d'une autre lui soient traduits comme étant la révélation de l'organisation unique de sa propre vie. »

Bouchard (1990, p. 194) ajoute à ce sujet :

> La rencontre contient un pouvoir curatif, non seulement en raison de sa valeur de communiquer ses difficultés et de constater que l'on est entendu et compris, mais surtout parce qu'elle offre la possibilité d'interagir d'une manière différente, de créer de nouvelles expériences relationnelles, au-delà de la répétition des rapports anciens et conflictuels.

Ainsi, le client, en plus de reconnaître ses difficultés, vit une expérience réparatrice dans le sens que lui donne Delisle (1992).

Il est donc possible de dire que le dialogue se fait en deux lieux différents, quoique intimement liés, soit entre le thérapeute et le client, et dans le discours interne du client. Ce dialogue a les caractéristiques suivantes :

- Il reconnaît le client comme l'expert de son expérience.
- Il invite le client à s'accueillir dans toutes les manifestations de son organisme.
- Il favorise l'introspection.

- Il favorise la tendance actualisante.
- Il privilégie les choix internes (autorégulation de l'organisme).
- Il favorise la présence d'expériences correctrices et réparatrices dans la perception de soi et des autres, de même que dans la façon d'interagir avec l'environnement.

Pour qu'un tel dialogue se produise, le thérapeute doit mettre en place certaines conditions. À ce propos, Rogers et Kinget (1969a, p. 14-15) soulignent :

> Pour que le processus thérapeutique soit fécond, il faut qu'il s'effectue en fonction de l'expérience du client, non en fonction de théories et principes étrangers à cette expérience. Pour que le thérapeute soit efficace, il faut donc qu'il adopte, vis-à-vis de son client, une attitude empathique ; il doit s'efforcer de s'immerger, avec le client, dans le monde subjectif de celui-ci. Le client doit être le centre de l'entreprise non simplement dans le sens qu'il en est le bénéficiaire, mais dans un sens plus intrinsèque. La prise de conscience de son expérience personnelle doit servir de guide et de critère au processus de réorganisation de ses attitudes et à la conduite ultérieure de sa vie.

Ces auteurs ajoutent plus loin (p. 51) : « Le rôle du professionnel dans cette conception de la thérapie est donc celui d'un catalyseur, d'un agent qui facilite un processus donné mais qui ne le détermine pas. »

1.7.3 Créer un environnement physique et humain sécurisant et stimulant

Comme le souligne Hamann (1996, p. 162) : « La vie humaine est limitée par la position que l'on adopte pour l'approcher et elle attend d'avoir son espace pour révéler ce qu'elle est dans toutes ses dimensions. » Dans le même ordre d'idées, Rogers et Kinget (1969a, p. 37) mentionnent : « [....] le sujet est psychologiquement libre quand il ne se sent pas obligé de nier ou de déformer ce qu'il éprouve afin de conserver soit l'affection ou l'estime de ceux qui jouent un rôle important dans son économie interne, soit son estime de soi. »

Pour que cela se produise, le thérapeute doit mettre en place certaines conditions liées à l'atmosphère et aux attitudes qu'il manifeste. L'atmosphère dans laquelle se déroule la rencontre thérapeutique est en effet d'une importance toute particulière pour le thérapeute existentiel-humaniste. Il doit donc créer des conditions selon lesquelles le client se sentira en sécurité et accueilli sur les plans physique et affectif. Rogers et Kinget ont décrit les caractéristiques de cette atmosphère. Voyons à l'aide de quelques extraits ce qu'ils nous disent à ce propos.

La sécurité

En ce qui a trait à la sécurité, Rogers et Kinget (1969a, p. 73) mentionnent :

> [Elle] représente la clef de voûte de toute réorganisation psychique. Rappelons que le trouble névrotique consiste en une oblitération progressive d'expériences importantes se rapportant au moi. Cette oblitération résulte de la perception, réaliste ou non, de conditions de menace.

Ils ajoutent (p. 74) :

> Comment remédier à ce défaut de la perception qu'est le trouble névrotique ? Bien simplement : par le renversement des conditions qui sont à l'origine du mal. À l'expérience de menace excessive, doit se substituer l'expérience de sécurité exceptionnelle.

De même (p. 94) : « Ce dont le thérapeute doit s'efforcer de libérer le client, ce n'est pas de ses défenses ; c'est de son angoisse. » C'est d'ailleurs dans le même sens que sont perçus les mécanismes de régulation de la fonction « je » en Gestalt thérapie. En effet, dans cette approche thérapeutique, ce qui importe, ce n'est pas de réduire les défenses, à moins qu'elles ne soient utilisées d'une façon excessive, mais de voir le client les utiliser au besoin, et ce de façon consciente et surtout de façon créative.

L'engendrement de ce sentiment de sécurité doit aussi se traduire dans des actions du thérapeute. Compte tenu du fait qu'il arrive souvent que plusieurs intervenants aient accès à des informations personnelles concernant les clients, il est important de rassurer ces derniers au sujet des règles de confidentialité qui sont adoptées dans le milieu. À ce propos, certains intervenants qui travaillent dans de petites communautés rurales ont observé à maintes reprises que certaines personnes qui vivent des problèmes de santé mentale hésitent à consulter de crainte que l'information transmise au professionnel soit connue dans la communauté. Aussi, dans un tel contexte de travail où le client hésite à se confier, il est important de le renseigner très clairement sur les points suivants : 1) vos propres règles de confidentialité et celles qui sont en vigueur dans votre milieu de travail ; 2) le type d'information qui apparaît au dossier du client ; 3) les personnes susceptibles de consulter ce dossier. Le client ainsi informé sera plus en mesure de décider des contenus qu'il acceptera de vous communiquer.

Un climat chaleureux

En ce qui a trait au climat chaleureux, pour Rogers et Kinget (1969a, p. 97), « il ne s'agit ni d'amitié, ni d'amabilité, ni de bienveillance (tout au moins, dans le sens courant, quelque peu tutélaire de ce mot) mais d'une qualité faite de bonté, de responsabilité et d'intérêt désintéressé ». Pour nous, cette description porte les marques de la compassion.

Le défi consiste à bien doser cette chaleur. Selon ces auteurs (p. 101) :

> [Le rôle de la chaleur] est de renforcer le sentiment de sécurité qui se dégage de l'attitude de non-jugement, condition essentielle de cette thérapie. [...] Ce qu'éprouve l'individu en thérapie, c'est, semble-t-il, l'expérience d'être aimé. Aimé non d'une façon possessive, mais d'une manière qui lui permet d'être une personne distincte, avec des idées et des sentiments bien à elle et une manière d'être qui lui est exclusivement personnelle.

En somme, si le thérapeute parvient à traduire dans son intervention, d'une façon adaptée à chaque client, les stratagèmes généraux que sont le traitement des impasses de contact, le dialogue et l'atmosphère, que nous venons de décrire, alors :

> Le mouvement intérieur devient possible et la vie arrêtée se trouve un passage. Les interdits et les culpabilités, les rages et les peines s'apprivoisent. Les lieux de mensonge et de fourberie, la détresse de la séduction et de tous les semblants peuvent lentement, dans ce consentement à être, se découvrir peu à peu une dignité inattendue : celle d'avoir été le meilleur compromis possible pour vivre, celle d'être soi. (Hamann, 1996, p. 37.)

1.8 LES CONDITIONS, LES OPÉRATIONS ET LES CONSÉQUENCES

Selon Mahrer (1989), la dernière composante d'une théorie de la psychothérapie est une sorte de manuel de mise en application. La théorie doit dire : sous telle et telle condition, voici ce que vous avez à faire, et voici ce qui doit se produire. En d'autres termes, la théorie fournit un guide de travail touchant les « conditions, opérations, conséquences ». Il indique que lorsqu'une chose se produit, il faut faire telle chose et il en résultera telle autre. Les conséquences ne portent pas nécessairement sur un changement immédiat, le changement pouvant survenir plus tard dans la vie, au travail, etc.

Cette composante, selon nous, reprend en quelque sorte sous une forme schématique plusieurs données qui ont été abordées dans ce chapitre. Aussi, nous ne voyons pas l'utilité de la décrire ici, d'autant plus que la séquence conditions, opérations, conséquences se situe dans une perspective d'intervention plus linéaire qui s'applique davantage aux stratégies présentées aux chapitres 3 à 6 ; en outre, elle se prête moins bien à la description des assises de l'intervention qui s'inspirent directement d'une perspective existentielle-humaniste. Aux chapitres 3 à 6, en fonction des stratégies thérapeutiques qui seront présentées, nous décrirons certaines de ces conditions, opérations, conséquences, sans toutefois les formaliser.

1.9 LES PROCÉDURES OPÉRATOIRES SPÉCIFIQUES ET CONCRÈTES

Selon Mahrer (1989), il s'agit ici de décrire les techniques courantes utilisées par la théorie thérapeutique. Dans le volume 1, nous avons décrit certaines techniques courantes de communication verbale et de communication non verbale ainsi que certaines stratégies relationnelles dans le contexte de la relation d'aide d'inspiration existentielle-humaniste. Ces techniques et ces stratégies s'appliquent intégralement à la relation thérapeutique que nous venons de décrire, puisqu'elles s'inscrivent dans le même courant de pensée.

Les assises psychothérapeutiques qui font l'objet de ce chapitre s'inspirent particulièrement, en premier lieu, et comme nous l'avons déjà souligné, de l'approche centrée sur la personne et aussi de la Gestalt thérapie. Les auteurs de ces approches nous proposent un répertoire de techniques très variées. Nous en décrirons quelques-unes qui se prêtent davantage au contexte de l'intervention thérapeutique que nous avons décrite.

À titre de réflexion, nous vous invitons, avant de poursuivre votre lecture, à répondre aux questions suivantes :

- Quelles sont les principales techniques de communication verbale et non verbale que vous utilisez au cours de vos entretiens ?
- À quelles fins utilisez-vous ces techniques ?
- Ces techniques sont-elles choisies en fonction des besoins du client ou en fonction de vos habitudes ?
- Quelles sont les principales stratégies relationnelles que vous utilisez au cours de vos interventions ?
- Quelles phrases types utilisez-vous ?
- Comment pourriez-vous employer ces interventions de manière à les adapter davantage à vos clients ?

Levitsky et Perls (1971) présentent différentes techniques d'intervention thérapeutique qu'ils regroupent en règles et en jeux. En conservant ces deux catégories, et en nous inspirant de ces auteurs et de plusieurs autres qui ont fait la description de techniques – notamment Bouchard (1990), Delisle (1995), Fagin et Shepherd (1971), Ginger (1992), Perls, Hefferline et Goodman (1977), Polster et Polster (1983), Rogers et Kinget (1969b), Shostrom, Knapp et Knapp (1977) –, nous présenterons quelques-unes des techniques qui nous semblent particulièrement applicables à une démarche d'intervention thérapeutique comme celle que nous venons de décrire.

Plusieurs de ces auteurs font une mise en garde aux thérapeutes ; ils leur enjoignent en effet d'utiliser ces techniques avec créativité, en les soumettant à leur propre jugement. À partir de notre expérience, nous proposons une règle que le thérapeute trouverait profit à respecter : il ne devrait pas utiliser une technique qu'il n'a pas soumise à son expérimentation personnelle ou avec laquelle il ne se sent pas à l'aise, que ce soit à cause de son manque d'habileté à la manier ou de sa difficulté à maîtriser les effets qu'elle provoque. Par exemple, un thérapeute ne devrait pas inviter un client à faire une « mise en acte », où celui-ci explorera deux aspects de lui-même, s'il n'a pas déjà vécu ce type d'expérience pour en saisir de l'intérieur toute la complexité. De même, le thérapeute ne devrait pas refléter les émotions d'un client s'il ne se croit pas en mesure d'en accueillir les manifestations. Voici quelques exemples de techniques d'intervention.

1.9.1 *Quelques règles*

Le principe du maintenant et du comment

Le principe du maintenant (ou du moment présent) est un des principes importants en Gestalt thérapie. Nous savons que le client, en début de thérapie et au cours de la thérapie, peut parfois faire appel au passé ou à l'avenir pour se couper de l'expérience présente et « raconter » une expérience sans que cela ait des effets bénéfiques. Le récit de cette expérience passée peut avoir un impact très différent si le thérapeute aide le client à être attentif aux émotions, aux sensations corporelles et aux pensées qui l'habitent en parlant de cette expérience. De plus, le thérapeute peut amener le client à établir un lien entre cette expérience et ce qui se passe actuellement en thérapie, qu'il s'agisse du sujet traité ou de la situation que vit le client avec le thérapeute sur les plans sensorimoteur, cognitif, affectif ou motivationnel. En somme, en prêtant attention au moment présent, le thérapeute favorise la conscience de soi (*awareness*) du client. À cet effet, selon Delisle (1995), Ginger (1992) et Perls, Hefferline et Goodman (1977), les questions que peut utiliser le thérapeute pour diriger l'attention du client sont les suivantes :

- Que faites-vous ?
- Qu'éprouvez-vous ?
- À quoi pensez-vous ?
- Qu'êtes-vous en train d'éviter ?
- Que voulez-vous ?

Ces questions non seulement invitent à mettre en figure certains processus et à y prêter attention, mais aussi favorisent l'intégration de différents processus en fonction d'une même expérience. Elles peuvent aussi s'enrichir d'un « comment ». En effet, au cours de la thérapie, le client peut être invité à décrire le déroulement de l'expérience en cours, se faisant à la fois observateur et participant de son expérience. Il devient alors plus conscient (*aware*) de celle-ci. En outre, il évite de parler en fonction d'un « pourquoi », davantage interprétatif ou justificatif. Voici un exemple extrait d'un entretien :

Le thérapeute : « À quoi êtes-vous présent maintenant ? »

Le client : « Je suis conscient que je vous parle, que je vous regarde, que j'ai les épaules tendues, que je deviens anxieux. »

Le thérapeute : « Comment ressentez-vous cette anxiété ? »

Le client : « Ma voix est voilée, j'ai la bouche sèche, je parle d'une façon haletante. »

Le thérapeute : « Êtes-vous conscient de ce que font vos yeux ? »

Le client : « Maintenant, je suis conscient que mes yeux regardent ailleurs. »

Le « je-tu »

Cette règle, qui porte sur la responsabilité et l'engagement du client, peut prendre diverses formes. En voici quelques exemples. Selon la règle du « je-tu », il est important que le client fasse la différence entre parler de quelqu'un et parler à quelqu'un. Ce faisant, il prend la responsabilité de ce qu'il dit et il se met dans de meilleures conditions pour ressentir les choses. Dans une situation de groupe, si une participante parle d'un autre participant en s'adressant au thérapeute comme suit : « Je me demande ce que les autres pensent de moi après ce que j'ai révélé de ma relation avec mon mari », le thérapeute peut lui demander : « Quand vous parlez des autres, à quelles personnes pensez-vous en particulier ? » Il peut ensuite inviter la cliente à poser cette question directement aux personnes en cause. Il en sera de même si le thérapeute a le sentiment que le commentaire de la cliente s'adresse à lui.

Certains clients parlent d'eux-mêmes à la deuxième personne du singulier : « Quand tu te fais dire pendant toute ton enfance que tu es un bon à rien, il n'est pas étonnant que tu n'aies pas confiance en toi ! » En plus d'aider le client à reconnaître la forme impersonnelle qu'il utilise, le thérapeute peut l'inviter à tenter de déterminer à quoi lui sert cette façon de parler de lui. Un bon moyen de reconnaître ce que recouvre la neutralité du langage utilisé consiste à demander au client de redire les mêmes paroles, mais cette fois en utilisant le « je » et en étant attentif à ce qui se passe en lui. Le but de cette intervention n'est pas d'amener le client à changer sa manière de dire et de faire en créant l'illusion d'un changement, mais de l'aider à saisir comment il procède pour neutraliser une expérience et s'empêcher de la vivre dans toute sa richesse.

Cette forme impersonnelle de langage s'observe aussi dans la façon de décrire les sensations ou les comportements. Par exemple, la phrase

« Ma respiration est superficielle » pourrait devenir « Je respire superficiellement », et la phrase « Mes muscles sont tendus » pourrait devenir « Je tends les muscles de mes épaules ». En invitant le client à reformuler ses observations sur ses fonctions de contact, le thérapeute l'invite à prendre la responsabilité de sa vie.

« Je ne peux pas » et « je ne veux pas »

Avec la même intention de permettre au client de prendre la responsabilité de sa vie, le thérapeute peut l'inviter à s'interroger sur une affirmation comme « Je ne peux pas faire cela ». Il pourra ainsi lui demander de reformuler cette affirmation en disant « Je ne veux pas faire cela », puis de vérifier laquelle des deux formulations convient le mieux à l'expérience en cours. Il l'aidera alors à distinguer ce qui, dans sa vie et dans l'expérience immédiate, relève de son incapacité ou de son choix. Cet exercice permettra aussi au client de reconnaître ses craintes ainsi qu'une manifestation d'une faible estime de lui-même.

Poser des questions

Au regard de la prise de risque et de responsabilité que le client assume dans sa vie, le thérapeute doit être attentif aux fausses questions que ce dernier peut poser et qui, souvent, sont des affirmations déguisées. Par exemple, un client demande : « Vous ne trouvez pas qu'il fait chaud ici ? » Le thérapeute peut l'inviter à changer cette question en affirmation. Ou encore : « Est-ce que ça se passe toujours comme ça dans les rencontres de thérapie ? » Une telle question comporte peut-être plusieurs significations que seul le client est en mesure de préciser. Le thérapeute l'incitera alors à décrire ce qu'il constate et éprouve dans cette thérapie. Il peut s'agir d'insatisfactions, de craintes, de découvertes, etc.

Partager ses observations

Toujours dans l'intention de favoriser la conscience de soi de son client, le thérapeute peut, compte tenu de ses observations au cours de l'écoute, intervenir comme suit :

- Informer le client de ce qu'il observe à la frontière contact, comme ses yeux humides, l'évitement de son regard ou un léger mouvement du pied qui se répète depuis quelques minutes, et l'inciter à y prêter attention et à décrire ce geste ou cette réaction comme étant une manifestation de lui-même. Ce faisant, il aidera le client à accéder de façon brute à une expression de la fonction « ça » qui n'est pas soumise à la censure de la fonction « je », qui, elle, est beaucoup plus socialisée.

– Informer le client des processus qu'il observe et auxquels il participe, par exemple une coupure du cycle de contact par l'utilisation d'un mécanisme de régulation de la fonction « je », comme la projection, la déflexion, la rétroflexion ou l'introjection. Le thérapeute doit utiliser un vocabulaire accessible au client ainsi qu'une forme interrogative, ce qui invitera le client à faire une certaine introspection et tiendra compte de la possibilité qu'il ne soit pas conscient de ce qu'il fait. Ainsi, le thérapeute pourrait souligner la déflexion du client de la façon suivante : « Avez-vous remarqué que, depuis que nous parlons de votre mère, vous regardez par terre et que votre voix est éteinte ? »
– Donner du feed-back au client sur sa propre expérience en le renseignant sur ce qu'il vit à un moment donné de la thérapie. Par exemple : « Depuis le début de cette rencontre, je constate que je suis mobilisé par votre difficulté, alors que vous répondez vaguement à mes questions et que vous regardez souvent ailleurs. Je me rends compte que j'ai de plus en plus le goût de démissionner, moi aussi. Est-ce que ces observations évoquent quelque chose pour vous ? »

Toutes ces interventions devraient se faire avec une intention définie et contribuer directement ou indirectement à l'objectif premier visé par cette approche thérapeutique, soit l'augmentation de la conscience de soi du client.

Interroger l'expérience du client

Le thérapeute peut poser des questions pour inviter le client à être attentif à certaines manifestations de ses processus internes. Ces questions doivent susciter chez lui une interrogation sur un aspect de l'expérience en cours et non l'amener à se justifier, à se sentir pris en défaut ou à croire qu'il serait préférable qu'il soit autre chose que ce qu'il est. Ces questions peuvent prendre, par exemple, la forme suivante : « Avez-vous remarqué le fait que votre voix a changé de registre depuis que... ? » ou celle-ci : « Qu'en est-il de la peur que vous éprouviez au début de la rencontre ? »

Le reflet de l'expérience

Dans le contexte des assises de l'intervention thérapeutique que nous présentons, le reflet est une technique de communication particulièrement pertinente. Elle a été souvent associée à Rogers et à l'approche centrée sur la personne. En effet, comme le soulignent Rogers et Kinget (1969b, p. 57) :

> Puisque le thérapeute rogérien ne vise ni à juger, à interroger ou à rassurer, ni à explorer ou à interpréter, qu'au contraire il vise à participer à l'expérience immédiate du client, il s'ensuit tout

naturellement que ses réponses doivent épouser la pensée de celui-ci au point de la reprendre et de la lui rendre sous une forme équivalente ou, tout au moins, reconnaissable comme sienne. D'où la réponse caractéristique de l'approche rogérienne s'indique du nom de reflet.

Pour ces auteurs, « refléter consiste à résumer, à paraphraser ou à accentuer la communication soit manifeste, soit implicite du client » (p. 57). Étant donné que dans un autre volume nous avons décrit et illustré cette technique, nous nous limiterons ici à rappeler en quelques mots les différentes formes que peut prendre le reflet. Le **reflet simple**, ou **réitération**, consiste à relever et à présenter au client l'essentiel du contenu manifeste qu'il a exprimé, de la même manière qu'on souligne certains mots clés dans la lecture d'une phrase. Le **reflet de sentiment**, ou **reformulation**, pour sa part, permet de refléter non seulement le contenu manifeste, mais aussi l'intention, l'émotion ou l'attitude inhérentes aux paroles du client et à le lui proposer, et non à le lui imposer. L'**élucidation** vise à signaler les contenus, les sentiments et les attitudes qui ne découlent pas directement des paroles du sujet, mais qui peuvent raisonnablement être déduits de la communication ou de son contexte (Rogers et Kinget, 1969b, p. 57-99).

L'utilisation de ces techniques créera chez le client le sentiment d'être compris ; de plus, comme plusieurs autres techniques que nous venons de décrire, elle l'aidera à acquérir une plus grande conscience de lui-même, à laisser remonter en figure ce qui émerge timidement du fond, à accueillir cette conscience plus aiguë de lui-même et des autres et à agir en fonction d'elle.

1.9.2 *Quelques jeux ou expérimentations*

Le dialogue entre les polarités

Par cette technique, le thérapeute incite le client à établir le dialogue entre deux dimensions de soi qui, à certains égards, sont diamétralement opposées et ne semblent pas pouvoir cohabiter dans le même temps et le même lieu. Il s'agit, par exemple, de la présence d'un sentiment de faiblesse et d'un sentiment de force, ou encore d'amour et de colère à l'endroit d'une personne. Plusieurs théories psychologiques décrivent ces polarités. Pour les gestaltistes, il s'agit du *top dog* et de l'*under dog*, un équivalent partiel du ça et du surmoi freudiens. Compte tenu de nos valeurs et de nos expériences passées, certains désirs et certaines émotions ne peuvent cohabiter en nous sans susciter une grande anxiété, puisqu'ils vont à l'encontre de la perception que nous avons de nous-mêmes et de notre moi idéal.

Quand le client prend contact avec ces aspects refusés de lui-même, il met en place différents mécanismes d'évitement afin de ne pas sentir l'angoisse qu'une telle expérience génère. Dans un climat d'accueil et de non-jugement, il peut progressivement reconnaître les manifestations de leur présence et amorcer un travail afin de les apprivoiser. En vue de l'amener à ancrer ces polarités, le client est invité à qualifier ces aspects qu'il reconnaît en lui au moyen de mots qui font image pour lui. Ainsi, au cours d'un dialogue, on verra apparaître successivement et parfois confusément « le tyran et Cendrillon », « le professeur et l'ermite », « mère Teresa et Hitler », « la prude et la putain », « la partie féminine et la partie masculine », etc.

Il s'agit ensuite pour le thérapeute de donner une place à chaque polarité et d'inviter chacune d'elles à s'exprimer. En accueillant ces aspects du client, nous l'invitons à accueillir sa propre vie dans toute sa complexité et sa richesse :

> Le but principal, lorsqu'on travaille avec les polarités, est de restaurer le contact entre les forces opposées. Dès que ce contact est rétabli, toutes les parties engagées dans la lutte peuvent être vécues comme des participants précieux. (Polster et Polster, 1983, p. 256.)

Le thérapeute peut inciter le client à établir un dialogue entre ces polarités, de manière que celles-ci trouvent un terrain d'entente. Il existe une foule d'autres façons d'agir sur les polarités.

L'amplification

Dans certaines situations, le client tente de contenir son expérience en refrénant certains gestes, le ton de sa voix, le flot de ses paroles ; il s'empêche de renouveler son énergie et de ressentir toute la portée de l'expérience en cours. Dans de tels cas, le thérapeute observe un écart marqué entre le contenu de l'échange et la retenue des gestes et de l'expression émotive. Par exemple, un client peut manifester son impatience ou sa colère face à une expérience matrimoniale en disant d'une voix éteinte qu'il en a assez et en esquissant un sourire. Le thérapeute peut alors demander au client de répéter cette phrase à quelques reprises en étant attentif à ce qu'il vit. Le même exercice peut se faire lorsqu'il s'agit d'un mouvement du pied ou de la main ou encore d'un éclat de rire. Le thérapeute peut aussi demander au client non seulement de répéter le geste ou la parole, mais de l'amplifier progressivement.

Demeurer présent à une expérience

Le client peut avoir tendance à tenir à distance certaines émotions qu'il juge dérangeantes. Le thérapeute l'invitera par exemple à rester silencieux, à demeurer attentif à l'émotion qu'il éprouve et à accueillir celle-ci. C'est ainsi qu'en début d'entretien un client peut se sentir vide et confus, ne sachant comment amorcer la conversation. Le thérapeute peut alors l'inviter à « être » ce vide ou cette confusion. En cours d'entretien, le client se sentira peut-être perdu, frustré ou découragé, expérience souvent pénible qu'il s'empressera d'interrompre par exemple en changeant brusquement de sujet. Le thérapeute pourra lui demander de se maintenir dans cette expérience frustrante en lui disant : « Pouvez-vous continuer à éprouver cette émotion ? » De même, le client pourra être incité à préciser (le quoi et le comment) ce sentiment.

À propos de cette technique, Levitsky et Perls (1971) mentionnent qu'il est intéressant de se rappeler le titre du premier livre de Perls, *Ego, Hunger and Aggression*. Ce titre véhiculait le message selon lequel nous devons adopter envers les expériences psychologiques et émotives la même attitude d'adaptation active que celle que nous utilisons quand nous mangeons sainement. Nous mordons alors dans la nourriture, puis nous la mâchons, la broyons et la liquéfions. Elle est ensuite avalée, digérée, métabolisée et assimilée. De cette façon, nous avons fait de la nourriture une partie de nous-mêmes. À l'aide de cette technique consistant à demeurer présent à une expérience, le client acquiert la capacité de digérer certaines expériences difficiles et développe ainsi la capacité et la confiance de maîtriser celles-ci.

La situation inachevée

Au cours de la thérapie, le client peut prendre contact avec différentes expériences inachevées de sa vie. Qu'elles soient récentes ou éloignées, elles mobilisent une partie plus ou moins importante d'énergie et influencent souvent le comportement du client dans des situations semblables. Le thérapeute peut l'aider à compléter ces expériences de façon réelle ou symbolique. Dans certains cas où la personne n'est pas accessible, comme lorsqu'elle est décédée, le thérapeute peut amener le client à compléter cette expérience en lui demandant de terminer le dialogue interrompu par la mort, d'exprimer à cette personne ce qui était demeuré en suspens.

Cette technique peut aussi permettre de compléter un rêve récurrent significatif interrompu par le réveil. Le dialogue peut également donner l'occasion à un client de dire à une personne qui lui est chère ce qu'il éprouve à son sujet et qu'il ne parvient pas à partager avec elle. Cet exercice peut parfois constituer une étape intermédiaire qui mènera certains clients à s'adresser par la suite directement à la personne en cause. Il doit cependant être conduit avec prudence afin d'éviter que cet échange avec la personne qui est crainte ait lieu prématurément et que le client sorte de cette expérience plus traumatisé qu'avant. De plus, il importe d'être attentif à la présence d'*acting out* qui libère momentanément, mais qui, par la suite, entraîne de nombreux effets pervers, comme le sentiment de culpabilité ou la rupture prématurée d'une relation.

Le rêve

> Perls considérait le rêve comme une projection ; c'est sans doute l'aspect le plus connu de sa manière de travailler. Cela signifie que tous les composants du rêve, grands ou petits, humains ou non humains, sont des représentations du rêveur. (Polster et Polster, 1983, p. 272.)

Il existe une foule de façons de travailler le rêve en thérapie. En voici quelques-unes.

Une première façon de travailler le rêve est d'inviter le rêveur à décrire son rêve au temps présent en s'attardant aux émotions, aux sensations corporelles et aux pensées qui l'habitent tout au long de son récit. Souvent, la seule conscience de cette expérience lui permet d'avoir accès à certaines expériences de sa vie réelle qui lui échappaient.

Une autre façon de travailler le rêve consiste à demander au rêveur de s'identifier aux objets, aux personnes, à l'environnement, en somme à tout ce qui est présent dans le rêve, et à décrire ces composantes comme s'il s'agissait de lui-même. Par exemple, une cliente s'identifie à la forêt qui se trouve dans son rêve : « Je suis une forêt, je suis sauvage, je suis habitée par des animaux étranges qui sont à la fois doux et féroces. Je suis hostile aux étrangers. » La cliente fait ensuite des liens entre ce qu'elle vient de dire et ce qui la caractérise ou ce qui se passe actuellement dans sa vie.

Les techniques que nous avons présentées dans ce chapitre illustrent la variété des moyens mis à la disposition du thérapeute qui intervient en s'appuyant sur une vision existentielle-humaniste de la psychothérapie. Comme nous l'avons déjà souligné, elles doivent demeurer des outils au service du thérapeute et du client. Elles seront efficaces pour autant que le thérapeute les adapte en tenant compte à la fois du contexte de l'intervention, des objectifs poursuivis et des caractéristiques du client. Dans les prochains chapitres, nous présenterons d'autres techniques ayant un rapport direct avec elles. Ces techniques et celles qui sont décrites dans le volume 1 (Chalifour, 1999) peuvent aussi faire partie de la stratégie thérapeutique que nous venons d'exposer.

Résumé

Dans ce chapitre, nous avons fait la synthèse des assises d'une intervention thérapeutique d'inspiration existentielle-humaniste. Pour y arriver, nous avons mis à contribution plusieurs auteurs qui

→

se sont intéressés à la Gestalt thérapie, à l'approche centrée sur la personne et à l'abandon corporel. Ces assises ne constituent pas une nouvelle théorie de l'intervention. Elles sont plutôt le rappel des principaux aspects à considérer par le thérapeute qui intervient dans un contexte de thérapie à court terme et à moyen terme dans le but d'aider ses clients à accroître la connaissance et la conscience qu'ils ont d'eux-mêmes, et de favoriser ainsi leur autonomie. De plus, ces assises devraient constituer la toile de fond pour la compréhension et l'application à différents contextes des stratégies d'intervention qui composent les prochains chapitres.

Bibliographie

BEISSER, A.R. (1971). « The paradoxical theory of change », dans J. Fagin et I.L. Shepherd, *Gestalt Therapy Now*, New York, Harper & Row, p. 77-80.

BENNER, P. (1995). *De novice à expert. Excellence en soins infirmiers*, Montréal, Éditions du Renouveau Pédagogique.

BLOCH, S. (sous la dir. de) (1996). *An Introduction to the Psychotherapies*, 3e éd., Oxford, Oxford University Press.

BOUCHARD, M.-A. (1990). *De la phénoménologie à la psychanalyse*, Liège, Pierre Margada Éditeur.

BUBER, M. (1969). *Je et tu*, Paris, Aubier Montaigne.

CHALIFOUR, J. (1994). « Pour surmonter les impasses relationnelles. Se poser des questions dans l'action », *L'infirmière du Québec*, mars-avril, p. 42-51.

CHALIFOUR, J. (1995). « Prendre soin de soi pour mieux prendre soin des autres : exigence ou cliché ? », *Actes du 13e colloque des personnes intervenant auprès de la clientèle âgée*, Comité provincial des soins aux personnes âgées, novembre.

CHALIFOUR, J. (1996). « La relation d'aide au quotidien ou Comment prendre soin de soi et des autres », conférence présentée à Roberval à l'occasion des activités de formation continue de l'Ordre des infirmières et des infirmiers de la région du Saguenay–Lac-Saint-Jean, février.

CHALIFOUR, J. (1999). *L'intervention thérapeutique*, vol. 1 : *Les fondements existentiels-humanistes de la relation d'aide*, Boucherville, Gaëtan Morin Éditeur.

CORSINI, J. (sous la dir. de) (1984). *Current Psychotherapies*, 3e éd., Itasca, F.E. Peacock.

DELISLE, G. (1992). « De la relation clinique à la relation thérapeutique », *Revue québécoise de Gestalt*, vol. 1, no 1.

DELISLE, G. (1995). *Une révision de la théorie du Self de Perls, Hefferline et Goodman et de ses prolongements cliniques*, thèse présentée à la Faculté des études supérieures, Université de Montréal, Département de psychologie.

DELISLE, G. (1998). *La relation d'objet en Gestalt thérapie*, Montréal, Éditions du Reflet.

ENRIGHT, J.B. (1971). « An introduction to Gestalt techniques », dans J. Fagin et I.L. Shepherd, *Gestalt Therapy Now*, New York, Harper & Row, p. 107-124.

FAGIN, J. et SHEPHERD, I.L. (1971). *Gestalt Therapy Now*, New York, Harper Colophon Books.

FAIRBAIRN, W.R. (1998). *Études psychanalytiques de la personnalité*, Paris, Éditions du Monde interne.

GELSO, C.J. et CARTER, J.A. (1985). « The relationship in counseling and psychotherapy : components, consequences, and theoretical antecedents », *The Counseling Psychologist*, vol. 13, p. 155-243.

GENDLIN, E. (1982). *Au centre de soi*, Montréal, Le Jour.

GINGER, S. (1992). *La Gestalt, une thérapie du contact*, Paris, Hommes et groupes Éditeurs.

HAMANN, A. (1996). *Au-delà des psychothérapies. L'abandon corporel*, Montréal, Stanké.

ISRAËL, L. (1984). *Initiation à la psychiatrie*, Paris, Masson.

LEVITSKY, A. et PERLS, F.S. (1971). « The rules and games of Gestalt therapy », dans J. Fagin et I.L. Shepherd, *Gestalt Therapy Now*, New York, Harper & Row, p. 140-149.

LEWIN, K. (1959). *Psychologie dynamique*, Paris, P.U.F.

MAHRER, A.R. (1989). *The Integration of Psychotherapies. A Guide for Practicing Therapists*, New York, The Human Sciences Press.

MEADOR, B.D. et ROGERS, C.D. (1984). « Person-Centred therapy », dans J. Corsini (sous la dir. de), *Current Psychotherapies*, 3e éd., Itasca, F.E. Peacock, p. 142-185.

NORTH AMERICAN NURSING DIAGNOSIS ASSOCIATION (1996). *Nursing Diagnosis : Definitions and Classification, 1995-1996*, Philadelphie, NANDA.

PERLS, F., HEFFERLINE, R.E. et GOODMAN, P. (1977). *Gestalt thérapie : technique d'épanouissement personnel*, Montréal, Stanké.

POLSTER, E. et POLSTER, M. (1983). *La Gestalt*, Montréal, Le Jour.

ROGERS, C. (1965). *Client-Centred Therapy*, Boston, Houghton Mifflin.

ROGERS, C. et KINGET, G.M. (1969a). *Psychothérapie et relations humaines. Théorie et pratique de la thérapie non directive*, vol. 1 : *Exposé général*, 4e éd., Montréal, Institut de recherches psychologiques.

ROGERS, C. et KINGET, G.M. (1969b). *Psychothérapie et relations humaines. Théorie et pratique de la thérapie non directive*, vol. 2 : *La pratique*, 4e éd., Montréal, Institut de recherches psychologiques.

SHOSTROM, L.S., KNAPP, L. et KNAPP, R.R. (1977). *Actualizing Therapy*, 2e éd., San Diego, Edits Publishers.

SIMKIN, J.S. et YONTEF, G.M. (1984). *Gestalt Therapy*, dans J. Corsini (sous la dir. de), *Current Psychotherapies*, 3e éd., Itasca, F.E. Peacock, p. 279-319.

ST-ARNAUD, Y. (1981). « Les ingrédients de base de la relation professionnelle », *Revue québécoise de psychologie*, vol. 2, no 1, février, p. 92-120.

ST-ARNAUD, Y. (1993). « Guide méthodologique pour conceptualiser un modèle d'intervention », dans F. Serre, *Recherche, formation et pratiques en éducation des adultes*, Sherbrooke, Éditions du C.R.P., Université de Sherbrooke, Faculté d'éducation.

STUART, G.W. et SUNDEEN, S.J. (1995). *Principles & Practice of Psychiatric Nursing*, 5e éd., Toronto, Mosby.

TOWNSEND, M.C. (1997). *Nursing Diagnosis in Psychiatric Nursing : A Pocket Guide for Care Plan Construction*, 4e éd., Philadelphie, F.A. Davis.

WATSON, J. (1998). *Le caring. Philosophie et science des soins infirmiers*, Paris, Seli Arsalan.

ZINKER, J. (1981). *Se créer par la Gestalt*, Montréal, Éditions de l'Homme.

CHAPITRE

2

Les entretiens

Les échanges verbaux qui se déroulent entre les professionnels de la santé et leurs clients prennent des formes très variées, allant de la conversation informelle à l'entretien formel, de la rencontre unique à des rencontres multiples se prolongeant pendant plusieurs mois, voire plusieurs années, comme c'est le cas dans la psychothérapie expressive. Dans le volume 1 (Chalifour, 1999), nous avons décrit les qualités d'une bonne écoute dans le contexte d'une relation d'aide professionnelle. Ce deuxième chapitre porte sur les entretiens. Voici un aperçu des sujets qui y seront abordés.

Nous commencerons par voir les caractéristiques générales d'un entretien ainsi que les étapes de son déroulement. Par la suite, nous décrirons les caractéristiques de l'entretien initial en soulignant les particularités de l'entretien unique, qui constitue l'une de ses applications. Puis, nous distinguerons l'entretien formel structuré de l'entretien formel non structuré, dont le prototype est l'entretien utilisé dans le contexte d'une psychothérapie visant la transformation et le développement de la personnalité. Enfin, nous décrirons les particularités des entretiens fréquents et de courte durée qui se déroulent surtout en milieu institutionnel.

2.1 DÉFINITIONS DE L'ENTRETIEN ET VARIABLES EN JEU

Au cours de leur pratique, la plupart des professionnels utilisent l'entretien comme moyen de structurer leurs échanges avec les clients. Suivant le contexte de travail, l'entretien peut prendre différentes formes. Ainsi, on trouve l'entretien de soutien fait par une infirmière auprès d'un client en phase terminale, l'entretien réalisé par un médecin dans son bureau en vue de poser un diagnostic et d'établir un traitement, l'entretien dans le contexte d'une psychothérapie effectué par un psychologue, et ainsi de suite.

Cependant, au-delà de ces différences, les entretiens possèdent des caractéristiques communes, soit les variables qui y sont présentes et les étapes de leur déroulement. Nous décrirons les principales composantes de ces deux aspects et les illustrerons à l'aide d'exemples provenant de situations cliniques. Une bonne connaissance de ces caractéristiques permettra à l'intervenant d'y prêter attention au cours de ses entretiens et, ainsi, d'intervenir avec plus d'efficacité.

La revue des écrits d'auteurs qui se sont intéressés à l'entretien a permis de constater qu'il existe diverses façons de le définir en fonction du contexte auquel on se réfère.

Ainsi, pour Bermosk et Mordan (1964, p. 4), dans le contexte d'une intervention de soins infirmiers,

> l'entretien en soins infirmiers est en premier lieu une communication verbale au cours d'une interaction d'une infirmière avec un patient, une famille ou un groupe, qui porte sur le maintien, sur la promotion ou sur la restauration de la santé.

L'intérêt pour la santé et pour sa promotion étant depuis toujours une des raisons d'être de l'exercice infirmier, il n'est pas étonnant que ces auteurs le soulignent dans leur définition de l'entretien.

Pour Salomé (1986, p. 16), dans le contexte d'une relation d'aide, « l'entretien est une situation provisoire d'interactions et interinfluences essentiellement verbales, entre deux personnes en contact direct avec un objectif préalablement posé ». Il ajoute plus loin (p. 108) :

> L'entretien « d'aide » a pour objectif la compréhension profonde (ou nouvelle) de ce qui se passe pour le demandeur, la découverte de la manière dont il éprouve la situation qui lui fait problème, la clarification progressive de son vécu et la recherche de moyens ou de ressources permettant un changement. Dans cette définition, l'auteur accorde une grande importance à la stratégie de solution de problème.

Pour sa part, Shea (1988, p. 6) présente une définition générale de l'entretien qui, selon lui, s'applique aussi bien au contexte d'une entrevue menée à la télévision qu'à celui d'un entretien réalisé en milieu clinique :

> L'entretien représente un dialogue verbal et non verbal entre deux participants dont les comportements influencent les styles réciproques de communication, entraînant un mode particulier d'interaction. Dans l'entretien, un participant qui se qualifie lui-même d'« interviewer » tente d'atteindre des buts spécifiques, tandis que l'autre participant assume généralement le rôle de « celui qui répond aux questions ».

Contrairement aux deux définitions précédentes, on reconnaît dans celle-ci la part active que prend l'aidant à l'entretien en exerçant un rôle d'« expert » en ce qui concerne à la fois le processus de l'entretien et le choix des thèmes abordés dans celui-ci. On observe généralement ce type d'entretien chez les cliniciens qui interviennent auprès de clients présentant une déficience intellectuelle ou des troubles mentaux graves et dont l'intervention psychothérapeutique vise la gestion des symptômes et l'adaptation.

Pour Pauzé (1984, p. 24), « l'entrevue est un type particulier d'interaction verbale, entreprise dans un but spécifique et concentrée sur un contenu également spécifique ». Dans un contexte d'aide professionnelle, cette auteure définit l'entretien de la façon suivante (p. 10) :

> L'entrevue est un type particulier de communication humaine visant essentiellement à « aider l'autre à s'aider lui-même ». L'atteinte de cet objectif repose entre les mains de l'intervieweur qui, en créant une atmosphère de confiance et de respect, encourage le client à découvrir ce qu'il est et ce qu'il possède comme ressources personnelles.

Dans le même ordre d'idées, Mucchielli (1975, p. 8), s'inspirant tout particulièrement de l'approche centrée sur la personne de Rogers (1965), définit l'entretien de face à face de la façon suivante :

> La relation d'aide est une relation professionnelle dans laquelle une personne doit être assistée pour opérer son ajustement personnel à une situation à laquelle elle ne s'adapterait pas normalement. Ceci suppose que l'aidant est capable de deux actions spécifiques :
>
> 1. Comprendre le problème dans les termes où il se pose pour tel individu singulier dans son existence singulière.
> 2. Aider le « client » à évoluer personnellement dans le sens de sa meilleure adaptation sociale.
>
> [....] L'entretien de face à face devient le moyen de réaliser les deux opérations requises par la relation d'aide.

On rencontre souvent ce type d'entretien dans le contexte d'une relation d'aide professionnelle.

En tenant compte de ces définitions et des écrits d'autres auteurs qui se sont penchés sur ce sujet (Benjamin, 1987 ; Black, 1983 ; Brammer, 1979 ; Cormier, Cormier et Weisser, 1983 ; Ivey, 1983 ; Othmer et Othmer, 1988 ; Sullivan, 1954 ; Thibaudeau, 1986) ainsi que de notre pratique clinique, nous proposons la définition suivante de l'entretien : **L'entretien est un type particulier d'interactions verbales et non verbales formelles entre un intervenant et un client ou un groupe de clients au cours desquelles les participants utilisent certaines façons de faire et d'être en fonction de la compréhension de leurs rôles, du contexte, de leurs caractéristiques, du sujet traité, des buts recherchés et du temps qu'ils s'accordent à cette fin.**

Nous reprendrons chacun des segments de cette définition afin de mieux en comprendre le sens.

Un type particulier d'interactions verbales et non verbales formelles entre un intervenant et un client ou un groupe de clients...

Ce qui distingue ce type d'interaction des autres types d'interactions, c'est qu'il est soumis à certaines exigences que nous décririons brièvement dans les autres segments de cette définition. Pour l'instant, retenons qu'en plus de respecter les règles générales d'une bonne écoute les personnes en présence acceptent d'exercer certains rôles, d'assumer certaines tâches, de se plier à certaines règles et à certains principes habituellement reconnus qui encadrent leur échange.

... au cours desquelles les participants utilisent certaines façons de faire et d'être en fonction de la compréhension de leurs rôles...

Dans le volume 1 (Chalifour, 1999), nous avons décrit les caractéristiques d'une bonne communication et d'un processus interactionnel entre un intervenant et un client ou un groupe de clients. Dans le contexte de rencontres à caractère psychothérapeutique, ces interactions sont soumises, comme nous l'avons vu dans la première partie de ce livre, à de nombreuses variables reliées entre elles. Le défi que doit relever le thérapeute est de favoriser leur conjugaison optimale pour déterminer le problème ou les difficultés que présente le client, l'aider à préciser l'aide qu'il désire recevoir et lui offrir cette aide. Pour le guider dans cette tâche, le clinicien, comme nous l'avons souligné au chapitre 1, s'appuie sur un système thérapeutique. Les assises de l'intervention psychothérapeutique que nous avons décrites de même que les stratégies que nous examinerons dans les prochains chapitres sont des exemples d'une description du rôle du thérapeute et de celui du client, de leur contribution réciproque et du type d'interaction qui doit les animer.

... du contexte...

Comme nous l'avons souligné dans l'avant-propos, les conditions de pratique des intervenants de la santé sont des plus diversifiées. Au regard de l'entretien, nous nous attarderons à deux aspects du contexte qui l'influencent tout particulièrement, à savoir les motivations du client qui sont à l'origine de la demande d'aide et le contexte physique et organisationnel dans lequel se déroule l'entretien. Voyons brièvement comment ces deux aspects influencent l'entretien.

Les motivations

Face au client et au type de rapport que le thérapeute établit avec lui, il est important de se poser la question suivante : quelles raisons justifient l'entretien avec ce client ? Généralement, c'est le client qui fait appel à un professionnel de la santé afin d'obtenir de l'aide en ce qui a trait à une difficulté qu'il éprouve. Dans un tel cas, le client ressent un inconfort, un malaise ou une souffrance qui l'incitent à consulter. Dans la plupart des cas, l'intervenant peut tenir pour acquis que le client qui consulte présente ce type de motivation.

Cependant, dans certaines situations, les raisons qui ont donné lieu à l'entretien sont différentes. Par exemple, pour ce qui est des entretiens qui se déroulent dans le contexte d'une psychothérapie, lorsque le thérapeute explore cette question avec des clients qui s'engagent de façon superficielle dans l'entretien, il peut constater que certains d'entre eux viennent consulter à la demande d'un tiers. Une discussion sur cette question amènera parfois l'un et l'autre à déterminer s'ils ont une motivation suffisante pour poursuivre la thérapie. Dans d'autres situations clairement précisées, le client consulte à la demande, par exemple, d'un membre de sa famille, d'un employeur ou d'un professionnel de la santé. Cela se produit souvent dans les CLSC ou dans les bureaux privés. Dans ces cas, le thérapeute doit examiner dans quelle mesure cette raison de consulter nuit à la relation et fait partie du problème du client. Il devra tenir compte de ce fait tout au long des entretiens.

Voici un exemple qui illustre cette situation. Une cliente vient consulter en disant qu'elle a sûrement besoin d'aide puisqu'elle a encore les larmes aux yeux quand elle parle de son père décédé il y a six mois. En procédant à son investigation, le thérapeute constate que cette cliente a des amis, un emploi, des loisirs, un bon appétit, un bon sommeil, des projets, etc. Explorant davantage le motif de la consultation, il découvre que c'est une amie de la cliente qui lui avait conseillé de consulter parce qu'à son avis elle tardait trop à faire le deuil de son père et qu'il était temps, après six mois, qu'elle cesse de pleurer. La cliente souligne qu'elle aimait beaucoup son père, que sa relation avec lui était enrichissante. Sa mort représente une grande perte pour elle. L'échange se poursuivant, le thérapeute l'aide à reconnaître qu'il est légitime de vivre cette peine et de l'exprimer. En fin de rencontre, tout en reconnaissant qu'elle aurait besoin de travailler l'affirmation de soi, elle choisit de ne pas entreprendre de thérapie pour le moment, mais plutôt de s'affirmer auprès de l'amie qui l'a invitée à consulter et de poursuivre son deuil entourée de son réseau d'amies.

En somme, la motivation du client lors de la demande de consultation doit permettre au thérapeute non seulement de fixer les objectifs de l'entretien, mais aussi d'évaluer l'énergie que le client accepte de consacrer à une telle entreprise.

Le contexte physique et organisationnel

La diversité des lieux où se rencontrent clients et thérapeutes dans un but psychothérapeutique est très grande. Chaque milieu présente des caractéristiques qui peuvent favoriser l'entretien ou lui nuire. Dans le livre précédent, nous avons décrit de quelle manière certaines variables de l'environnement comme l'éclairage, les bruits ou la présence d'autres personnes peuvent interférer au cours de l'entretien. Le thérapeute doit donc être habile à reconnaître dans quelle mesure ces caractéristiques influencent l'échange et à trouver des moyens de faciliter celui-ci.

Par exemple, si une infirmière ou une travailleuse sociale réalise un entretien au domicile d'une cliente, elle doit établir de quelle façon la présence du conjoint dans une pièce attenante agit sur le contenu de l'échange. Dans un tel cas, elle doit valider cette perception et, au besoin, découvrir une façon de créer l'intimité nécessaire. Certains intervenants qui ont pris cette initiative en réalisant un entretien dans la chambre d'un client ou au sous-sol de la maison ont constaté une différence marquée dans la participation du client et, conséquemment, reconnu l'importance d'une telle initiative quant à la qualité de l'entretien. Dans d'autres situations, les clients ont été invités à aller rencontrer le thérapeute à son bureau. En somme, les conditions physiques ont un impact réel non seulement sur le confort des personnes en présence, lequel vise à rendre l'échange plus agréable, mais aussi sur l'intimité que nécessite une telle expérience.

Ce contexte physique est aussi directement lié au contexte organisationnel dans lequel se déroule l'entretien. Ainsi, le travail en cabinet privé est souvent très différent du travail réalisé dans un service public de santé. En effet, les différences ne touchent pas seulement l'aménagement, mais aussi la philosophie de l'intervention, tout comme le mandat et les tâches qui sont attribués aux intervenants. Par exemple, dans certains milieux, il existe des politiques sur le nombre de rencontres dont peut bénéficier un client, de même qu'un découpage des tâches entre les professionnels qui fera en sorte que l'entretien en sera directement influencé. Les formes d'entretiens que nous décrirons dans les pages qui suivent illustrent ces particularités. En somme, l'intervenant doit tenir compte de ces contraintes physiques et organisationnelles dans le choix des problématiques qu'il acceptera de traiter ainsi que dans celui des stratégies thérapeutiques qu'il utilisera pour ce faire. S'il néglige de respecter cette règle, il risque de vivre et de faire vivre au client de nombreuses déceptions, comme celle d'entreprendre un travail psychothérapeutique sans pouvoir le réaliser de façon satisfaisante.

... de leurs caractéristiques...

Dans la relation psychothérapeutique, les caractéristiques des personnes en présence figurent au premier plan de l'intervention. Elles ont un effet direct sur l'issue de l'entretien. Aussi le thérapeute doit-il en tenir compte dans la façon de mener les entretiens. Au chapitre 1, nous avons décrit certaines de ces caractéristiques en fonction des assises de ce livre. Ici, nous le ferons notamment en fonction des caractéristiques sociodémographiques et des compétences des personnes à assumer leur rôle. Voyons, à l'aide de quelques exemples, comment les caractéristiques personnelles du thérapeute et celles du client peuvent influencer le déroulement de l'entretien.

Les caractéristiques du thérapeute

La personne qu'on appelle « intervenant », « psychothérapeute », « professionnel de la santé », etc., doit se reconnaître certaines compétences pour aider la personne qui sollicite son aide. À ces compétences doivent s'ajouter une certaine disponibilité physique et émotive de même que la volonté d'aider. De plus, certaines caractéristiques personnelles du thérapeute, comme son âge, son sexe, son milieu socioculturel, sa personnalité, ses centres d'intérêt, ses expériences de vie et de travail, sa formation professionnelle ou ses préférences pour certains types de clientèle, exercent une influence évidente sur sa façon de mener les entretiens. Aussi le thérapeute doit-il prêter attention à sa façon d'intervenir et considérer le fait que le client réagit à certaines de ses caractéristiques.

Par ailleurs, il doit apprendre à mettre ses caractéristiques personnelles au service de la relation. Par exemple, en début de carrière, plusieurs professionnels nous ont dit comment certaines personnes âgées hésitaient à se confier à eux sous prétexte qu'ils étaient trop jeunes pour comprendre leurs difficultés, comme celles qu'elles avaient vécues avec leur conjoint ou leurs enfants. Certains d'entre eux, oubliant de faire la distinction entre une relation sociale et une relation professionnelle, approuvaient un tel jugement, alors que d'autres, reconnaissant une relation transférentielle mère-fille, sont parvenus à composer avec ces résistances.

Outre ces caractéristiques personnelles, il existe des caractéristiques qui sont propres à chaque profession et qui se traduisent dans un certain nombre de fonctions définies par le législateur. Ainsi, tous les professionnels de la santé devraient être formés de manière à pouvoir réaliser des entretiens dans le contexte de l'aide professionnelle qu'ils offrent. De plus, par rapport à leur milieu de travail et aux rôles qu'ils jouent, ils devraient être en mesure d'assurer certaines interventions à caractère psychothérapeutique au sujet desquelles ils ont reçu une formation.

Les caractéristiques du client

Comme nous le verrons tout au long de ce livre, l'état mental et l'état physique du client influent sur tous les aspects du déroulement de l'entretien, qu'il s'agisse du choix du type d'entretien à réaliser, des buts poursuivis, des sujets traités ou des conditions de réalisation, comme le lieu de la rencontre, la durée ou la fréquence. D'autres caractéristiques personnelles du client telles que son âge ou sa scolarité peuvent aussi influer sur certaines façons de faire et d'être. Par exemple, un intervenant n'abordera pas la question de la contraception avec une adolescente de la même façon qu'avec une femme adulte mère de trois enfants. De même, le sujet sera présenté différemment selon qu'il s'adresse à des personnes peu scolarisées ou très scolarisées. De plus, l'intervenant aura plus de facilité à comprendre un client ou à intervenir auprès de lui s'il partage avec lui des caractéristiques comme l'âge, certains goûts, certaines valeurs, ou s'il vient du même milieu socioculturel. Cependant, comme le souligne Jourard (1974), tout en reconnaissant ces affinités, il doit s'efforcer d'offrir des soins qui ne soient pas déterminés avant tout en fonction de ses préférences, mais au regard des caractéristiques et des demandes réelles du client.

En somme, ces quelques indications mettent en évidence le caractère unique de chaque entretien. Aussi, face à telle relation avec tel client, le thérapeute doit s'interroger sur la place qu'occupent ces caractéristiques et en tenir compte lorsqu'il s'agit de personnaliser l'entretien.

... du sujet traité...

Le client et l'intervenant discutent de contenus conceptuels et affectifs qui déterminent de plusieurs manières l'issue de la rencontre. Par exemple, si un sujet est considéré comme menaçant par l'une des personnes en présence, celle-ci tentera alors de l'éviter. Cela se produit souvent avec des thèmes comme la sexualité, l'affection, la souffrance, l'impuissance ou la mort et avec des émotions comme la peine, l'attachement, l'agressivité ou la culpabilité. L'intervenant doit donc être très attentif aux thèmes de l'entretien et à la façon dont il encourage ou décourage leur expression. Le choix des thèmes doit être en liaison avec les buts fixés et valorisés dans cette rencontre de même qu'avec les besoins ressentis par le client. De plus, l'intervenant ne devrait pas opter pour un thème parce qu'il se sent mal à l'aise face à d'autres thèmes, parce qu'il préfère certains sujets ou parce qu'un thème l'intéresse personnellement. Comme nous l'avons vu, le besoin d'aide déterminé, les buts poursuivis et la stratégie thérapeutique utilisée dictent à la fois les thèmes à aborder et leur traitement.

... des buts recherchés...

Quel que soit le type d'entretien, il est essentiel que l'intervenant s'entende avec le client sur les raisons de leur rencontre. L'entretien prendra ensuite la forme qui semble le mieux répondre aux buts recherchés : le diagnostic, l'acquisition de connaissances, le soutien, l'adaptation, la gestion de crise, la croissance personnelle, la transformation, etc. Dans la pratique courante, l'insatisfaction entourant certains entretiens est due en grande partie au fait que cette exigence n'est pas respectée. Dans ces conditions, l'intervenant et le client auront le sentiment d'avoir perdu leur temps, d'avoir « jasé », que c'était « plaisant », que « ça désennuie », et non d'avoir vécu un moment important au cours duquel le client a progressé. Dans ce genre d'entretien qui, en fait, est davantage une conversation sans fil conducteur qui se déroule à bâtons rompus, il est difficile d'observer une évolution dans l'échange. L'intervenant doit alors être capable de reconnaître cette impasse et de s'interroger avec le client sur les raisons de celle-ci. Dans la prochaine section, portant sur les étapes de l'entretien, nous décrirons la façon de procéder pour définir le but de l'entretien et pour en favoriser la réalisation.

… et du temps qu'ils s'accordent à cette fin

La fréquence et la durée des rencontres avec le client varient selon le contexte d'exercice de certains professionnels et le type d'intervention d'aide réalisé. Par exemple, il est habituellement reconnu que, dans la pratique de la psychothérapie, la durée d'une rencontre est d'environ cinquante minutes et qu'elle a lieu une ou deux fois par semaine, si l'on exclut la psychanalyse, où les rencontres sont plus fréquentes. Ces rencontres peuvent se dérouler pendant quelques semaines, quelques mois ou plusieurs années.

Pour certains professionnels qui travaillent dans un milieu institutionnel, comme un centre hospitalier, un centre local de services communautaires ou un centre de jour, comme c'est le cas pour certains médecins, infirmières, travailleurs sociaux et ergothérapeutes, la fréquence et la durée des entretiens sont souvent conditionnelles à l'état de santé du client et au contexte de travail. Par exemple, contrairement à la plupart des autres professionnels de la santé, plusieurs infirmières qui travaillent en milieu hospitalier dans des unités de soins physiques rencontrent le même client à plusieurs reprises au cours d'une journée. De plus, la durée de ces rencontres varie en fonction de la durée des soins et des traitements à donner. En effet, c'est souvent au cours des traitements et des soins que s'établissent la relation d'aide professionnelle et, dans certains cas, les interventions à caractère psychothérapeutique. Un peu plus loin dans ce chapitre, nous décrirons une stratégie d'entretien qui peut être utilisée par les professionnels qui travaillent dans ces conditions.

Dans certains contextes comme le milieu psychiatrique, l'infirmière rencontre le client une ou deux fois par semaine pour un entretien formel à caractère psychothérapeutique, où elle utilise des stratégies d'intervention comme celles que nous décrirons dans les chapitres suivants. Dans l'intervalle, elle parle au besoin avec lui des aspects liés à son vécu quotidien. Dans d'autres contextes, par exemple dans un suivi à long terme à domicile ou en centre de jour, l'infirmière peut rencontrer les clients à raison d'une fois par semaine, en plus des rencontres de groupe quotidiennes, ou à des intervalles plus espacés et, dans ces cas, assurer un suivi psychothérapeutique plus formel. En somme, dans le choix des objectifs et des moyens de les atteindre, l'intervenant doit tenir compte de la fréquence et de la durée possibles des entretiens.

2.2 LES ÉTAPES DE L'ENTRETIEN

Une revue de quelques écrits portant sur l'entretien et l'entrevue (notamment Bermosk et Mordan, 1964; Brammer, 1979; Chalifour, 1985; Mucchielli, 1975; Pauzé, 1984; Salomé, 1986; Schulman, 1982; Shea, 1988; Thibaudeau, 1986) nous a permis de relever deux grandes caractéristiques de l'entretien d'aide. D'abord, il se déroule dans le temps et, comme tout processus fini, il comprend certaines étapes. Puis, il est possible de décrire ces étapes à la lumière de trois composantes communes, qui sont: 1) le contact affectif et physique entre les personnes; 2) le but poursuivi et les thèmes abordés; 3) les modalités administratives qui en favorisent le déroulement. Pour ce qui est des étapes centrales de l'entretien, nous décrirons la manifestation de ces composantes et la manière dont l'intervenant peut faciliter l'expression de celles-ci. Nous verrons par la suite les formes particulières qu'elles peuvent prendre dans certains types d'entretiens.

Les auteurs consultés divisent l'entretien en un nombre plus ou moins important d'étapes. Par exemple, Shea (1988) partage la structure dynamique de l'entretien en cinq étapes: l'introduction, l'ouverture, le corps, la fermeture et la terminaison. Pour notre part, nous reconnaissons dans l'entretien cinq moments importants; deux d'entre eux, soit le premier et le dernier, se déroulent en l'absence du client. La figure 2.1 situe ces étapes en fonction des différents aspects qui doivent être considérés. De plus, elle permet de reconnaître certaines composantes dont il faut tenir compte dans une intervention d'aide professionnelle (les techniques de communication verbale et non verbale, les attitudes, les stratégies relationnelles), auxquelles s'ajoutent les stratégies thérapeutiques dans le contexte des interventions à caractère psychothérapeutique.

Avant de décrire les cinq étapes de l'entretien, il est important de se rappeler les points suivants. Vu les conditions très diversifiées dans lesquelles les professionnels de la santé interviennent, nous présenterons le déroulement de l'entretien en faisant une distinction entre l'entretien qui s'inscrit dans une relation d'aide professionnelle et celui qui a lieu dans un contexte de psychothérapie, la relation d'aide correspondant au contenu et aux caractéristiques que nous avons examinés dans le volume 1 (Chalifour, 1999) et la psychothérapie correspondant au volume 1, auquel s'ajoute le contenu du présent volume. En effet, l'on doit faire une distinction entre

FIGURE 2.1 *Les composantes de l'intervention et les étapes de l'entretien*

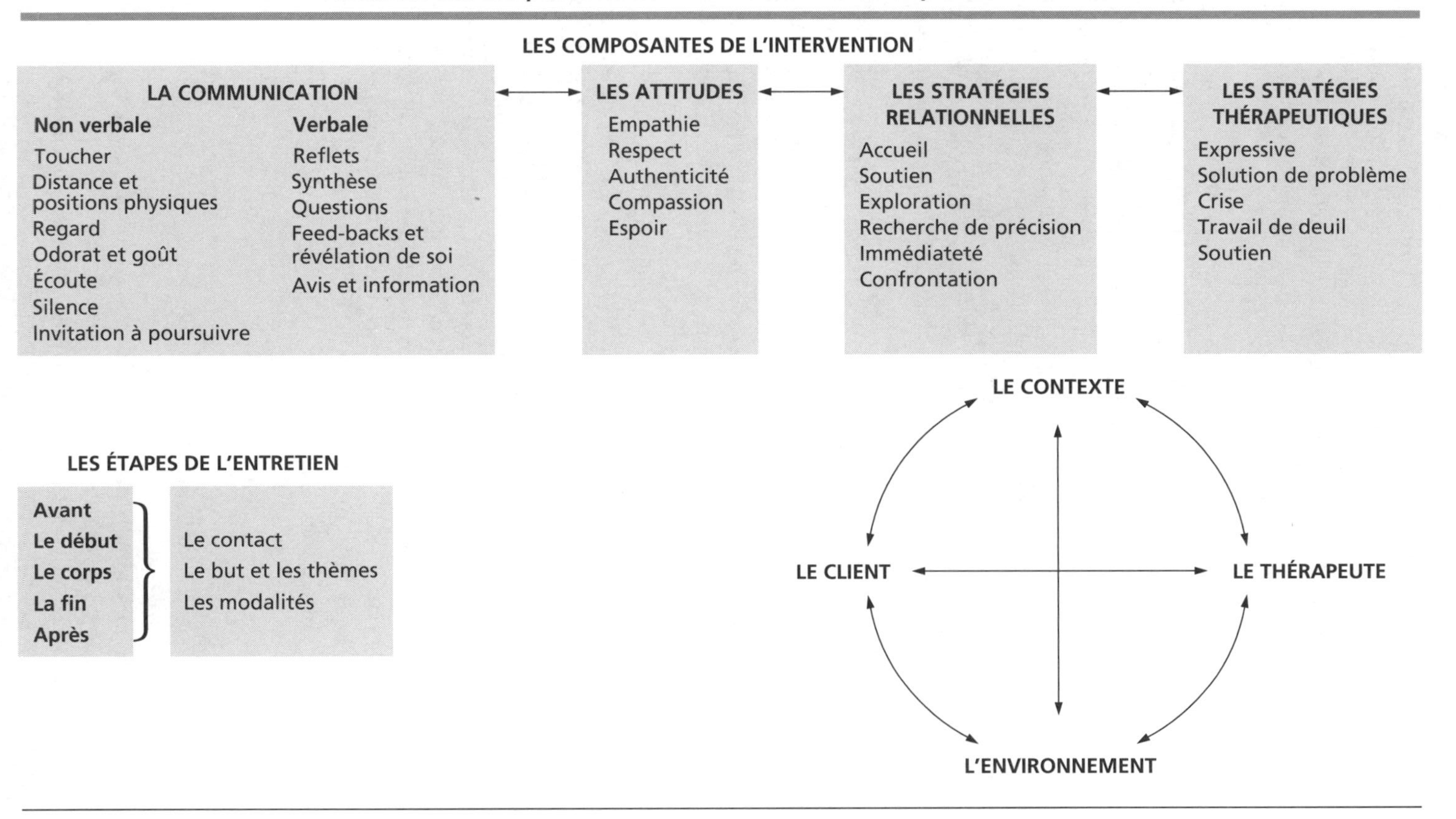

ces deux formes d'intervention ; dans le premier cas, l'entretien a un caractère beaucoup moins formel que dans le second. Cependant, il est difficile de dissocier ces deux formes, puisque les conditions relationnelles sont préalables à la présence d'une intervention psychothérapeutique, qui est en quelque sorte un type particulier d'intervention réalisée dans le contexte d'une relation d'aide professionnelle.

Certains professionnels doivent d'ailleurs compter ces deux types d'entretiens dans leur pratique courante. La majorité des infirmières, des médecins, des ergothérapeutes, des conseillers d'orientation, des éducateurs spécialisés de même que plusieurs travailleurs sociaux doivent faire cette distinction dans leur travail. Par exemple, une infirmière ne réalisera pas un entretien ayant une visée psychothérapeutique auprès d'une mère qu'elle visite à domicile afin de discuter avec elle des soins à donner au nourrisson. Cependant, elle devra créer une relation de confiance afin d'aider cette mère à communiquer aussi bien son expérience dans l'exercice de son nouveau rôle que les craintes qui l'habitent ou les questions qu'elle se pose. Si l'infirmière constate au cours de l'échange que cette femme vit une crise liée à une difficulté d'adaptation à son nouveau rôle de mère, elle peut lui offrir une aide à caractère psychothérapeutique. Il en est de même pour le médecin généraliste qui rencontre un client qui consulte pour un problème digestif. Il est possible qu'après une investigation il lui propose une diète et une médication. Dans un tel cas, il intervient dans le contexte d'une relation d'aide professionnelle. Cependant, si cette investigation lui permet de constater que son client présente un trouble de l'humeur lié à une situation de perte récente et que ce trouble nécessite une aide professionnelle soutenue, il pourra lui offrir cette aide psychothérapeutique s'il possède la formation adéquate, sinon il l'adressera à un psychothérapeute formé à cette fin.

Ces exemples permettent de souligner que ces deux conditions d'aide sont reliées l'une à l'autre. Aussi nous décrirons les étapes de l'entretien au regard de leurs caractéristiques communes tout en apportant certains commentaires sur leurs différences. Compte tenu du caractère particulier du premier entretien, nous lui accorderons une attention spéciale dans la section 2.4. Pour l'instant, voyons ce qui caractérise chacune des cinq étapes de l'entretien.

2.2.1 Avant l'entretien

En vue de se préparer à l'entretien, l'aidant a un certain nombre de tâches à assumer. Ces tâches varieront en fonction du but poursuivi, de la durée de la rencontre et du contexte dans lequel elle aura lieu. Le tableau 2.1 présente un résumé de ces tâches.

TABLEAU 2.1
Les tâches à assumer pour se préparer à l'entretien

- Précisez vos attentes quant à cette rencontre avec le client.
- Déterminez le moment de la journée auquel aura lieu cette rencontre en vous assurant de votre disponibilité et de celle du client.
- Choisissez les moyens qui seront utilisés et assurez-vous de leur accessibilité ainsi que de votre compétence à les appliquer.
- Déterminez l'endroit de la rencontre.
- Au besoin, informez vos collègues de l'heure et de l'endroit où se déroulera l'entretien.
- Précisez ce que vous éprouvez à l'idée d'aller rencontrer ce client ou de le recevoir à votre bureau.

Nous verrons maintenant plus en détail en quoi consiste chacune de ces tâches.

Précisez vos attentes quant à cette rencontre avec le client

Les attentes peuvent porter sur une façon d'être ou de faire au cours de l'entretien, sur un thème à aborder, sur une stratégie à appliquer, sur une observation à faire ou sur une intervention à réaliser, etc. Par exemple, s'il s'agit d'un premier entretien, cette attente pourrait consister à préciser ce que le client désire. S'il s'agit d'un entretien qui se situe dans le contexte d'un suivi psychothérapeutique, la lecture du dossier du client permettra de se remettre en mémoire le travail en cours et, suivant le besoin d'aide et la stratégie psychothérapeutique utilisée, de planifier une certaine direction, que ce soit au regard de son écoute ou au regard de ses interventions.

Déterminez le moment de la journée auquel aura lieu cette rencontre en vous assurant de votre disponibilité et de celle du client

Dans le contexte d'une relation d'aide professionnelle et dans celui d'un suivi psychothérapeutique, le respect de l'heure des rendez-vous et de la durée de l'entretien est une bonne indication de l'importance que vous accordez au client et à la difficulté qu'il vit. Si vous avez vécu, à titre de client, ce manque de respect, vous comprenez à quel point il peut nuire à la qualité du lien thérapeutique. De plus, une mauvaise planification peut avoir une incidence sur le déroulement des différentes activités professionnelles prévues au cours de la journée. Par exemple, en milieu de soins à domicile, une rencontre qui débute en retard peut interférer avec d'autres activités du client, comme une sortie, ou avec l'arrivée d'un visiteur, et avoir ainsi un effet négatif sur l'entretien.

Choisissez les moyens qui seront utilisés et assurez-vous de leur accessibilité ainsi que de votre compétence à les appliquer

Les moyens utilisés peuvent être liés aux compétences diagnostiques, psychothérapeutiques ou instrumentales. Par exemple, sur le plan instrumental, si une infirmière désire donner un enseignement sur la prise de médicaments et qu'elle veuille le faire à l'aide d'un guide sur ce sujet préparé par le CLSC, elle doit s'assurer qu'elle possède un exemplaire de ce guide, prendre le temps de le lire et d'en comprendre le contenu avant de rencontrer le client. Ou bien, si une travailleuse sociale désire discuter avec un client en milieu psychiatrique en vue de sa sortie éventuelle et de son hébergement dans une maison de transition, elle doit entre autres posséder toutes les informations sur les caractéristiques de cet endroit et sur les conditions de séjour.

Quant aux interventions à caractère psychothérapeutique, il est indispensable que l'intervenant applique des stratégies psychothérapeutiques auxquelles il a été formé. S'il ne possède pas les compétences pour répondre aux besoins et aux attentes d'un client, il doit alors adresser celui-ci à un collègue formé à cette fin. Sur le plan de la formation, la majorité des professionnels de la santé devraient avoir appris à utiliser les différentes stratégies psychothérapeutiques qui seront décrites plus loin dans ce livre. Pour ce qui est de la psychothérapie de fond, elle devrait être réservée aux professionnels dûment formés à ces approches, lesquelles nécessitent une formation et une supervision de quelques années. À ce propos, l'Office des professions du Québec étudie ce dossier depuis quelques années et ses conclusions préliminaires vont dans ce sens. De plus, cet organisme s'est prononcé, à partir d'un certain consensus interprofessionnel, sur les professions dont les membres pourraient, après une formation, porter le titre de psychothérapeute.

Déterminez l'endroit de la rencontre

Dans le contexte de la pratique privée, les rencontres se déroulent généralement au bureau du thérapeute ou du professionnel. D'habitude, cette décision est prise avant la première rencontre avec le client et elle demeure stable. Cependant, dans un contexte de travail en institution, il est important de prévoir l'endroit de la rencontre, qui peut changer en fonction de la disponibilité des locaux ou de l'état de santé du client. Lorsque le professionnel détermine l'endroit de la rencontre, il doit se familiariser avec les lieux et s'assurer qu'ils favorisent l'écoute et une certaine intimité. À cette fin, il verra à ce que les chaises soient confortables, à ce que l'éclairage soit suffisant, à ce que la température ambiante soit agréable et à ce que le milieu environnant ne soit pas trop bruyant. Dans certains milieux de travail, ces conditions sont difficiles à réunir. Le thérapeute devra déterminer avec le client dans quelle mesure l'absence de certaines de ces conditions minimales nuit à l'entretien et il devra prendre les décisions qui s'imposent.

Au besoin, informez vos collègues de l'heure et de l'endroit où se déroulera l'entretien

Dans un contexte de travail interdisciplinaire, la planification de l'heure et de l'endroit des entretiens devrait être déterminée en équipe, surtout si plusieurs professionnels interviennent auprès du même client au cours d'une même journée ou si plusieurs d'entre eux partagent les mêmes locaux pour la tenue des entretiens. Par exemple, un horaire de réservation des locaux facilite la planification et évite les conflits d'horaire ou la sous-utilisation de locaux destinés en priorité à certains professionnels. De cette manière, les entretiens à caractère psychothérapeutique ne seront pas interrompus inopinément par l'arrivée d'un autre professionnel qui désirera lui aussi rencontrer le client. Le respect de cette planification par les membres de l'équipe peut constituer un indice de l'importance que chacun accorde au travail réalisé par ses collègues de travail.

Précisez ce que vous éprouvez à l'idée d'aller rencontrer ce client ou de le recevoir à votre bureau

Dans nos contacts avec les clients, nous vivons des réactions contre-transférentielles plus ou moins importantes et plus ou moins positives. Il est particulièrement important de reconnaître ces réactions puisque, d'une façon ou d'une autre, elles auront un impact sur notre façon d'être présents aux clients et d'intervenir auprès d'eux. Cette conscience de soi est essentielle dans une relation à caractère psychothérapeutique, et tout particulièrement dans une psychothérapie qui vise une plus grande conscience de soi et le développement personnel. L'attention que nous accordons aux différentes étapes de l'entretien peut nous renseigner utilement sur ce que nous éprouvons à l'égard des clients que nous rencontrons.

Cette connaissance de soi, dans notre rapport avec nos clients, nous permet souvent de comprendre certains comportements que nous adoptons en leur présence ainsi que certaines réactions des clients à la thérapie. Voici quelques illustrations de ce phénomène. Le client ayant des traits marqués de personnalité narcissique est peu gratifiant et invite souvent le thérapeute à l'affrontement, ou encore il emprisonne le thérapeute dans un rôle s'il tente de répondre aux idées de grandeur du client, car il se trouve placé dans une position où il n'a pas droit à l'erreur et où il doit performer d'une certaine façon pour conserver sa considération. De même, la personne qui a des traits de personnalité obsessionnelle, qui corrige continuellement le thérapeute en apportant des précisions ou des nuances, peut agacer ce dernier ou l'inquiéter de son manque de compréhension et d'empathie. Quant à la personne qui a des traits de personnalité paranoïde, qui est continuellement sur ses gardes et refuse de faire confiance au thérapeute, elle peut amener celui-ci à une trop grande prudence, celui-ci évitant alors de prendre les risques nécessaires à l'avancement de la thérapie. Par ailleurs, le client qui a une personnalité dépendante peut exprimer sa reconnaissance au thérapeute en raison de ce qu'il fait pour lui et le placer malgré lui dans une position d'expert dont il parvient difficilement à se défaire, malgré ses efforts pour faire comprendre au client que lui aussi possède une expertise sur laquelle il peut compter.

Ces exemples montrent bien toute la richesse de la conscience de soi en fonction de chaque client, laquelle constitue un apport essentiel à la relation thérapeutique[1]. Comme nous l'avons vu au chapitre 1, cette conscience de soi est importante aussi bien pour le client que pour le thérapeute. Aussi, le thérapeute doit avoir ce fait à l'esprit avant de rencontrer le client.

2.2.2 Le début de l'entretien

Nous brosserons ici un tableau des différents aspects à considérer en début d'entretien. La plupart d'entre eux seront repris d'une façon plus détaillée dans la section portant sur le premier entretien. Plusieurs aspects que nous décrirons ici doivent être traités au cours du premier entretien, que cet entretien soit unique ou qu'il soit le premier d'une série d'entretiens. Si les entretiens doivent se poursuivre, le client et l'intervenant n'auront pas à en déterminer les modalités à chacune des rencontres ; ils devront simplement respecter l'entente qui a été prise et apporter au besoin certaines modifications. C'est donc en tenant compte des contextes de leur utilisation qu'il faut aborder les principaux aspects à considérer en début d'entretien.

Cette partie de l'entretien commence au moment où les personnes entrent en contact et se termine lorsqu'elles ont précisé leurs attentes et les moyens qu'elles comptent utiliser pour les combler. Nous verrons ce qui se passe à cette étape en ce qui concerne le contact, le but et les thèmes de l'entretien ainsi que les modalités de son déroulement.

1. Pour plus d'informations sur ce sujet, voir Delisle (1993).

Le contact

L'une des premières préoccupations que doit avoir l'intervenant au moment où il entre en relation avec le client est d'assurer une présence physique et affective qui sera perçue par celui-ci. Selon l'état physique ou mental du client, cette préoccupation occupera une place plus ou moins importante. Par exemple, dans une situation où le client présente un état de confusion aigu, le fait d'entrer en contact avec lui afin de vérifier son état de santé ou de lui procurer des soins ou un traitement peut devenir l'objet même de la rencontre.

Pour faciliter le contact initial, on peut recourir à différents moyens qui font appel aux sens. Ces moyens doivent tenir compte du contexte de l'intervention et des habitudes culturelles de l'intervenant et du client. Dans le volume 1 (Chalifour, 1999), nous avons décrit l'utilisation des fonctions de contact. Voici quelques exemples de moyens qui peuvent servir à amorcer ce contact :

- L'intervenant regarde le client en souriant et, pour s'assurer que celui-ci le voit, il se place dans son champ de vision. Le regard est un des meilleurs moyens de signaler au client l'intention d'entrer en contact avec lui et de manifester de l'intérêt pour lui. Le regard du client indiquera également à l'aidant s'il est conscient de sa présence et s'il est à l'aise dans cette situation.

- Selon les circonstances, l'intervenant peut donner une poignée de main au client. Cette façon de procéder, en début d'entretien, a avant tout pour but de se rapprocher de l'autre aussi bien physiquement qu'émotivement. Dans certains cas où le client présente de la confusion, cette façon de faire peut être un moyen d'attirer et de maintenir son attention. Cependant, le toucher doit alors être employé avec réserve. Certains professionnels de la santé utilisent le prétexte des signes vitaux ou encore de soins visant à assurer le confort pour toucher le client.

- L'intervenant peut choisir de saluer le client en se nommant et en indiquant, au besoin (si la rencontre a lieu à l'initiative de l'intervenant), à quel titre il le rencontre. Cela représente un autre moyen de créer une certaine intimité.

- L'intervenant invite le client à s'asseoir ou, si celui-ci est alité, il s'assure qu'ils occupent tous deux une position facilitant le maintien du contact visuel et auditif. Le contact sera favorisé s'il nécessite un minimum d'efforts physiques pour être maintenu.

Ces démonstrations d'attention ont pour effet d'indiquer au client l'importance que l'intervenant lui accorde. À celles-ci peuvent s'ajouter d'autres moyens pour inviter au rapprochement affectif. Il est aussi possible d'échanger quelques généralités pour favoriser le début de la relation, qu'il s'agisse d'un commentaire sur le temps qu'il fait ou sur le moyen de transport utilisé, le tout étant axé sur le confort du client.

Comme nous l'avons déjà souligné, dans le contexte des entretiens psychothérapeutiques fondés sur une vision existentielle-humaniste, le thérapeute prête attention à la façon dont le client amorce ce contact et utilise ses fonctions de contact. Aussi, dans l'entretien initial et dans les autres entretiens, il laissera au client l'initiative d'amorcer ce contact tout en lui accordant au besoin le soutien dont il a besoin pour le faire. De plus, en vue de faciliter ses observations et de favoriser sa participation optimale et celle du client, il privilégiera la position face à face pour la durée de l'échange.

Le but et les thèmes de l'entretien

Dans cette première partie de l'entretien, l'intervenant doit clarifier et faire préciser le but de la rencontre, et s'assurer que ce but est reconnu et valorisé par le client. Le but de l'entretien peut être déterminé par l'intervenant ou par le client. La plupart du temps, dans le contexte d'une relation d'aide, le but est bien circonscrit. Par exemple, au moment d'une rencontre avec un couple qui vient d'avoir un enfant, le but pourrait être de discuter des difficultés d'adaptation familiale lors de l'arrivée d'un nouveau membre dans la famille. Dans d'autres conditions, ce but prend davantage la forme de thèmes qui se préciseront en cours d'entretien ou lors des rencontres subséquentes, comme la difficulté de maîtriser le stress ou l'anxiété, la difficulté d'avoir confiance en soi, le refus de la maladie, les effets limitatifs de la maladie ou le sens à donner à celle-ci.

Dans une relation d'aide professionnelle, si un intervenant rencontre un client dans un but déterminé, il doit l'en informer clairement et vérifier si le client est disposé à écouter et à discuter avec lui sur le sujet. Si le client semble préoccupé davantage par un autre thème, l'intervenant doit le considérer et s'entendre avec lui sur la place à accorder à ces deux thèmes dans l'entretien. Plus les objectifs ou les thèmes de l'échange seront précisés et valorisés par les personnes en présence dès le début de la rencontre, plus l'entretien aura de chances d'être satisfaisant.

Là-dessus, voici un exemple de propos d'une infirmière : « Ce que vous me dites, c'est que vous trouvez très difficile d'être dépendant d'autres personnes en ce qui concerne vos soins de base et vos déplacements. Malheureusement, comme vous le savez, étant donné votre condition physique, vous aurez à vous adapter à cette nouvelle situation de vie. Aussi, je crois qu'il est important que nous en parlions davantage. »

Parmi les buts que peut poursuivre un intervenant au cours d'une relation d'aide professionnelle, on trouve les suivants :

- connaître le client (par la collecte de données) ;
- apporter du soutien ;
- aider le client à prendre une décision ;
- clarifier une difficulté ou un problème ;
- poser un diagnostic ;
- appliquer une solution ;
- évaluer les résultats d'une intervention ou d'un traitement ;
- acquérir un savoir-faire ;
- transmettre de l'information ;
- recevoir de l'information ;
- faciliter l'ouverture et la connaissance de soi.

Parfois, dans un même entretien, plusieurs de ces buts peuvent être recherchés. Suivant ces buts, l'on utilisera différentes stratégies :

- des stratégies découvrantes, si les buts sont de favoriser la conscience de soi ;
- des stratégies recouvrantes, si les buts visent à réduire momentanément un symptôme ;
- des stratégies structurantes, si les buts sont liés à l'acquisition de connaissances, à la solution de problème ou à la modification de comportements ;
- des stratégies de soutien, si les buts sont d'encourager, de consoler ou de donner de l'espoir.

Rappelons que, dans le contexte d'une psychothérapie qui s'inspire d'une vision existentielle-humaniste, le but recherché est avant tout la prise de conscience de soi (*awareness*). Le but est généralement défini au cours des premiers entretiens. Par la suite, le psychothérapeute doit constamment le garder à l'esprit. Il arrive souvent que le but se précise, voire se modifie, au fil des rencontres. Cependant, il ne fait pas l'objet d'un échange aussi formel que dans une relation d'aide professionnelle ponctuelle ou dans une psychothérapie brève. Il reste que le thérapeute n'agit pas au hasard ; il intervient de façon consciente et intentionnelle. Aussi, il prête attention aux thèmes qui se dégagent au cours de chaque entretien. En fonction de ces thèmes, il peut proposer au client certains objectifs, notamment s'il désire mettre en place certains stratagèmes, comme ceux que nous avons vus au chapitre 1.

Dans le cas d'une psychothérapie de fond, il faut parfois changer le but quand le client traverse une crise, car il est important de maîtriser celle-ci avant de poursuivre la thérapie. À l'opposé, un client peut consulter dans un épisode de crise et, une fois la crise résorbée, reconnaître son besoin de suivre une psychothérapie de plus longue durée.

Les modalités du déroulement de l'entretien

En ce qui touche les modalités du déroulement de l'entretien, il est important de faire une distinction entre un entretien courant et un entretien initial. Au début de la première rencontre, l'intervenant doit, plus ou moins formellement, s'entendre avec le client sur les modalités du déroulement de l'entretien. Il doit s'assurer qu'elles sont bien comprises par le client. De plus, il verra à respecter ces modalités et, au besoin, à les rappeler au client au cours de l'entretien. Lorsque nous aborderons l'entretien initial, nous décrirons ces modalités en apportant certaines distinctions en fonction des types d'entretiens réalisés. Pour l'instant, nous présenterons les modalités générales du déroulement qui doivent être clarifiées avec le client en début d'entretien.

La durée de l'entretien

Au début d'un entretien qui s'inscrit dans une relation d'aide professionnelle, à moins que le contexte ne l'indique clairement, l'intervenant doit informer le client du temps dont il dispose pour cet entretien. Cette façon de faire évite au client de se créer des attentes que l'intervenant ne pourrait combler. Dans le contexte d'une psychothérapie, cette information sur la durée de l'entretien est déterminée par le thérapeute, et le client est mis au courant de cette décision lors du premier entretien. Dans les rencontres subséquentes, les deux parties veillent à respecter cette décision. De plus, étant donné que les échanges se déroulent pendant plusieurs rencontres, le thérapeute et le client doivent s'entendre sur la fréquence de ces rencontres. Dans une thérapie brève, le client doit être informé du nombre d'entretiens maximal dont il pourra bénéficier avec ce thérapeute et des suites qui seront données s'il a toujours un besoin d'aide important.

La confidentialité

Le client doit comprendre que l'information qu'il communique à l'intervenant reste confidentielle. En outre, l'intervenant doit préserver sa liberté professionnelle quant à la façon de disposer de cette information, qu'il s'agisse de consigner une note au dossier du client ou de consulter au besoin un collègue. D'ailleurs, l'intervenant ne devrait jamais accepter de garder pour lui seul des informations dont le secret peut mettre en péril la santé ou la sécurité du client ou d'autres personnes. Dans un tel cas, il doit en informer le client et refuser tout marchandage avec lui. Par exemple, un client suicidaire peut dire à l'intervenant qu'il a un secret à lui confier pour autant qu'il s'engage à ne le dévoiler à personne. L'intervenant doit refuser ce genre de situation en indiquant clairement au client son point de vue à ce propos.

La description du rôle de l'intervenant et de celui du client

L'intervenant, surtout lors des premières rencontres, devra peut-être préciser certains aspects de son rôle et de celui du client en tenant compte du but et du contexte de l'entretien. Dans le contexte d'une relation d'aide, voici ce qu'une infirmière pourrait dire à un client à ce sujet : « En fait, vos questions me permettent de constater que vous vous attendez à ce que je vous indique ce que vous devriez faire dans cette situation. Je ne me sens pas compétente pour le faire à votre place. J'ai l'impression que vous êtes davantage compétent que moi. Cependant, je peux vous aider à trouver la meilleure décision. »

Dans le contexte d'une intervention psychothérapeutique, les premiers entretiens permettent au thérapeute de clarifier son rôle et celui du client. De plus, ces entretiens peuvent constituer pour le client une illustration du déroulement des entretiens à venir, à moins que le thérapeute n'utilise ces premiers entretiens d'une façon plus dirigée pour poser un diagnostic.

L'entente sur le déroulement de l'entretien et sur les modalités particulières

Dans une psychothérapie, le thérapeute doit conclure une entente avec le client sur certaines modalités administratives touchant notamment le coût des services offerts, les modalités de paiement, la remise de reçus, la procédure à suivre si le client ne peut se présenter à un entretien et les raisons qui justifient l'arrêt des rencontres.

2.2.3 Le corps de l'entretien

Au moment où les personnes sont en contact et où elles ont commencé à clarifier l'objectif de l'entretien ainsi que les modalités de son déroulement, la rencontre entre dans sa deuxième phase. Celle-ci se terminera dès que l'objectif sera atteint ou que l'entretien s'achèvera. Dans le contexte d'un entretien psychothérapeutique, le thérapeute prête attention aux thèmes qui, progressivement, émergent de l'échange et feront l'objet d'une exploration ou d'un travail particuliers. Cependant, ces thèmes, qui peuvent porter sur une difficulté que le client désire explorer, sur l'observation de son fonctionnement, etc., sont souvent apportés par lui en début d'entretien. Dans les deux cas, il faut être attentif à l'énergie qu'ils mobilisent à la fois chez le thérapeute et le client. Il est également possible que ce thème serve d'écran à un sujet beaucoup plus important.

Le contact

Le contact étant bien établi, l'intervenant doit maintenant se préoccuper de le maintenir et de l'enrichir. Dans ce sens, l'attention du client est dirigée sur ses fonctions de contact et sur leurs manifestations de même que sur les aspects cognitif et affectif de l'expérience en cours. De plus, dans le contexte d'une relation d'aide, afin de favoriser le maintien de ces fonctions, l'aidant doit s'assurer que le client n'est pas trop fatigué. Si celui-ci éprouve des difficultés d'attention et de concentration, le clinicien devra en tenir compte en privilégiant de courtes rencontres. Au besoin, il pourra favoriser le maintien du contact en s'informant du degré d'intérêt du client pour l'échange. Si le client semble distrait et moins disposé à poursuivre l'échange, on doit en préciser la cause et, si cela est nécessaire, explorer sa motivation à poursuivre l'entretien. L'échange ne peut s'avérer satisfaisant sans un contact soutenu entre les personnes.

Le but et les thèmes de l'entretien

La clarification du but de l'entretien sert en quelque sorte de cible et de fil conducteur à l'intervenant et au client. En fonction de ce but, l'intervenant encourage l'expression du client en ce qui concerne les différents aspects associés à la prise de conscience de soi. Si le client perd de vue le but initial de l'entretien, il incombe à l'intervenant de le lui rappeler et, au besoin, d'en discuter la pertinence. Dans le contexte d'une psychothérapie, le thérapeute est attentif à l'évolution du thème de l'entretien et à la façon dont le client se sent interpellé par ce thème sur les plans sensorimoteur, cognitif et affectif, de même qu'à la façon dont il en parle. Par exemple, si un client mentionne sa difficulté à faire confiance à des personnes qu'il connaît peu, le thérapeute surveillera la manière dont se manifeste cette difficulté dans l'entretien.

Dans certains cas, le but de l'entretien devra être précisé davantage en fonction de la direction que prend l'entretien. Pour cela, l'intervenant pourra recourir à des stratégies comme celles que nous venons de voir, afin d'explorer ces thèmes en les situant dans l'expérience globale de la personne. En somme, cette deuxième partie de l'entretien permet l'actualisation des stratégies et des techniques propres à l'approche thérapeutique utilisée par l'intervenant. Dans une psychothérapie de courte durée et de moyenne durée, cette partie de l'entretien se poursuit jusqu'aux dernières minutes de la rencontre.

Les modalités du déroulement de l'entretien

À ce moment-ci, l'intervenant s'assure que le déroulement de l'entretien respecte les modalités prévues. Par exemple, dans une intervention thérapeutique de courte durée, on a pu convenir en début d'entretien que l'intervenant utiliserait certains stratagèmes comme un enseignement ou un jeu de rôle, ou encore qu'il recueillerait certaines données afin de mieux définir la difficulté présentée par le client et les ressources qu'il possède pour y faire face. Dans de tels cas, on appliquera l'intervention qui a été convenue. Cependant, si, en cours de route, la démarche arrêtée semble présenter certaines difficultés, elle devrait être révisée et adaptée afin de faciliter la réalisation du but visé. L'intervenant ne doit pas perdre de vue le fait que le moyen n'est qu'un accessoire permettant d'atteindre un but. À cette étape, il doit aussi être attentif aux autres aspects du déroulement de l'entretien sur lesquels il s'est entendu avec son client. Par exemple, il peut faire un rappel du temps qui est à leur disposition s'il le juge à propos, ou encore, dans le contexte d'une relation d'aide, faire un rappel des objectifs de l'entretien si le client semble s'en éloigner.

2.2.4 La fin de l'entretien

L'étape finale de l'entretien débute au moment où les personnes ont atteint le but poursuivi ou encore lorsque le temps alloué à la rencontre est sur le point d'être écoulé. Elle se termine au moment où les personnes se quittent.

Le contact

Par des signes verbaux et non verbaux, l'intervenant informe le client que la rencontre s'achève. Il peut le lui signifier de différentes façons, par exemple :
- en mentionnant que le temps de la rencontre qu'ils avaient prévu est écoulé ;
- en se levant de son siège ;
- en accompagnant la personne à la porte ;
- en lui donnant une poignée de main.

Le but et les thèmes de l'entretien

À la fin de la rencontre, s'il s'agit d'un entretien unique, il est important de faire un rappel du but de cette rencontre et d'évaluer les résultats obtenus. À la fin d'un entretien qui sera suivi d'autres entretiens, le thérapeute peut parfois faire certains commentaires sur les progrès accomplis, sur le but de la prochaine rencontre, etc. Suivant le type d'entretien, ces commentaires seront plus ou moins explicites. Dans une intervention de courte durée centrée davantage sur la maîtrise des symptômes, cette étape de l'entretien offre aussi l'occasion de faire un retour sur les attentes de chacun et, au besoin, de clarifier celles-ci en vue de la prochaine rencontre.

Selon les situations et en fonction du but poursuivi, l'intervenant et le client peuvent s'entendre sur certaines activités que ce dernier peut assumer entre les rencontres. Dans ce sens, certains cliniciens suggèrent à leur client de réaliser des activités d'ici la prochaine rencontre, comme expérimenter avec les gens qui l'entourent certaines habiletés qui ont été explorées dans l'entretien, réfléchir sur un point particulier de la rencontre, être attentif à la présence de certaines émotions ou rédiger un journal. Ces activités servent à la fois de prolongement de la démarche en cours, ou encore de moyens de tester dans le milieu certains apprentissages réalisés en thérapie, de valider certaines données ou d'acquérir certaines habitudes d'auto-observation et d'introspection en dehors de la thérapie. Certaines constatations du client peuvent, à l'occasion, faire l'objet d'échanges lors des rencontres subséquentes.

Les modalités du déroulement de l'entretien

À ce moment de l'entretien, et toujours selon le but poursuivi, l'intervenant peut rappeler au client l'entente qui a été conclue au début de l'entretien sur son déroulement. Ainsi, il mentionnera que le temps prévu est écoulé. Certains clients ont tendance soit à vouloir mettre fin prématurément à l'entretien, soit à vouloir le prolonger, par exemple en introduisant un nouveau thème en fin de rencontre. Dans ce dernier cas, le thérapeute doit refuser d'aborder ce nouveau thème en invitant le client à le faire lors de la prochaine rencontre. Par ailleurs, il arrive que le thérapeute doive s'assurer que le client sortira de l'état de régression dans lequel il se trouve après avoir abordé des expériences de l'enfance. Par exemple, si, pendant l'entretien, un client est en contact avec l'enfant fragile et démuni présent en lui, en fin de rencontre le thérapeute peut l'inviter à lui parler de ce qu'il a découvert de cet enfant démuni, de ce qu'il ressent, etc. Parfois, il peut lui suggérer d'être particulièrement vigilant dans les prochaines heures s'il doit conduire un véhicule automobile.

Le thérapeute peut faire l'évaluation de la démarche utilisée et, au besoin, prévoir une nouvelle façon de procéder pour la prochaine rencontre, ou encore faire un rappel des étapes qui ont été franchies et indiquer celles qui sont à venir. Par exemple, dans l'application d'une démarche de solution de problème, comme la démarche de soins utilisée en soins infirmiers, il pourrait signaler que, lors de leur prochaine rencontre, ils tenteront d'explorer différentes solutions au problème qui a été déterminé.

Si d'autres rencontres doivent être prévues, le thérapeute et le client doivent s'entendre sur la date, sur l'heure et sur l'endroit. Par exemple, dans certaines conditions de soins, l'infirmière dira simplement au client à quel moment elle reviendra le rencontrer au cours de la journée et dans quel but. Dans le contexte d'une psychothérapie, ces décisions sont prises lors du premier entretien et sont mentionnées de nouveau uniquement si certains changements s'imposent. Sinon, l'intervenant et le client respectent l'entente qui a été conclue.

2.2.5 *Après l'entretien*

Une fois l'entretien terminé, quelques minutes suffiront généralement à l'intervenant pour faire un retour sur les moments clés de la rencontre. Ce retour peut porter sur le sujet de la rencontre afin de permettre au thérapeute de mettre une note au dossier du client ou de corriger son plan d'intervention. Il peut aussi porter sur ce qu'il a éprouvé à un moment particulier de l'entretien. Là-dessus, nous proposons à l'annexe C du volume 1 (Chalifour, 1999) une analyse d'une séquence d'interaction que nous avons élaborée à des fins pédagogiques. À des moments cruciaux de son cheminement avec un client, l'intervenant peut utiliser cette analyse de façon systématique, surtout s'il fait face, de façon répétitive, à une même difficulté. Il peut s'inspirer des questions formulées dans ce guide pour faciliter sa réflexion et se préparer à la prochaine rencontre. Dans le même ordre d'idées, Orlando (1979) et St-Arnaud (1995) proposent des guides de réflexion qui peuvent être utilisés aux mêmes fins.

2.3 *QUELQUES TYPES D'ENTRETIENS DANS LE CONTEXTE D'UNE RELATION D'AIDE PROFESSIONNELLE ET D'UNE PSYCHOTHÉRAPIE*

Les caractéristiques générales de l'entretien que nous venons de décrire prennent des formes particulières suivant les conditions dans lesquelles il a lieu et les variables présentes. En fonction de leur structure, il est possible de distinguer cinq types d'entretiens qui se retrouvent fréquemment dans la relation d'aide professionnelle et dans l'intervention psychothérapeutique. Ces types d'entretiens ne sont cependant pas mutuellement exclusifs. Parfois, plus d'un de ces types peut être présent dans un même entretien. Pour les besoins de ce livre, nous décrirons ces entretiens en les regroupant de la façon suivante : l'entretien initial et l'entretien unique, l'entretien formel structuré et l'entretien formel non structuré, et les entretiens fréquents et de courte durée. Nous porterons une attention particulière à l'entretien initial à cause des nombreuses répercussions qui en découlent.

2.4 L'ENTRETIEN INITIAL ET L'ENTRETIEN UNIQUE

Maintenant que nous avons abordé les caractéristiques de l'entretien afin de mieux comprendre sa structure et son déroulement, nous verrons comment s'articulent ces caractéristiques dans le contexte particulier que constitue le premier entretien formel que l'intervenant réalise avec un client. Dans certains contextes, cet entretien ne sera pas suivi d'autres entretiens. Il aura alors les caractéristiques et de l'entretien initial et de l'entretien unique.

Afin de distinguer l'entretien initial des autres entretiens, nous commencerons par le définir. **L'entretien initial est une rencontre formelle au cours de laquelle un aidant et un aidé entrent en contact pour la première fois dans le but de se connaître, de clarifier une demande d'aide, de déterminer les services les plus adéquats pour y répondre et, le cas échéant, de permettre à l'intervenant d'offrir l'aide ou de diriger le client vers la ressource la plus appropriée.** Pour que cet entretien atteigne les buts visés, l'aidant devra s'assurer de créer un climat de confiance et de cordialité qui favorisera l'échange et la coopération. De plus, il devra départager les rôles de chacun, préciser au besoin les modalités du déroulement de l'entretien et décider des suites à y donner.

Dans le même ordre d'idées, Thibaudeau (1986, p. 4) mentionne :

> Cette première entrevue est, dans notre conception, une présentation réciproque : d'un côté, le consultant se présente au psychothérapeute et lui fait part des motifs de sa démarche ; de l'autre, celui-ci se présente au consultant et, à travers sa personne, lui présente la psychothérapie par la qualité spécifique de son accueil, de son écoute, de ses attitudes et par la façon dont il interviendra.

Compte tenu des caractéristiques générales de l'entretien, nous présenterons l'entretien initial en mettant l'accent sur ce qui le distingue des autres types d'entretiens. Pour ce faire, nous décrirons ses buts, son déroulement, les sujets qui doivent être traités, la place respective qu'occupent le client et l'intervenant ainsi que certaines modalités administratives. Nous aborderons tous ces aspects, qui sont intimement liés, en considérant le contexte dans lequel l'entretien a lieu, les caractéristiques des clients et les nuances qui s'imposent selon qu'il s'agit d'un entretien unique ou du premier entretien d'une série.

Vu la diversité des contextes de pratique professionnelle, il est difficile de décrire l'entretien initial en s'arrêtant sur chacun d'eux. Aussi, nous laissons au lecteur le soin de faire les transpositions et les ajustements qui s'imposent. Par conséquent, notre description s'appuiera sur certaines lignes directrices couvrant le plus grand nombre possible de situations. Dans les chapitres qui suivent, nous apporterons d'autres précisions sur la façon d'utiliser certaines stratégies d'intervention au cours d'un premier entretien.

2.4.1 L'importance du premier entretien

Même si l'on reconnaît volontiers que toutes les rencontres entre le client et l'intervenant sont importantes, le premier entretien l'est tout particulièrement, et ce pour plusieurs raisons. En effet, la qualité du premier contact et du déroulement de cet entretien aura une incidence sur la décision du client et du thérapeute de poursuivre ou non les rencontres et, le cas échéant, sur la façon dont celles-ci se dérouleront. De plus, dans le cas d'un entretien unique, la qualité du contact aura un effet direct sur la rapidité avec laquelle le climat de confiance sera établi, sur la précision du diagnostic posé, sur la pertinence des interventions qui seront réalisées et sur les changements que le client apportera dans sa vie en fonction des solutions adoptées.

Par exemple, si, au cours d'un entretien, l'on s'attarde surtout à la demande d'aide et si l'on néglige de considérer la façon dont cette demande est faite et ce que vit le client, il se peut que ce dernier se sente incompris et n'ait pas suffisamment confiance pour livrer certaines informations essentielles à une meilleure compréhension de sa difficulté. Dans ce cas, l'intervenant risque de répondre uniquement à la demande entendue tout en ayant l'impression de répondre au besoin réel du client, alors qu'en fait il ne l'a pas reconnu. Il est possible que le client ait mal perçu son besoin, qu'il manque de courage pour bien le percevoir et pour l'exprimer clairement ou que la demande d'aide porte une signification allant bien au-delà du thème connu et exprimé. En effet, trop souvent nous oublions que l'autonomie, l'indépendance, la prise en charge de soi-même et la débrouillardise sont autant de valeurs très positives dans notre société et qu'avoir besoin d'aide peut être ressenti comme un échec, comme une humiliation.

Aussi les clients ont-ils tendance à nier certains de leurs besoins ou à les déformer de manière à les rendre plus acceptables à leurs yeux. Voici un exemple de propos d'une cliente entendus lors d'un entretien initial : « J'ai hésité longtemps avant de venir vous consulter. J'ai essayé de m'en sortir par tous les moyens, mais je suis toujours aussi déprimée. Je n'accepte pas, à mon âge, d'être réduite à consulter un psychologue. Je devrais être assez grande pour m'occuper de mes affaires. Je suis très en colère contre moi et très humiliée de me trouver devant vous. Pour moi, c'est un constat d'échec que de ne pas pouvoir faire autrement. »

En somme, lors de ce premier entretien, l'intervenant doit se préoccuper à la fois de la demande d'aide du client et du client qui fait cette demande, sinon la demande réelle ne sera pas entendue.

2.4.2 *Les conditions générales à considérer*

Voici, sous forme d'énoncés, certaines conditions générales touchant le client, le thérapeute ainsi que les buts visés au cours d'un premier entretien, que celui-ci se déroule dans le contexte d'une relation d'aide professionnelle ou dans le contexte d'une psychothérapie. Plus ces conditions sont présentes, plus la thérapie ou l'intervention d'aide a des chances de réussir.

Le client

Les conditions générales concernant le client sont les suivantes :

- Il doit éprouver un certain malaise ou une certaine souffrance qui l'incite à mobiliser ses énergies et à désirer recevoir de l'aide.
- Il doit accepter que le thérapeute lui apporte de l'aide ou du moins considérer cette possibilité, à moins que son état mental ou physique l'empêche de faire un tel choix.
- Il doit reconnaître que l'intervenant possède une certaine compétence qui le rend en mesure de lui être utile face à ce qu'il vit.
- Il doit avoir un certain espoir que l'intervention en cours puisse l'aider ou éprouver certains effets positifs découlant de cette aide.
- Il doit prendre le risque de se révéler en parlant de lui, de la difficulté qu'il présente, de la compréhension qu'il en a et de ses attentes à l'égard de la consultation.

Plus ces conditions sont présentes, plus les chances de succès de l'entretien sont grandes. Dans le cas où le thérapeute constate que l'entretien est pénible et évolue trop lentement, il peut examiner les énoncés précédents afin de déceler la source de l'obstacle. S'il se rend compte que ce piétinement tient à une difficulté présentée par le client, il doit partager ses observations avec lui avant de poursuivre l'entretien. Dans certains cas, la difficulté observée est une manifestation du problème pour lequel la personne consulte. Le clinicien devra alors juger s'il est utile d'aborder cette difficulté à ce stade-ci de la thérapie.

L'intervenant

En ce qui a trait à l'intervenant, les conditions générales entourant le premier entretien sont les suivantes :

- Il doit posséder le savoir, le savoir-faire et le savoir-être professionnels qui guideront sa pratique, ainsi que certaines stratégies thérapeutiques qui lui permettront de traiter le problème que présente le client.

- Il doit avoir une disponibilité physique et psychologique de même que la motivation pour aider cette personne.
- Il doit reconnaître qu'il a une certaine compétence pour pouvoir aider cette personne.
- Il doit être conscient des possibilités et des limites de ses interventions au cours de la thérapie ou de l'intervention professionnelle avec le client.
- Il doit être conscient de ses limites personnelles et professionnelles et accepter, le cas échéant, d'adresser le client à un autre professionnel qui sera plus en mesure de l'aider.

Les buts recherchés

Nous avons vu que plusieurs facteurs pouvaient déterminer les buts poursuivis au cours des entretiens. Plusieurs de ces buts s'appliquent à l'entretien initial. Ainsi, les buts du premier entretien sont en grande partie déterminés par la vision que le thérapeute a de son rôle, par les attentes du client de même que par le climat dans lequel a lieu l'intervention. Par exemple, un entretien qui se déroule au service des urgences d'un hôpital avec un client en situation de crise, pendant que le service est débordé, est différent de celui qui est réalisé dans un bureau privé, où le thérapeute a du temps à sa disposition et où le client, tout en vivant une souffrance psychologique, n'est pas en état de crise. Cependant, quel que soit le contexte de pratique, il est possible de reconnaître certains buts communs qui peuvent être poursuivis lors d'un premier entretien (voir Shea, 1988, p. 6-7) :

- créer une alliance thérapeutique qui favorise la participation du client ;
- recueillir des informations de base pertinentes ;
- comprendre de façon compatissante la situation du client ;
- obtenir les informations nécessaires pour tenter de poser un diagnostic ;
- mettre en place les dispositions nécessaires à un plan de traitement approprié ;
- réduire le niveau d'anxiété du client.

Dans le cas d'un entretien initial qu'on réalise dans un contexte psychiatrique en vue de poser un diagnostic et d'instaurer un plan de traitement, Othmer et Othmer (1988) suggèrent de diviser l'entretien en fonction d'étapes comportant chacune certains buts. Tout en reprenant sensiblement les mêmes buts que ceux que propose Shea (1988), ces auteurs présentent une séquence chronologique de ces buts au cours de l'entretien.

- Première étape : la mise en forme de l'entretien
  Les buts sont de créer un climat de détente et de confort pour le client, de maîtriser le client agressif, envahissant ou délirant et d'établir un lien avec le client.

- Deuxième étape : la délimitation du problème
  Il s'agit ici de préciser les symptômes et les signes importants associés au trouble psychiatrique, à la personnalité et au fonctionnement, et de recueillir des données à ce sujet.

- Troisième étape : le retour sur les premières impressions
  Les buts sont de prendre une décision sur le diagnostic et de vérifier sa pertinence.

- Quatrième étape : la confirmation du diagnostic
  On vise ici à confirmer le diagnostic à partir de l'histoire de l'évolution du trouble, de la personnalité prémorbide, de l'histoire psychiatrique de la famille et de l'histoire médicale et sociale du client.

- Cinquième étape : compléter la collecte des données
  On cherche à compléter les données sur l'état mental du client, à tester certaines fonctions mentales et à clarifier certaines incohérences par rapport à l'histoire du client.

- Sixième étape : la rétroaction
  Les buts visés consistent à expliquer au client sa difficulté et la manière dont le thérapeute peut la traiter.

- Septième étape : le contrat de traitement
  Les buts sont d'établir un plan de traitement et de conclure une entente avec le client à ce sujet.

Pour chacune des étapes de l'entretien initial, les auteurs proposent certaines activités que le thérapeute peut réaliser en tenant compte de la relation, de l'état mental du client, des techniques utilisées et du diagnostic. Le professionnel qui utilise ce type d'entretien dans un contexte formel et structuré y joue un rôle très actif. La condition mentale du client nécessite parfois une telle approche. Cependant, lorsque l'entretien s'inspire d'une vision existentielle-humaniste de l'intervention, si l'état mental du client le permet, celui-ci est invité à jouer un rôle plus actif. Il est à noter que l'entretien initial comporte une certaine directivité qui vise la connaissance de la personne qui consulte et une compréhension de la difficulté qu'elle présente. En fonction de ces différents buts, nous verrons maintenant les interventions que le thérapeute peut réaliser au cours de l'entretien initial.

2.4.3 *Les interventions du thérapeute au cours de l'entretien initial*

Au cours de l'entretien initial, le thérapeute doit réaliser certaines interventions que nous avons regroupées en sept activités qui se déroulent de façon chronologique (voir le tableau 2.2).

TABLEAU 2.2
Les principales activités à réaliser au cours de l'entretien initial

1. Prendre contact avec le client
2. Recueillir des informations générales sur l'objet de la demande de consultation, sur les motivations du client et sur ses caractéristiques
3. Poser un diagnostic sur la difficulté que présente le client au regard de sa demande d'aide et, dans le contexte d'une psychothérapie, commencer à préciser le diagnostic structural du fonctionnement du client
4. Clarifier les attentes réciproques face à la difficulté qui a été déterminée
5. Proposer une stratégie d'intervention adaptée au client pour composer avec la difficulté en clarifiant les responsabilités et les tâches de chacun
6. Intervenir en tenant compte de la difficulté et de l'expérience émotive du client aux prises avec cette difficulté en s'assurant de sa participation
7. Terminer l'entretien en évaluant la réalisation des objectifs et en décidant des suites à y donner

Indépendamment du type d'entretien réalisé – qu'il s'agisse d'un entretien unique ou du premier d'une série d'entretiens, ou qu'il se déroule dans un contexte où l'intervenant a peu de temps ou un temps plus raisonnable à sa disposition –, il faut accorder de l'attention à toutes ces étapes. Le client étant en quelque sorte l'expert quant au contenu de son expérience, l'intervenant doit s'intéresser à l'information qu'il transmet sur lui-même et sur sa façon de comprendre ses difficultés. Au besoin, il devrait être en mesure d'interroger le client sur toute question leur permettant de clarifier le besoin d'aide et de le seconder dans le choix des moyens à mettre en œuvre pour y répondre. Bien entendu, cette participation est en grande partie influencée par l'état physique et mental du client, de même que par le contexte dans lequel la consultation a lieu.

Prendre contact avec le client

Dans la section 2.2.2, intitulée « Le début de l'entretien », nous avons décrit brièvement certaines interventions que peut faire le thérapeute pour favoriser la prise de contact avec le client. En plus de constituer des gestes de civilité, ces interventions sont des marques d'attention à l'autre, d'accueil envers quelqu'un qui présente un besoin d'aide potentiel et une certaine souffrance. Aussi, ces gestes, en plus de mettre à l'aise le client, créent des conditions physiques optimales pour l'échange, visent à susciter chez lui des sentiments de sécurité et de confiance pour qu'il s'investisse le plus rapidement possible dans la relation.

En ce qui concerne la pertinence pour le thérapeute de manifester des marques d'attention et d'accueil lors d'un premier entretien, il est important de distinguer le contexte dans lequel cet entretien a lieu. En règle générale, nous pouvons dire que si l'intervention prévue est de courte durée, comme c'est le cas de l'entretien unique, de la thérapie brève et de l'intervention en situation de crise, où le client est peu en contact avec ses propres ressources, le thérapeute doit mettre en place ces conditions. Dans le contexte d'une psychothérapie expressive de moyenne durée ou de longue durée, tout en respectant les règles d'accueil et de politesse, le thérapeute réduira ces marques d'encouragement. En effet, s'il crée des conditions qui corrigent constamment le moindre inconfort que ressent le client, il lui sera difficile de poser un diagnostic structural sur son fonctionnement dans des conditions d'anxiété et d'inconfort, comme lors d'un premier entretien. Il faut alors se souvenir que c'est la relation qui est au cœur de la thérapie. Aussi le thérapeute doit-il être attentif, dès cette première rencontre, à la façon dont le client entre en relation et maîtrise son inconfort. Cependant, si le client manifeste un état de souffrance ou d'anxiété trop intense, le thérapeute lui accordera plus de soutien.

Recueillir des informations générales

Quel que soit le contexte de pratique professionnelle, afin d'offrir une aide efficace, il est important de prendre le temps d'écouter le client afin qu'il puisse formuler en ses propres mots :

- la nature de son problème ou de sa difficulté ;
- la manière dont ils affectent son fonctionnement quotidien ;
- les causes de son problème ou de sa difficulté ;
- le type d'aide qu'il désire recevoir ;
- les résultats qu'il attend de l'aide qui lui sera offerte.

De plus, face à sa difficulté, il est important de clarifier sa motivation à participer en prêtant attention aux autres sources de motivation. Enfin, il est important que le thérapeute ait une connaissance générale du client afin de saisir davantage les causes à la fois internes et externes de ce qui l'afflige et la manière dont cette difficulté affecte son fonctionnement ; ainsi, il pourra poser un diagnostic et proposer un mode d'intervention adapté à cette personne. La nature et l'ampleur de cette connaissance du client sont en rapport avec la difficulté qu'il présente, avec les causes plus ou moins repérables de cette difficulté, avec sa complexité de même qu'avec la stratégie thérapeutique utilisée. Voyons plus précisément en quoi consistent les informations dont le thérapeute a besoin pour aider le client.

Les motifs de la consultation

Dans les premières minutes de l'entretien, après avoir pris contact avec le client, le thérapeute devrait tâcher de clarifier les motifs de cette rencontre et s'assurer que ceux-ci sont valorisés par les personnes en présence. Ces deux conditions sont à notre sens essentielles à la réussite de cet entretien et du suivi thérapeutique, s'il y a lieu. La question à explorer ici pourrait se résumer ainsi : qu'est-ce qui amène ce client à consulter aujourd'hui tout particulièrement ? Et dans certains contextes où la question est pertinente : qu'est-ce qui l'amène à me consulter plutôt qu'une autre personne ?

À titre de consultant, d'enseignant et de superviseur, nous avons eu l'occasion d'écouter un très grand nombre d'entretiens réalisés par différents intervenants, notamment des infirmières. Nous avons constaté à plusieurs reprises que l'une des conditions fondamentales qui faisaient de l'entretien initial un entretien satisfaisant était liée à la préoccupation des personnes en présence face au motif de la consultation. La clarification de ce motif constitue souvent un moment important de l'entretien :

- pour lever certaines ambiguïtés ;
- pour susciter l'intérêt du client ;
- pour donner une orientation à l'entretien ;
- pour décider des modalités de la réalisation de l'entretien ;
- pour orienter au besoin le client vers une ressource qui sera plus en mesure de répondre aux attentes de celui-ci.

De plus, l'exploration du motif de la consultation permet d'obtenir une foule d'informations sur le client, sur la vision de son rôle et de celui de l'intervenant. Voici quelques exemples qui illustrent l'importance de clarifier la demande d'aide initiale.

Une femme mariée âgée de 35 ans, mère de deux enfants de 3 et 5 ans, enceinte de quelques semaines, vient consulter pour que le thérapeute l'aide à décider si elle doit poursuivre sa grossesse ou se faire avorter. Au cours de la première rencontre, on pousse plus loin l'investigation afin de comprendre ce qui empêche cette femme de prendre une décision et ce qu'elle attend du thérapeute. Celui-ci constate qu'une partie importante de la difficulté à prendre cette décision est liée à une expérience antérieure traumatisante d'avortement vécue dans le secret et la honte il y a près de vingt ans et qui a laissé des traces douloureuses qui habitent quotidiennement les pensées de la cliente depuis. Les deux personnes conviennent d'explorer plus à fond cette première expérience. Elles reconnaissent qu'il s'agit d'un deuil non résolu comportant une forte charge de culpabilité. Au bout de quelques séances de travail, la cliente se sent déjà plus en mesure de prendre sa décision.

Une cliente vient consulter parce qu'elle ne se sent pas respectée par son mari. Son fils aîné âgé de 10 ans se comporte envers elle comme son mari. Elle se demande ce qu'il faut faire pour que son mari change d'attitude et que son fils devienne respectueux envers elle. Après quelques entretiens, il devient très clair que l'attente initiale de cette femme, qui était de trouver des moyens de changer l'attitude de son mari et de son fils, se transforme en un besoin d'explorer la faible estime qu'elle a d'elle-même. Il s'agit d'une difficulté qu'elle éprouve depuis son enfance et qui se manifeste non seulement à la maison, mais aussi dans sa famille, au travail et dans ses relations sociales. En explorant cette difficulté avec cette cliente, il a été possible de l'aider aussi par rapport à son grand besoin de dépendance et à sa difficulté à prendre sa place par crainte d'être abandonnée. Progressivement, elle a appris à s'affirmer et à se faire respecter.

En somme, il ne faut pas présumer que l'intervenant et le client connaissent le motif de la consultation tant et aussi longtemps qu'il n'a pas été formulé et précisé. Aussi, en début d'entretien et au cours des premiers entretiens, il faut prendre le temps d'explorer, au besoin, la raison initiale de la consultation et accepter que cette raison se modifie, se clarifie et mobilise de plus en plus d'énergie à la fois chez le client et chez le thérapeute.

Les motivations du client

Plusieurs raisons peuvent inciter une personne à consulter un professionnel de la santé. À l'égard de ces raisons, il est important d'explorer l'intérêt et les hésitations du client, voire ses objections à s'engager dans l'entretien et dans le traitement. En effet, le sentiment d'être préoccupé par ce qui lui arrive, la reconnaissance de l'importance de sa participation, l'honnêteté de ses propos et l'espoir d'un changement possible de son état de santé sont tous des éléments qui auront un effet direct sur l'issue de la thérapie.

Dans certains cas, le client semble hésiter à poursuivre la rencontre pour différentes raisons, soulignant, par exemple, qu'il ne comprend pas très bien pourquoi il est là, ou qu'il s'est présenté à la demande d'une tierce personne qui lui a conseillé de consulter. Le client peut aussi marquer ses hésitations, d'une façon implicite ou explicite, en donnant de brèves réponses aux questions, en répondant de façon superficielle et évasive, en manifestant des signes d'impatience, en regardant ailleurs, en faisant de longs soupirs, etc. Le thérapeute doit explorer ces hésitations et s'assurer d'une participation et d'un accord minimaux de la part du client avant de poursuivre l'entretien. D'ailleurs, la discussion sur ce sujet pourrait devenir, dans ce cas, l'objectif premier de l'entretien initial.

Si l'intervenant minimise, ignore ou nie cette hésitation, et fait un effort supplémentaire pour tenter d'intéresser le client et l'inciter à participer davantage, il donne alors le ton à l'entretien. En effet, il annonce de cette manière que c'est l'aidant qui porte l'entière responsabilité de l'entretien, et que ce qui prime, ce n'est pas ce que pense ou ressent le client, mais ce que désire le thérapeute. Il faut reconnaître que si le client n'est pas préoccupé par ce qui lui arrive au cours de l'entretien et que si un travail n'est pas fait au sujet de ce manque de motivation, l'intervention a de fortes chances de se solder par un échec.

Les expériences passées peuvent également être une source de motivation pour le client. Par exemple, si un client a vu dans le passé un professionnel qui lui faisait comprendre par ses attitudes et par ses propos qu'il était l'expert, et que le rôle du client était de se conformer à ses directives, il y a de fortes chances qu'il adopte le rôle que lui a dicté ce professionnel. Pour d'autres clients, cette attitude de non-participation, de retrait, fait partie de leur problématique et confirme la pertinence de consulter.

Par ailleurs, certains clients ont un comportement ambivalent face à la consultation. D'une part, ils aimeraient trouver une réponse à leur difficulté. D'autre part, cette difficulté, surtout si elle est présente depuis un certain temps, peut être pour eux une source de bénéfices secondaires plus ou moins conscients. Par exemple, le fait d'être malade permet à certaines personnes, dont le sentiment d'isolement est relié à l'absence d'un réseau social, de rencontrer des professionnels qui les écoutent et s'intéressent à elles. Dans d'autres cas, la maladie qui affecte certaines personnes amène des membres de leur réseau social à leur téléphoner, à se préoccuper d'elles, ce qu'ils ne faisaient pas avant l'apparition de cette maladie. La guérison signifierait pour ces personnes le retour à la solitude. Par exemple, au cours d'un échange avec des infirmières d'un CLSC, nous avons pu constater que l'absence de collaboration d'une personne âgée à ses traitements était directement liée à son besoin de rencontrer les infirmières et ainsi de combler sa solitude. Une compréhension de ce besoin a permis à ces infirmières d'aider la cliente à enrichir son réseau social. En peu de temps, elles ont constaté que la cliente collaborait davantage à ses traitements et que, conséquemment, le problème physique dont elle souffrait d'une façon chronique s'était sensiblement résorbé.

Pour d'autres personnes, le fait d'être malades ou d'avoir certains besoins d'aide rattachés à leur condition sociale leur donne une justification sociale et morale pour ne pas faire un travail qu'elles trouvent abrutissant et pour retirer des prestations d'aide sociale sans se sentir mal à l'aise.

Une autre source de motivation à explorer au cours du premier entretien est liée à l'espoir qu'a le client d'améliorer sa situation et à sa croyance dans le fait que le coût des efforts que nécessite ce changement en vaut la peine au regard des bénéfices qu'il est possible d'en retirer. Cette source de motivation est rarement présente chez les clients souffrant de maladies chroniques. Plusieurs clients cessent de prendre les médicaments prescrits en constatant que les effets secondaires qu'ils engendrent provoquent parfois des inconvénients aussi grands que les effets bénéfiques passagers qu'ils donnent. Par exemple, lors d'un échange avec un client souffrant de schizophrénie, la question suivante s'est posée : « Si je prends la médication prescrite, mes hallucinations auditives diminuent considérablement. Cependant, cette médication entraîne des effets secondaires sur le plan visuel au point qu'il m'est pratiquement impossible de lire. De plus, je ne parviens pas à conserver mon attention suffisamment pour comprendre et retenir ce que je lis. La lecture et l'écriture sont des activités extrêmement importantes dans ma vie. Qu'est-ce qui est préférable pour moi ? »

La question concernant les croyances du client face aux effets attendus de l'intervention psychothérapeutique doit aussi faire partie du premier entretien. Par exemple, dans le contexte d'une psychothérapie, le thérapeute se doit de dire au client quels sont les effets prévisibles ou souhaités de l'intervention ainsi que ses limites. Dans certains cas, il est possible d'aider le client à trouver dans le traitement des bénéfices qui, sans être ceux qu'il avait imaginés et désirés initialement, sont cependant une source suffisante de gratification pour donner un sens à sa participation à la thérapie. Par exemple, la possibilité d'une plus grande autonomie, une diminution de la souffrance morale, une plus grande détente physique, une baisse de la fréquence des crises, une plus grande connaissance de soi, la promesse d'une présence significative jusqu'à la fin dans le cas d'une maladie terminale ou la recherche d'un sens à donner à l'expérience peuvent parfois être pour les clients des sources suffisantes de motivation pour qu'ils acceptent de s'investir dans la thérapie.

Une autre source importante de motivation à s'engager dans l'entretien concerne la présence d'un malaise moral ou physique lié au problème ou à la situation pour lesquels le client consulte et à la recherche de moyens de réduire ce malaise. Celui-ci doit être suffisamment important pour contrebalancer les nombreux inconvénients associés à la thérapie, comme les coûts qu'elle occasionne, le temps qu'il faut y consacrer ou les craintes auxquelles il faut faire face. Aussi, sur le plan thérapeutique, il est nécessaire d'explorer le degré de souffrance du client et de s'assurer qu'elle sera réduite et maintenue à une intensité tolérable. Par exemple, un très grand nombre de clients atteints de troubles mentaux qui cessent de prendre leur médication justifient leur comportement en alléguant la diminution des symptômes et la présence d'effets secondaires de la médication. Une fois que la médication est interrompue, les symptômes réapparaissent. Il importe donc, dans ces cas, de sensibiliser le client à l'inconvénient que constitue la réapparition des symptômes, pour l'inciter à poursuivre la prise de médicaments malgré la présence d'effets secondaires.

Les informations générales sur le client

Suivant le contexte de la pratique et le motif de la consultation, il s'avère essentiel de recueillir certaines données sur le client afin de préciser la demande d'aide, de découvrir l'origine de la difficulté et de connaître le fonctionnement général du client. De nombreux professionnels utilisent des guides en vue de recueillir ces informations sur leur client. Ces guides ainsi que les méthodes utilisées pour recueillir les données s'inspirent à la fois de leur contexte de travail, du besoin d'aide que présente le client, de leur expertise et des limites légales de la profession du thérapeute.

Ainsi, dans le domaine des soins infirmiers, la plupart des infirmières utilisent un guide de collecte de données s'appuyant sur le modèle conceptuel qui donne un fondement à leur pratique. À ce guide général s'ajoutent différentes questions reliées aux caractéristiques de la clientèle auprès de laquelle elles interviennent. Au chapitre 3, portant sur la solution de problème, nous présenterons un exemple de guide d'entretien initial que nous avons préparé pour des infirmières dans un contexte de travail en milieu psychiatrique. Ce guide s'inspire d'une vision existentielle-humaniste de l'intervention et de la psychopathologie.

Par ailleurs, les psychiatres et un nombre de plus en plus grand de professionnels qui travaillent en psychiatrie et en santé mentale utilisent un guide d'entretien leur permettant de faire l'histoire psychiatrique et l'examen mental du client, et ce dans le but de poser un diagnostic multiaxial selon les critères diagnostiques proposés dans le DSM-IV. Kaplan et Sadock (1988) de même qu'Othmer et Othmer (1988) présentent deux exemples détaillés de ces guides, qui, comme le soulignent ces auteurs, peuvent être utilisés par différents professionnels de la santé mentale. Dans le contexte de la psychothérapie de longue durée, qui s'inspire directement d'une approche existentielle-humaniste, le thérapeute doit posséder une bonne connaissance de la psychopathologie, non pas en vue d'intervenir face à une pathologie définie, mais pour s'assurer que le client qui le consulte possède les qualités qu'exige une telle approche. De plus, comme le mentionne Shea (1988), le client doit répondre aux trois conditions suivantes pour entreprendre une psychothérapie : avoir une certaine motivation et la croyance que nous pouvons l'aider, posséder certaines habiletés intellectuelles et posséder certaines habiletés psychologiques.

En ce qui a trait à la motivation, celle-ci provient généralement de deux sources, soit le degré de souffrance morale ou physique du client et sa croyance dans le fait que l'intervenant peut l'aider. Ces deux aspects de la participation du client peuvent être clarifiés par les questions suivantes :

– « Qu'est-ce qui vous amène à consulter aujourd'hui plutôt qu'il y a quelques semaines ? »

– « Qu'est-ce qui vous a décidé à venir me voir, moi, et non un autre ? En d'autres termes, qu'est-ce que vous connaissez de moi ? »

– « Quelles sont vos attentes face à la thérapie ? »

La deuxième condition pour faciliter la thérapie concerne les habiletés intellectuelles du client, ses fonctions cognitives, incluant la concentration, la mémoire, la capacité d'abstraction, l'intelligence de base et la créativité. La psychothérapie de longue durée requiert en effet un degré élevé de réflexion et de compréhension. À ce propos, Delisle (1992, p. 62) mentionne ceci : « L'évaluation de la capacité d'auto-observation devrait permettre au professionnel de la santé mentale d'apprécier jusqu'à quel point le client est disposé à s'observer et capable de le faire plutôt que d'examiner les comportements et attitudes d'autrui. »

La troisième condition concerne les habiletés psychologiques, qui se caractérisent par la croyance dans le fait que les processus psychologiques influencent les sentiments de joie et de bonheur, et que les comportements concourent également à l'apparition de ces sentiments. Là-dessus, Delisle (1992, p. 62) souligne que « l'évaluation du locus de contrôle aux fins de ce type de diagnostic devrait quant à elle permettre d'apprécier jusqu'à quel point le client s'estime responsable de ce qui lui arrive ».

Au chapitre portant sur les assises de l'intervention psychothérapeutique d'inspiration existentielle-humaniste, nous avons énuméré les données auxquelles le thérapeute s'intéresse dans ses échanges avec le client afin de reconnaître son fonctionnement général et de déterminer son besoin d'aide. Dans le tableau 2.3, nous présentons un exemple de guide d'observation, qui permet, au cours des entretiens relevant de cette approche, de poser un diagnostic structural sur le fonctionnement du client. Ce guide peut servir à poser un diagnostic sur les impasses de contact ; de même, il peut constituer un guide d'observation quant aux changements qui interviennent au cours de la thérapie. Il s'inspire essentiellement des travaux de Delisle (1993, 1998) et de ceux de Bouchard (1990), de Ginger (1992), de Polster et Polster (1983), de Rogers (1965), de Simkin et Yontef (1984) et de Zinker (1981).

TABLEAU 2.3
L'observation d'un client à partir d'un guide existentiel-humaniste

- Son apparence générale
- Son fonctionnement général au cours de l'entretien
- L'utilisation de ses fonctions de contact (ce qui est observable en figure) (regard, toucher, parole, gestuelle, mimiques et sensations corporelles)
- Les impasses sur le cycle de contact au cours de l'échange (sensations, prise de conscience, mobilisation d'énergie, action, contact, retrait)
- Les mécanismes d'autorégulation de la fonction « je » (rétroflexion, introjection, déflexion, projection, confluence) qui empêchent de compléter le cycle de contact
- Les manifestations de la fonction « ça » (les micro-indices sensorimoteurs, les émotions, les besoins qui se manifestent discrètement en figure)
- Les représentations de la fonction « personnalité » :
  - la représentation que le client se fait de lui-même (bon ou mauvais, semblable aux autres ou différent des autres)
  - la représentation que le client se fait des autres (bons ou mauvais, semblables à lui ou différents de lui)
- Les principales incongruences observées chez le client au cours de l'entretien
- Les situations inachevées de sa vie et leur reproduction dans l'entretien
- Les forces et les limites de cette personne (bio-psycho-sociales et spirituelles)
- Les moyens qu'il utilise pour s'accorder du soutien (sa façon de respirer, sa posture, sa capacité de poser des questions, de demander de l'aide, d'exprimer ses goûts et ses besoins)
- Ses compétences cognitives quant à la conscience de soi (*awareness*) et ses compétences à appliquer ses prises de conscience à d'autres situations de sa vie
- L'urgence d'intervenir (quant au danger d'agression contre soi et contre les autres)
- Les motivations du client à participer aux entretiens
- Le diagnostic sur l'état mental du client :
  - sur son fonctionnement général (structural)
  - en fonction du DSM-IV
  - en fonction de grilles diagnostiques plus spécifiques utilisées par le professionnel (par exemple les diagnostics infirmiers comme ceux que propose la NANDA)

Poser un diagnostic sur la difficulté que présente le client

Les intervenants dont la pratique s'inspire de la vision existentielle-humaniste ne sont pas tous convaincus de l'importance de poser un diagnostic comme ceux que suggère le DSM-IV, la croyance étant qu'en posant ce type de diagnostic le clinicien percevra le client davantage comme un objet (un malade ou un diagnostic) que comme un sujet et, pour utiliser les termes de Buber (1969), qu'il privilégiera une relation de « je-cela » par rapport à une relation « je-tu ». Ce faisant, il risque d'oublier que la personne devant lui est un être en évolution, qui a sa personnalité propre et, partant, une façon unique de vivre et de comprendre sa souffrance. Aussi, le diagnostic structural, qui a la qualité de se préciser tout au cours de la thérapie et qui invite à la reconnaissance constante de ce qui est unique chez le client, est le diagnostic qu'utilisent de façon plus ou moins formelle les tenants de cette approche.

Cette crainte du diagnostic n'est pas causée par le diagnostic lui-même, mais par ce qu'en ont fait certains cliniciens. Par exemple, depuis quelques années, certains thérapeutes vantent les mérites de protocoles standardisés d'intervention pour les clients phobiques, les clients déprimés, les clients anxieux, etc. ; cependant, ces protocoles ne sont pas toujours utilisés avec discernement, comme cela s'est vu à une époque avec les psychotropes. Dans de tels cas, le client porte toute l'imputabilité de l'échec. Si le résultat attendu ne se produit pas, c'est que le client est peu réceptif au traitement, n'est pas accommodant, n'est pas assez motivé, ne collabore pas suffisamment, et ainsi de suite. On ne remet pas en question la pertinence du traitement instauré.

Tout en tenant compte de ces objections, nous reconnaissons que le diagnostic multiaxial est très utile en début de thérapie parce qu'il permet de se faire une image globale de l'état de santé mentale du client. De plus, il facilite notre décision, qui consiste à accepter d'offrir l'aide que désire le client ou à adresser celui-ci à des personnes qui possèdent les compétences pour le faire. Dans le même ordre d'idées, tout intervenant qui pratique la psychothérapie devrait pouvoir, au cours du premier entretien, déceler des signes physiques ou psychologiques montrant qu'une investigation psychiatrique ou physique plus approfondie est requise. Par exemple, la présence de symptômes comme des idées délirantes, des hallucinations, un état anxieux inexpliqué, des troubles mnésiques ou certaines plaintes somatiques qui laissent soupçonner la présence d'un problème organique mérite d'être explorée plus à fond.

En somme, au cours de l'échange, le thérapeute devrait pouvoir déterminer si la difficulté que vit le client est liée à un stress situationnel, à un trouble majeur de la personnalité ou encore à un trouble psychiatrique grave des axes 1 et 2 tels qu'ils sont décrits dans le DSM-IV. Comme le souligne Delisle (1992, p. 59) :

> Le clinicien procède alors par étapes dans un processus qui vise à apprécier les composantes de la situation que vit le client, l'état d'urgence relatif dans lequel celui-ci se trouve, de même que les ressources personnelles qui lui permettront de participer plus ou moins activement à la démarche thérapeutique qu'il est sur le point d'entreprendre.

En ce qui a trait à l'urgence de l'intervention, Delisle (1992, p. 62) indique ceci :

> Il va sans dire que plus l'urgence est élevée et moins la capacité d'auto-observation est grande, plus l'intervention en est une de prise en charge. À l'inverse, quand il n'y a pas ou plus d'urgence et que la capacité d'auto-observation est élevée, les conditions optimales d'une intervention fondée sur le contact et l'*awareness* se trouvent réunies.

Clarifier les attentes réciproques

Après avoir déterminé la difficulté que présente le client, il faut clarifier ses attentes, voir si elles sont réalistes et juger si l'on peut y répondre. Il faut considérer plusieurs facteurs dans cette prise de décision. Voici quelques questions que le thérapeute devrait se poser avant de prendre la décision de suivre un client en thérapie :

- **En fonction de la difficulté du client**
  « Si je décide de répondre à ses attentes, mes interventions auront-elles un effet bénéfique sur la difficulté que présente le client ? »
- **Au sujet des caractéristiques bio-psycho-sociales, culturelles et spirituelles du client**
  « Suivant ce que je connais actuellement de ce client, quels objectifs sont réalistes par rapport à ses attentes ? »
- **À propos du contexte (lieu de travail)**
  « Dans le contexte où a lieu cette consultation et en tenant compte notamment des politiques et de la durée de l'intervention, quels sont les objectifs que je peux proposer au client ? »
- **Sur le rôle du thérapeute, sur ses connaissances professionnelles et sur ses compétences personnelles**
  « Compte tenu de mes compétences et de mes ressources, à quelles attentes est-ce que je peux répondre ? »
- **Au sujet de la compréhension de ce que veut dire « aider »**
  « En considérant ma compréhension de la psychothérapie, quels objectifs seraient réalistes pour ce client à ce moment-ci ? »

Proposer une stratégie d'intervention adaptée au client

À la lumière des informations colligées sur le client, le thérapeute et le client peuvent convenir du type de service qui sera offert au client et des modalités cliniques et administratives qui l'entoureront. Au chapitre 1, nous avons décrit différentes stratégies d'intervention qu'utilise l'intervenant dans une approche existentielle-humaniste.

Face à la question des objectifs en psychothérapie, Delisle (1993, p. 183) mentionne que trois types d'objectifs thérapeutiques peuvent être poursuivis :

- « corriger un symptôme clinique » (par exemple apprendre à maîtriser son stress ou son anxiété) ;
- « apprendre à vivre avec un syndrome clinique chronique » (par exemple la schizophrénie ou le trouble bipolaire) ;
- « renforcer le système psycho-immunitaire (la personnalité) » (par exemple le trouble de personnalité histrionique, narcissique).

Il ajoute que « ces trois types de démarches peuvent nécessiter des modalités d'intervention différentes, mais [qu']elles peuvent aussi se combiner entre elles ».

Au chapitre 3, nous proposerons d'autres stratégies qui conviennent tout particulièrement à un travail portant sur les deux premiers types d'objectifs thérapeutiques de Delisle (1993) que nous venons d'énumérer. Ces stratégies seront utilisées seules ou ensemble, suivant les différentes variables que nous venons de décrire.

Ces variables joueront un rôle important dans le choix des modalités administratives balisant l'échange. Ainsi, en milieu clinique, compte tenu de l'état mental du client qui souffre de schizophrénie et de la durée du séjour d'environ trois semaines à l'hôpital, l'infirmière peut choisir de rencontrer le client individuellement trois fois par semaine à raison de vingt minutes par rencontre et, progressivement, selon l'état mental du client, d'augmenter la durée des rencontres. Elle sélectionnera des stratégies thérapeutiques appropriées. Par exemple, pour aider le client à maîtriser les symptômes négatifs associés à la schizophrénie, elle utilisera des stratégies psychoéducatives ; elle fera appel à des stratégies de soutien et à des stratégies exploratoires pour l'aider à accroître l'estime de lui-même ; etc. Ces objectifs seront formulés dans le plan de soins infirmiers ou dans le plan de services individualisé.

Intervenir en tenant compte de la difficulté du client

Une fois de plus, le contexte de la rencontre, l'état d'urgence et la demande d'aide détermineront la place accordée à l'intervention thérapeutique au cours de l'entretien initial et celle qui est accordée aux autres aspects que nous venons de décrire. En effet, si le client se présente en situation de crise et manifeste un degré élevé d'anxiété, une part importante de l'entretien servira à aider la personne à réduire cet inconfort en l'aidant à gérer ses symptômes ; le temps attribué à la connaissance de la personne de même qu'au diagnostic visera uniquement à s'assurer que l'intervention immédiate sera efficace.

Il en sera de même si le contexte de travail limite l'intervention thérapeutique à quelques entretiens. Le thérapeute invitera le client à parler de son problème ou de sa difficulté et, après une investigation ciblée de sa difficulté et de ses attentes, une intervention sera proposée. Les stratégies utilisées dans de pareils cas s'inspirent de la démarche de solution de problème, de l'intervention en situation de crise ou de la thérapie de soutien (nous décrirons ces différentes stratégies plus loin dans le livre). Le thérapeute exerce alors un rôle plus actif que celui qu'il joue en bureau privé avec un client qui présente une demande de psychothérapie visant la transformation et le développement. Cependant, dans ces deux cas, il interviendra au besoin au cours du premier entretien pour aider le client à retrouver un minimum de confort et à conserver un certain espoir.

Dans le contexte d'une intervention humaniste, nous croyons que, aussitôt que le client et le thérapeute sont en présence l'un de l'autre, l'intervention psychothérapeutique débute, même si aucun diagnostic n'est posé. La relation qui s'amorce entre les personnes et la manière d'être du thérapeute comportent un potentiel psychothérapeutique. En effet, dès le premier entretien, le client est invité à se révéler et à vivre une expérience où il sera écouté dans un climat de considération, où il sera compris d'une façon empathique et où il sera en contact avec une personne vraie et authentique. Cette manière de faire et d'être du thérapeute peut, par exemple, provoquer un certain soulagement chez le client, qui a ainsi le sentiment d'être entendu et compris. Elle peut aussi créer en lui un certain espoir quant aux suites de cette expérience et l'encourager à prendre le risque de s'investir dans cette relation.

Terminer l'entretien

Le thérapeute devrait se garder du temps à la fin de cette première rencontre pour régler les modalités administratives concernant notamment :

- la décision du client de poursuivre ou non les entretiens ;
- les coûts de chaque entretien si cette précision n'a pas été apportée au téléphone ;
- le cadre des rencontres, c'est-à-dire l'endroit, l'heure, le jour, la fréquence et, si cela est pertinent, la durée.

Pour une thérapie de longue durée, il est possible que le client et le thérapeute s'accordent quelques rencontres avant de prendre une décision finale sur la poursuite de la thérapie.

Dans le contexte d'une thérapie de courte durée, il est aussi important de faire une évaluation des résultats obtenus. De plus, le client peut être invité, dès le premier entretien, à réaliser certaines activités en dehors des entretiens pour se préparer aux prochaines rencontres, par exemple prêter attention à certains de ses comportements ou à certaines de ses réactions, faire des exercices, réaliser des expériences ou entreprendre la rédaction d'un journal.

Si le client consulte en situation de crise, le thérapeute doit s'assurer qu'à la fin de l'entretien il ne risque pas de commettre un suicide ou un homicide, qu'il se sent mieux émotivement qu'il ne l'était à son arrivée, qu'il connaît des personnes et des ressources sur lesquelles il peut compter rapidement, qu'il nourrit un certain espoir de changement, et ainsi de suite.

En somme, au cours de ce premier entretien, le thérapeute assume un certain nombre de tâches qui sont modulées par de nombreuses variables telles que le contexte de sa pratique et ses exigences, les caractéristiques du client et les conditions dans lesquelles il consulte, ses motivations, ses besoins et ses attentes, de même que ses compétences et les stratégies d'intervention qu'il choisit d'utiliser. Pour le thérapeute, l'art du premier entretien consiste à concilier toutes ces variables afin de faire de cette rencontre une expérience unique où le client aura le sentiment d'être compris, considéré, entendu dans sa souffrance et aidé ou, au moins, aura l'espoir d'être aidé.

2.5 L'ENTRETIEN FORMEL STRUCTURÉ ET L'ENTRETIEN FORMEL NON STRUCTURÉ

Nous avons vu que certains intervenants des professions d'aide rencontrent le client au moment de lui prodiguer des soins ou un traitement et que l'échange qui a lieu à cette occasion peut revêtir un caractère plus ou moins formel. Les caractéristiques de l'entretien que nous avons décrites constituent un exemple de communication formelle qui se produit dans le contexte de la relation d'aide professionnelle et dans celui de la relation psychothérapeutique.

Selon la diversité des contextes de pratique, les caractéristiques et les besoins des clientèles, les buts poursuivis et le temps disponible, l'entretien prendra une forme plus ou moins structurée, notamment quant au contenu et aux modalités de son déroulement. Nous verrons maintenant ce qui distingue l'entretien formel structuré de l'entretien formel non structuré.

2.5.1 L'entretien formel structuré

Certains contextes de pratique nécessitent non seulement que le thérapeute instaure les conditions qui assureront le bon déroulement de l'entretien, mais aussi qu'il détermine le sujet de l'entretien. C'est en fonction de ces deux aspects que l'on qualifie ce type d'entretien de formel et de structuré. Généralement, on trouve ce type d'entretien dans le contexte d'une thérapie de courte durée où les thèmes de l'échange sont très circonscrits. Différentes raisons justifient l'utilisation de ce type d'entretien. Ainsi, dans le contexte d'une relation d'aide professionnelle, le manque de participation du client ou sa grande dépendance et le manque de temps pour explorer ces comportements, une déficience intellectuelle ou un trouble mental majeur peuvent amener l'intervenant à faire preuve de directivité au cours de l'échange. Le peu de temps à la disposition des protagonistes et l'urgence de l'intervention peuvent également favoriser une telle approche.

L'entretien formel structuré est aussi pertinent dans un entretien centré sur une solution de problème ou sur une prise de décision. Par exemple, c'est le cas lorsqu'un professionnel, au cours d'une même rencontre, pose un diagnostic et applique une intervention ou encore fait une référence appropriée.

L'entretien formel structuré peut, de même, convenir à certaines interventions à caractère éducatif et psychoéducatif. Dans de tels contextes, l'intervenant prend une part active dans le choix des sujets qui sont abordés au cours de l'échange. De plus, il exerce souvent un rôle d'expert à la fois quant au contenu et quant au processus. Par exemple, dans un enseignement sur la médication, tout en tenant compte des particularités du client, l'intervenant est la personne qui possède les connaissances scientifiques sur le sujet enseigné et les connaissances sur le choix de la méthode pédagogique la plus appropriée.

En somme, plus les conditions qui suivent sont présentes, plus ce type d'entretien est indiqué :

- le peu de temps pour réaliser un entretien ;
- l'urgence de l'intervention ;
- la précarité de la condition physique ou mentale du client ;
- le peu de participation du client ;
- la précision et la particularité de l'information à recueillir ou à transmettre.

Les limites de ce type d'entretien

L'entretien formel structuré est particulièrement adéquat dans le contexte de soins ou d'un traitement physique. Cependant, dans le contexte d'une intervention ayant une visée psychothérapeutique, les limites qu'il comporte doivent être considérées dans la décision d'utiliser ou non cette forme d'entretien. Ainsi, ce type d'entretien :

- ne reconnaît pas au client la compétence pour décrire ses difficultés à sa façon ;

- empêche le client de parler de lui et de ses problèmes en toute spontanéité, ce qui prive le thérapeute d'une information précieuse ;
- suggère au client de s'en remettre à un expert qui, lui, connaît le type d'information dont il a besoin, pourra lui dire ce qui lui arrive et lui indiquera la meilleure solution à sa difficulté ;
- maintient le client dans un certain état de dépendance ;
- crée souvent chez le client un sentiment d'insatisfaction, car il a l'impression qu'on ne lui a pas laissé la parole, qu'on ne l'a pas écouté.

Avant de choisir ce type d'entretien, l'intervenant doit donc prendre en considération les avantages et les inconvénients qu'il comporte.

2.5.2 L'entretien formel non structuré

Les principales distinctions entre l'entretien formel structuré et l'entretien formel non structuré tiennent à la place principale qu'occupe le client dans ce dernier type d'entretien quant au choix des sujets abordés, du type de problèmes éprouvés et des objectifs poursuivis. Tenant compte du fait que le client est au cœur de l'échange, l'expression « centré sur la personne » propre aux rogériens prend ici tout son sens. Dans l'entretien formel non structuré, le client est encouragé à s'engager dans la relation et à partager son expérience, et ce dans un contexte de soutien, de considération positive et d'empathie. Si le client parvient à acquérir une plus grande connaissance de soi, il sera plus en mesure de résoudre ses problèmes de la vie courante.

Ce type d'entretien s'applique, par exemple, à une psychothérapie de type existentiel-humaniste comme celle que nous avons décrite au chapitre 1, où client et thérapeute se reconnaissent une expertise réciproque. Comme nous l'avons souligné à quelques reprises, le but premier de l'entretien formel non structuré est de favoriser la conscience de soi (*awareness*) et la libération optimale des ressources du client afin de lui permettre de faire des choix en fonction de ses caractéristiques et de ses valeurs, et de vivre pleinement sa vie tout en tenant compte des conditions de l'environnement qui l'entourent.

Par ailleurs, l'utilisation de ce type d'entretien convient aux échanges qui visent à accorder du soutien à des personnes qui sont aux prises avec une expérience pénible et troublante, comme c'est le cas pour des personnes qui se trouvent en phase terminale ou qui sont endeuillées. Ce type d'entretien peut aussi être utilisé dans le soutien à long terme de personnes qui souffrent d'une maladie chronique ou dégénérative qui affecte gravement leur quotidien.

En somme, l'entretien formel non structuré est particulièrement indiqué dans les cas suivants :

- dans le contexte d'une psychothérapie de courte durée ou de longue durée visant la croissance, le développement personnel et la conscience de soi ;
- pour le soutien affectif ;
- lors de l'intégration d'un changement majeur dans la vie du client ;
- avec les clients :
  - qui possèdent une certaine capacité d'introspection ;
  - qui sont en mesure de faire certaines généralisations, c'est-à-dire d'appliquer les découvertes apportées par la thérapie à d'autres situations de leur vie ;
  - qui possèdent certaines habiletés intellectuelles ;
  - qui acceptent de participer ;
  - qui croient qu'ils ont une certaine responsabilité dans la conduite de leur vie ;
  - qui espèrent que la rencontre d'un professionnel pourra les aider.

Les limites de ce type d'entretien

L'entretien formel non structuré comporte aussi certaines limites. En effet, s'il n'est pas utilisé à propos, il peut prendre la forme d'une conversation sociale dans laquelle le client aura vite le sentiment de tourner en rond. De plus, ce type d'entretien ne convient pas aux clients qui ne possèdent pas de façon minimale les caractéristiques que nous venons d'énumérer. Enfin, il est particulièrement contre-indiqué avec les clients qui présentent de la confusion, des troubles de l'attention et avec ceux qui sont peu habiles ou peu intéressés à faire une démarche d'introspection.

En somme, ces deux types d'entretiens se distinguent notamment par le caractère centré sur le problème ou centré sur la personne, par le rôle d'expert plus ou moins important qu'exerce le thérapeute sur le contenu ou sur le processus, par la durée plus ou moins brève de l'entretien et par le caractère plus ou moins structuré de l'échange.

Il appartient au thérapeute de prendre une décision sur le caractère plus ou moins structuré de l'entretien qu'il doit utiliser. Cependant, cette décision ne doit pas être arbitraire. Tout en tenant compte de sa conception de la personne et de l'intervention thérapeutique, il doit fonder son choix sur une observation minutieuse du client et de ses capacités de fonctionnement ainsi que sur les contraintes liées au contexte d'exercice. En règle générale, le thérapeute qui s'inspire d'une vision existentielle-humaniste de l'intervention devrait s'assurer que le client occupe une place optimale dans l'entretien ayant une visée psychothérapeutique, qu'il s'agisse d'un entretien formel structuré ou d'un entretien formel non structuré. Cette position face à lui-même et au processus psychothérapeutique est au cœur d'une psychothérapie visant la transformation et le développement de la personnalité.

2.6 LES ENTRETIENS FRÉQUENTS ET DE COURTE DURÉE DANS LE CONTEXTE D'UNE RELATION D'AIDE PROFESSIONNELLE

Pour plusieurs professionnels de la santé, comme les ergothérapeutes, les médecins et les infirmières qui ne travaillent pas auprès d'une clientèle atteinte de troubles mentaux graves, une part importante des échanges se fait au moment des soins et des traitements physiques dispensés au client. Contrairement à la plupart des autres professionnels, ces infirmières rencontrent les clients plusieurs fois par jour, que ce soit au moment de la toilette, des repas, de la distribution des médicaments, des soins de confort, des traitements, de la préparation à un examen, etc. Dans plusieurs cas, les traitements ou les soins à donner déterminent le contenu et la durée des rencontres.

Certaines infirmières éprouvent de la difficulté à utiliser ces courts moments pour établir une relation d'aide privilégiée avec leurs clients, tout en reconnaissant l'existence de besoins d'aide psychosociaux. Dans le contexte actuel de l'exercice des soins infirmiers, il est difficile d'imaginer que l'infirmière puisse avoir d'autres moments à sa disposition pour réaliser des entretiens formels avec les clients. Si elle parvient à créer une structure d'entretien qui permette de faire des liens entre ces brèves rencontres, il lui sera possible, malgré le peu de temps dont elle dispose, d'entrer en relation avec le client et de faire en sorte que cette relation soit aidante.

Ces fils conducteurs sont ceux que nous avons indiqués pour l'entretien, à savoir le contact entre les personnes, le but et les thèmes de l'entretien et les modalités du déroulement de l'entretien. Il faut considérer ces trois aspects à chacune des rencontres afin d'assurer la continuité entre celles-ci. De plus, l'ensemble des rencontres qui ont lieu au cours d'une journée pourrait servir d'unité de regroupement. En d'autres termes, l'infirmière peut reconnaître que chaque moment où elle rencontre le client pendant la journée fait partie d'un même échange et, en ce sens, veiller à ce qu'il y ait une continuité entre ces moments, comme c'est le cas dans les entretiens successifs où un seul thème est abordé. Nous verrons maintenant comment ces trois aspects de l'entretien peuvent rendre la relation aidante.

2.6.1 *Le contact*

Le rapport qui s'établit entre le client et l'infirmière au moment des soins et du traitement peut servir de lien entre les rencontres. Lors de ses nombreuses présences auprès du client, l'infirmière peut favoriser cette relation en étant attentive au contact physique et affectif qu'ils vivent ensemble. Voici quelques attitudes pouvant favoriser ce contact :

- En se rendant auprès du bénéficiaire, l'infirmière tentera de préciser le sentiment que suscite en elle l'idée de cette rencontre. De plus, elle peut essayer de se souvenir du sentiment qui l'habitait et de celui que semblait éprouver le client lors de leur dernière rencontre.
- Au moment de son contact avec le client, elle tentera de déterminer ce qu'elle sent en sa présence tout en demeurant attentive à ce que vit le client.
- Chaque fois qu'elle verra le client, elle prendra quelques secondes pour établir avec lui un contact visuel et verbal, et s'assurera qu'il en fait autant. Nous avons indiqué au début du chapitre différentes approches qui facilitent ce contact.
- Durant les soins ou le traitement, elle s'assurera de maintenir la qualité du contact avec le client, que ce soit en s'intéressant à son confort, en demandant sa collaboration ou en l'encourageant à exprimer ce qu'il ressent.
- En quittant le client, elle fera le point sur ce qu'elle vient de vivre et déterminera ce qui doit être maintenu ou modifié pour faciliter sa relation avec lui.

2.6.2 *Le but et les thèmes de l'entretien*

Au cours des premiers entretiens avec le client, l'infirmière procède à une collecte de données concernant la connaissance générale du client et ses difficultés. Après l'analyse des données, elle pose un diagnostic de nursing sur les difficultés que présente le client. Ce diagnostic peut porter aussi bien sur des problèmes de santé physique que sur des problèmes psychosociaux. Tout en répondant aux besoins physiques du client, il lui est possible de profiter des occasions où elle est auprès de lui pour aborder les problèmes psychosociaux qu'elle aura relevés. Les divers moments de rencontres au cours de la journée pourront lui permettre de poursuivre l'échange au sujet d'une même difficulté, et de reprendre celui-ci au besoin dans les jours suivants. Les stratégies psychothérapeutiques choisies se rapporteront aux problèmes qui auront été déterminés et aux objectifs poursuivis.

Au cours de ses nombreux contacts avec le client, l'infirmière doit préciser les buts poursuivis pendant qu'elle lui donne des soins. L'impression d'un manque de continuité dans les échanges entre l'infirmière et le client est souvent attribuable au fait qu'elle a plus ou moins formulé ses objectifs en ce qui a trait aux besoins psychosociaux du client. Si elle parvient à situer l'ensemble de ses interventions psychothérapeutiques dans une perspective plus large et à percevoir chaque rencontre comme une occasion d'avoir une relation aidante, elle pourra alors actualiser sa vision holistique de l'intervention professionnelle.

En somme, malgré le peu de temps dont l'infirmière et d'autres professionnels qui sont soumis à des conditions de travail semblables disposent pour chacun de leurs clients, et malgré la diversité des raisons de rencontrer les clients au cours d'une journée, il leur est possible de créer une continuité entre ces moments de présence dans les cas suivants :

- s'ils se préoccupent constamment de la qualité de la relation thérapeutique qu'ils établissent avec les clients ;
- s'ils se sont entendus avec les clients sur certains objectifs thérapeutiques qu'ils poursuivent de même que sur des objectifs portant sur des soins physiques ;
- s'ils appliquent des techniques de soins et de traitement ainsi que des stratégies d'intervention psychothérapeutique liées aux objectifs poursuivis, aux caractéristiques du client, et ce compte tenu de leur contexte de travail.

2.6.3 Les modalités du déroulement de l'entretien

Cet aspect est essentiel en ce qui touche la continuité des échanges. Au cours de ses premiers entretiens avec le client, l'infirmière doit lui signifier sa disponibilité non seulement pour lui donner des soins physiques, mais aussi pour s'intéresser à sa situation. En l'incitant à exprimer ce qui le préoccupe, elle favorise la création d'un lien entre eux. Lors de ces rencontres, elle informera clairement le client de ses attentes, de son rôle, de la façon dont elle participera à ses soins et du temps dont elle disposera pendant la journée. Son attitude sera alors pour le client une invitation à entrer en relation avec elle : « Durant votre séjour à l'hôpital, vous savez, je serai disponible non seulement pour vous donner des soins, mais aussi pour échanger avec vous sur ce qui vous préoccupe et peut nuire à votre santé. Malgré le peu de temps dont je dispose, nous pourrons profiter de ces moments où je serai avec vous pour parler de tout cela. »

Au cours des rencontres suivantes, elle rappellera au client, au besoin, qu'elle est prête à l'écouter, et ce particulièrement s'il semble préoccupé par une situation qui pourrait nuire à son état de santé.

L'infirmière peut favoriser la continuité de la relation grâce à sa façon de donner des soins. Par exemple, elle peut s'entendre avec le client sur une manière de procéder qui facilitera sa participation et réduira son inconfort. Elle agira de même au cours de leurs rencontres subséquentes. Cette continuité peut aussi concerner les échanges verbaux grâce aux sujets abordés et aux objectifs poursuivis.

À l'aide d'une vignette clinique, nous verrons comment une infirmière peut réaliser une intervention à caractère psychothérapeutique dans ses échanges avec un client au cours de différents moments d'une journée.

Vignette clinique

M. Jinchereau, âgé de 55 ans, marié et père de deux enfants, travailleur à faible revenu, est hospitalisé depuis quelques jours en raison de douleurs précordiales importantes.

Au moment du petit-déjeuner (8 h 10)

L'infirmière : « Bonjour, monsieur Jinchereau. Comment s'est passée la nuit ? »

Le client : « Assez bien... J'ai cependant été réveillé de bonne heure. L'infirmière de nuit avait une prise de sang à me faire. Je n'ai pas pu me rendormir par la suite. »

L'infirmière : « Oui, je vois... J'espère qu'au cours de la journée vous pourrez avoir quelques moments de calme pour vous reposer. Je vous ai apporté votre petit-déjeuner. Si vous le voulez, je vais vous aider à vous installer confortablement. »

Tout en installant M. Jinchereau pour son petit-déjeuner, l'infirmière remarque qu'il manque d'appétit, contrairement à son habitude, et qu'il semble inquiet.

L'infirmière : « Vous semblez manquer d'appétit, ce matin. J'ai l'impression que quelque chose vous préoccupe. »

Le client : « Euh... ouais... euh... ma femme est venue hier soir... (Silence.) Elle m'a dit qu'il est possible qu'à la compagnie on tombe en grève ces jours-ci... »

L'infirmière : « Et ça vous inquiète. »

Le client : « Oui. »

L'infirmière : « Ça me semble important ce qui vous arrive. Malheureusement, je n'ai pas le temps de vous écouter davantage, car

⟶

il faut que je distribue les autres petits-déjeuners. Mais je vais revenir vers 8 h 45 pour vos soins d'hygiène. J'aimerais qu'on en parle à ce moment-là, si vous le désirez. »

Le client : « Oui oui. »

Au moment des soins d'hygiène (8 h 45)

L'infirmière : « Enfin, j'ai une vingtaine de minutes à vous accorder. Je vais vous aider pour vos soins d'hygiène. »

Quand le bain est commencé, tout en informant le client des gestes qu'elle fait et en lui demandant d'y réagir, l'infirmière reprend l'échange précédent.

L'infirmière : « Je n'étais pas là au moment où on est venu chercher votre plateau. Avez-vous mangé un peu ? »

Le client : « Oui… j'ai pris une toast et un café… »

L'infirmière : « Je vois… Tout à l'heure, au moment où on s'est laissés, vous me disiez qu'il était possible que les employés de l'usine où vous travaillez tombent en grève et que cela vous inquiétait. Vous voulez m'en parler un peu plus ? »

Le client : « Ouais… je ne sais pas quoi dire de plus… »

L'infirmière : « Votre expression me permet de constater que ça ne semble pas vous enchanter. »

Le client : « Vous savez, je n'ai pas un gros salaire. Depuis que je suis hospitalisé, ma femme et moi on arrive à vivre parce que j'ai une assurance-salaire. Mais dans le cas d'une grève, je ne sais pas si je pourrai continuer à retirer mon assurance. Si c'est impossible, il va falloir que j'emprunte à la banque… » (Silence, air pensif.)

Tout au long des soins d'hygiène, l'échange se poursuit. L'infirmière et le client en arrivent à la conclusion que ce dernier s'inquiète à cause d'une rumeur et qu'il doit avant tout vérifier le bien-fondé de celle-ci. Au moment où ils se quittent, le client a décidé de téléphoner au bureau du personnel de son usine afin d'obtenir des précisions sur son assurance-salaire, et au dirigeant syndical pour savoir où en sont les négociations.

Au moment de la distribution des médicaments (11 h 30)

L'infirmière : « Monsieur Jinchereau, je viens vous porter vos médicaments. Compte tenu de vos derniers tests et de votre tension artérielle, le médecin a décidé de ne pas diminuer la dose de vos médicaments, comme je vous l'avais dit. Dès que vos résultats sanguins redeviendront normaux, il réajustera votre médication. »

⟶

Le client : « Oui, je vois. Avec tout ce que je me suis imaginé, je ne suis pas surpris que ma tension soit si élevée... » (Sourire.)

L'infirmière : « Vous semblez de meilleure humeur que tout à l'heure. Je me demande si vous avez fait vos appels téléphoniques. »

Le client : « Oui... J'ai l'impression que je ne changerai jamais. J'ai tendance à voir tout en noir... J'ai téléphoné au service du personnel. Grève ou non, on m'a garanti que je continuerais à recevoir mon assurance-salaire. J'ai aussi téléphoné au syndicat. De ce côté-là, les discussions progressent lentement. Dans une semaine, les dirigeants demanderont peut-être aux employés de leur donner un mandat de grève qu'ils pourront utiliser éventuellement. Pour l'instant, on est encore loin de la grève. »

L'infirmière : « Vous semblez soulagé. »

Le client : « Oh oui, beaucoup. Je me demande pourquoi je m'inquiète toujours. Des fois, je me dis que ce n'est pas surprenant que je me retrouve avec des problèmes cardiaques comme maintenant. »

L'infirmière : « Vous avez tendance à vous inquiéter beaucoup, au point d'avoir des ennuis cardiaques. »

Le client : « Oh oui ! Je ne sais pas comment je pourrais faire autrement. »

L'infirmière : « Si vous le désirez, je repasserai après votre sieste. Je devrais avoir un moment de libre. Nous pourrons commencer à regarder d'un peu plus près ce qui en est... »

Le client : « D'accord. »

L'infirmière : « À cet après-midi, deux heures. »

Cet exemple illustre clairement comment, malgré de courts moments passés auprès d'un client, l'infirmière peut, dans le contexte d'une relation professionnelle, offrir une aide psychothérapeutique. Cette aide peut être diversifiée, qu'il s'agisse de la gestion de symptômes, du soutien à l'adaptation, de la modification d'habitudes de vie, d'une meilleure conscience de soi ou d'une meilleure connaissance de soi.

Résumé

Dans ce chapitre, nous nous sommes intéressés aux entretiens, dans un contexte de relation d'aide professionnelle et dans celui d'une psychothérapie, qui en est une application particulière. Nous avons décrit les caractéristiques générales de l'entretien en soulignant les principaux aspects à considérer au cours de son déroulement. Ensuite, nous avons présenté les formes les plus courantes d'entretiens utilisées dans une psychothérapie et dans une relation d'aide. À cette fin, nous avons exposé le déroulement d'un entretien initial en distinguant l'entretien unique et le premier entretien d'une série. Nous avons indiqué les principales distinctions qui existent entre un entretien formel structuré et un entretien formel non structuré. Enfin, nous avons décrit brièvement une stratégie d'entretien qui permet d'assurer une continuité entre les échanges dans un contexte où le professionnel rencontre le même client à plusieurs reprises au cours d'une journée, et plus particulièrement quand l'objet de la consultation initiale ne consiste pas dans une difficulté psychosociale.

En prêtant attention à ces différentes facettes de l'entretien, l'intervenant s'assure que ses échanges sont mieux structurés et qu'ils ont un lien avec les stratégies et les techniques qu'il utilise pour atteindre ses objectifs. Ce faisant, le thérapeute et le client en retirent une plus grande satisfaction.

Bibliographie

Benjamin, A. (1987). *The Helping Interview*, Boston, Houghton Mifflin.

Bermosk, L.S. et Mordan, M.J. (1964). *Interviewing in Nursing*, New York, Macmillan.

Black, K. (1983). *Short-Term Counseling : A Humanistic Approach for the Helping Professions*, Londres, Addison-Wesley Publishing Company.

Bouchard, M.-A. (1990). *De la phénoménologie à la psychanalyse*, Liège, Pierre Margada Éditeur.

Brammer, L. (1979). *The Helping Relationship*, 2e éd., Englewood Cliffs, Prentice Hall.

Buber, M. (1969). *Je et tu*, Paris, Aubier Montaigne.

Chalifour, J. (1985). « L'évaluation d'une entrevue : grille d'analyse et modalités d'utilisation », *Service social*, Québec, Université Laval, vol. 34, no 1, p. 158-176.

Chalifour, J. (1999). *L'intervention thérapeutique*, vol. 1 : *Les fondements existentiels-humanistes de la relation d'aide*, Boucherville, Gaëtan Morin Éditeur.

Cormier, L.S., Cormier, W.H. et Weisser, R.J. (1983). *Interviewing and Helping Skills for Health Professionals*, Monterey, Wadsworth Health Sciences Division.

DELISLE, G. (1992). « De la relation clinique à la relation thérapeutique », *Revue québécoise de Gestalt*, vol. 1, nº 1, p. 53-77.

DELISLE, G. (1993). *Les troubles de la personnalité, perspective gestaltiste*, 3e éd., Montréal, Éditions du Reflet.

DELISLE, G. (1998). *La relation d'objet en Gestalt thérapie*, Montréal, Éditions du Reflet.

GINGER, S. (1992). *La Gestalt, une thérapie du contact*, Paris, Hommes et groupes Éditeurs.

IVEY, A.E. (1983). *Intentional Interviewing and Counseling*, Monterey, Brooks/Cole Publishing Company.

JOURARD, S. (1974). *La transparence de soi*, Sainte-Foy, Éditions St-Yves.

KAPLAN, H.I. et SADOCK, B.J. (1988). *Synopsis of Psychiatry*, 5e éd., Londres, Williams & Wilkins.

MUCCHIELLI, R. (1975). *L'entretien de face à face dans la relation d'aide*, Paris, Les Éditions ESF.

NORTH AMERICAN NURSING DIAGNOSIS ASSOCIATION (1996). *Nursing Diagnosis : Definitions and Classification, 1995-1996*, Philadelphie, NANDA.

ORLANDO, I.J. (1979). *La relation dynamique infirmière-client*, Montréal, Éditions HRW.

OTHMER, E. et OTHMER, S.C. (1988). *The Clinical Interview Using DSM-III-R*, Washington, American Psychiatric Press.

PAUZÉ, É. (1984). *Techniques d'entretien et d'entrevue*, Montréal, Modulo Éditeur.

POLSTER, E. et POLSTER, M. (1983). *La Gestalt*, Montréal, Le Jour.

ROGERS, C.R. (1965). *Client-Centred Therapy*, Boston, Houghton Mifflin.

SALOMÉ, J. (1986). *Relation d'aide et formation à l'entretien*, Lille, Presses Universitaires de Lille.

SCHULMAN, E.D. (1982). *Intervention in Human Services : A Guide to Skills and Knowledge*, 3e éd., Toronto, C.V. Mosby.

SHEA, S.C. (1988). *Psychiatric Interview : The Art of Understanding*, Philadelphie, W.B. Saunders.

SIMKIN, J.S. et YONTEF, G.M. (1984). « Gestalt therapy », dans J. Corsini (sous la dir. de), *Current Psychotherapies*, 3e éd., Itasca, F.E. Peacock, p. 279-319.

ST-ARNAUD, Y. (1993). « Guide méthodologique pour conceptualiser un modèle d'intervention », dans F. Serre, *Recherche, formation et pratiques en éducation des adultes*, Sherbrooke, Éditions du C.R.P., Université de Sherbrooke, Faculté d'éducation.

ST-ARNAUD, Y. (1995). *L'interaction professionnelle. Efficacité et coopération*, Montréal, Les Presses de l'Université de Montréal.

SULLIVAN, H.S. (1954). *The Psychiatric Interview*, New York, W.W. Norton & Company.

THIBAUDEAU, M. (1986). *La première entrevue en psychothérapie*, Ottawa, Éditions du Méridien.

ZINKER, J. (1981). *Se créer par la Gestalt*, Montréal, Éditions de l'Homme.

CHAPITRE

3

La démarche de solution de problème

Tout au long de sa vie, chaque personne est placée devant des situations prévisibles ou non qui nécessitent la mise en œuvre de solutions qui ont été utilisées dans le passé ou qui doivent être inventées, et ce dans le but de maîtriser ou de fuir les expériences de stress auxquelles elle fait face. À certains moments, l'expérience en cours, en raison de sa nouveauté, de son caractère imprévisible ou de son importance, va au-delà des capacités de maîtrise connues de la personne. En faisant appel à des personnes qui forment son réseau de soutien, il lui est souvent possible de trouver les ressources dont elle a besoin sur les plans informatif, émotif ou instrumental pour surmonter cette expérience. Cependant, face à certaines situations particulièrement troublantes, la personne peut se sentir démunie, à un point tel qu'elle a difficilement accès à ses propres ressources et que son réseau de soutien semble impuissant à l'aider. Dans ce cas, elle peut avoir recours à des professionnels de la santé pour obtenir de l'aide.

Afin de situer les stratégies d'intervention que nous décrirons dans ce chapitre-ci et dans les suivants, nous les comparerons à l'approche psychothérapeutique que nous avons déjà vue, laquelle s'apparente à une thérapie « découvrante ». Quant à la démarche de solution de problème, à l'intervention en situation de crise, à l'accompagnement de personnes endeuillées et à la thérapie de soutien, que nous examinerons dans ce chapitre et dans les suivants, ces stratégies relèvent davantage des thérapies brèves « recouvrantes ». À propos de ces dernières, Cusson (1996, p. 554) mentionne :

> [Elles] peuvent s'apparenter aux thérapies de soutien, [lesquelles] consistent en la mise en place de mesures souvent concrètes d'intervention visant à renforcer les mécanismes de défense et à assurer une meilleure adaptation. Quant aux thérapies découvrantes,

elles sont plutôt du type exploratoire, analytique, reposant sur le désir du patient de mieux se connaître.

Bien entendu, même si les stratégies présentées ici sont beaucoup plus directives, le thérapeute qui les utilise devrait garder à l'esprit la vision existentielle-humaniste de la personne et de la relation professionnelle qui fait l'objet du volume 1 (Chalifour, 1999), de même que les assises de l'intervention psychothérapeutique qui sont décrites au chapitre 1.

Les difficultés d'adaptation présentées par les clients qui consultent sont des plus variées quant à leur nature et à leur gravité. Seul le client, avec l'aide de son thérapeute, est en mesure d'en reconnaître l'importance subjective. Par exemple, un jeune adulte peut percevoir une rupture amoureuse comme une expérience dramatique dans laquelle il vit un sentiment profond d'abandon accompagné d'une perte d'estime de lui-même ; par conséquent, il peut en conclure que la vie n'a plus de sens. Une autre personne du même âge peut percevoir une telle rupture comme une expérience douloureuse de perte portant une signification beaucoup moins grande. Il peut en être de même pour l'importance relative que deux personnes accordent à une maladie chronique dont elles sont atteintes. Aussi, la gravité de l'expérience vécue par le client ne doit pas être jugée uniquement à la lumière de l'évaluation objective qu'en fait l'intervenant, mais celui-ci doit aussi tenir compte de l'appréciation subjective qu'en fait le client.

De la même manière, le choix des stratégies psychothérapeutiques à mettre en œuvre doit prendre en considération l'expérience du client et ses réactions à ses difficultés. De plus, pour être réaliste, ce choix doit se faire en fonction du contexte dans lequel a lieu la consultation, de la disponibilité de l'intervenant, de sa compétence professionnelle, des attentes du client et des capacités de maîtrise dont fait preuve ce dernier face à la difficulté en question.

Cependant, comme nous serons à même de le constater, les différentes stratégies psychothérapeutiques, qu'elles soient utilisées au cours d'une intervention à court terme ou au cours d'une intervention à long terme, ne sont pas mutuellement exclusives ; parfois, elles sont utilisées en même temps pendant un entretien. Ces quelques considérations générales étant établies, voyons quelles stratégies composent les chapitres qui suivent.

Nous avons choisi de décrire quatre stratégies d'intervention psychothérapeutiques qui sont couramment utilisées par les professionnels de la santé dans le but de gérer des symptômes, de résoudre des problèmes, de faciliter l'adaptation et d'accorder du soutien à des personnes, à des familles ou à des groupes. Ces stratégies consistent dans la **solution de problème**, laquelle comporte différentes modalités d'application dans le contexte d'une intervention psychothérapeutique, l'**intervention en situation de crise**, qui s'inspire partiellement de la démarche précédente, l'**accompagnement des personnes endeuillées**, une stratégie qui, bien qu'elle soit intimement liée aux deux stratégies précédentes quant à l'expérience de crise vécue par le client et aux étapes suivies, s'intéresse tout particulièrement aux pertes significatives et vise des objectifs différents, et, enfin, la **thérapie de soutien**, qui est employée à titre préventif, psychoéducatif, de suppléance ou de réconfort sur une base ponctuelle auprès de personnes traversant une situation de vulnérabilité ou dans le contexte d'une intervention plus soutenue auprès de clients qui présentent des troubles sévères et persistants.

En ce qui concerne la première intervention, tous les intervenants des professions d'aide font appel de façon ponctuelle à certaines interventions qui s'inspirent de la démarche de solution de problème. Certains intervenants, notamment ceux qui appuient leur pratique sur le *counseling* thérapeutique, où l'accent est mis sur la gestion de symptômes et la modification de comportements, l'utilisent sur une base régulière pour systématiser leur démarche d'intervention. Au regard des différentes approches thérapeutiques décrites dans ce livre, que la psychothérapie vise le développement, la conscience de soi (*awareness*), la gestion d'une situation de crise, le travail de deuil ou le soutien, la démarche de solution de problème ne constitue pas la stratégie thérapeutique sur laquelle se fondent en premier lieu ces interventions. Cependant, elle peut être utilisée à différents moments au cours du travail thérapeutique à l'aide de ces approches.

Dans ce livre, tout en reconnaissant l'importance d'aider un client à résoudre certains problèmes de sa vie courante ou d'autres occasionnés par ses conditions de santé, ou encore à acquérir des connaissances sur le processus de solution de problème, nous postulons que le premier but de l'intervention psychothérapeutique est d'aider un client à acquérir une conscience élevée de lui-même et de ce qui cause un problème pour lui. Par exemple, dans le travail de deuil, lorsque la personne reconnaît la réalité de la perte et les conséquences qu'elle a dans sa vie, cela lui permet de mobiliser les processus internes nécessaires pour assumer cette expérience, faire certains choix et agir en fonction de ces choix. Au chapitre 1, nous avons décrit les processus généraux qui consistent à reconnaître, à accueillir, à choisir, à agir et à porter en ce qui concerne la responsabilité de ses choix et de ses actions. Dans une telle perspective, en situation de deuil, la première tâche du thérapeute consiste à accompagner le client en le soutenant et en l'aidant à réaliser le travail psychique nécessaire à l'intégration de cette expérience dans sa vie et à faire les changements qu'il désire apporter.

Cependant, au cours de ce travail thérapeutique, le client peut éprouver des difficultés particulières, qui, parfois, commandent une analyse cognitive systématique de sa situation. De plus, certains clients présentent des difficultés de fonctionnement dues au fait qu'ils ne maîtrisent pas les processus cognitifs nécessaires pour résoudre les problèmes de la vie quotidienne. Dans ces cas, le travail thérapeutique s'appuyant sur la démarche de solution de problème peut s'avérer très utile. Enfin, ce processus est aussi utilisé par tous les professionnels de la santé pour systématiser leurs interventions cliniques courantes, qu'elles aient ou non une visée psychothérapeutique.

Devant la diversité de ces situations et la très grande place qu'occupe le processus de solution de problème dans le mode d'intervention de nombreux professionnels de la santé, nous croyons important de décrire cette approche en détail, d'autant plus que notre observation de plusieurs cliniciens en exercice nous a permis de constater certaines difficultés reliées à l'utilisation de cette approche. Dans ce chapitre, nous présenterons les étapes du processus de solution de problème, puis une application générale de ce processus dans le contexte d'une intervention psychothérapeutique. Par la suite, nous décrirons deux applications cliniques qui s'inspirent de cette approche, soit la démarche clinique utilisée en soins infirmiers et la psychothérapie orientée vers les solutions.

3.1 LE PROCESSUS DE SOLUTION DE PROBLÈME

Afin de nous aider dans notre prise de décisions quotidiennes ou dans la résolution de nos difficultés, nous faisons appel à certaines fonctions intellectuelles, comme la mémoire, l'analyse, le jugement, la créativité ou la synthèse, et à certains processus qui facilitent la prise de décisions. Ces activités mentales se font souvent d'une façon plus ou moins automatique. Cependant, quand nous faisons face à une difficulté plus complexe, elles s'avèrent parfois inefficaces. Si cette difficulté constitue une menace pour certains aspects de notre vie jugés importants, comme c'est souvent le cas chez les clients qui consultent en psychothérapie, nous désirons non seulement trouver une solution, mais aussi nous assurer que cette solution est la meilleure, compte tenu du contexte dans lequel elle est prise. Que ce soit dans un contexte personnel ou dans un contexte professionnel, il est possible de systématiser notre réflexion en recourant à un processus de solution de problème.

3.1.1 Quelques définitions du mot « problème »

Dans la vie de tous les jours, on utilise le mot « problème » pour qualifier une foule d'expériences plus ou moins importantes qui font obstacle à nos attentes et à la satisfaction de nos besoins. Dans un contexte professionnel, ce mot recouvre une signification plus définie. Par exemple, Watzlawick, Weakland et Fisch (1975, p. 56-57) font la distinction suivante entre une difficulté et un problème :

> Dorénavant nous signifierons par difficultés des conditions gênantes que l'on surmonte par quelque action de bon sens [...] sans avoir

nécessairement recours à une technique spéciale de résolution de problème. Plus souvent, cette situation vécue, déplaisante mais généralement très répandue, n'admet aucune solution : il s'agit pour la personne aux prises avec elle de s'en accommoder, au moins pendant un certain temps. Nous parlons de problèmes pour désigner des impasses, des situations inextricables, des dilemmes insupportables, etc., que l'on a créés et fait durer en aggravant des difficultés.

Cette première distinction laisse supposer qu'un problème est plus complexe qu'une simple difficulté et qu'il nécessite le recours à une démarche cognitive plus articulée. Voyons plus précisément en quoi consiste un problème. Dans *Le Petit Larousse 1998*, on peut lire au sujet de ce mot : « Question à résoudre par des méthodes logiques, rationnelles, dans le domaine scientifique. [...] Difficulté souvent complexe à laquelle on est confronté. » Dans le domaine professionnel, plusieurs auteurs ont cherché à comprendre et à décrire de façon plus élaborée les différentes constituantes du problème. À ce propos, Poupart (1973) et D'Zurilla et Goldfried (1971) apportent un éclairage très utile à une meilleure compréhension de ce concept en milieu clinique.

Poupart (1973, p. 196-197) mentionne ceci :

> Un fait n'est jamais en soi un problème. Un fait ne devient un problème à l'intérieur d'un système que lorsqu'il ne correspond pas à la représentation mentale ou au modèle de celui (personne ou groupe) qui appréhende le fait. Le problème est une interprétation des faits qui a son origine dans une représentation des faits tels qu'ils devraient être (modèle idéal) et s'élabore dans la perception d'un écart ou d'un recouvrement imparfait entre les faits tels qu'ils devraient être et tels qu'ils sont.

Un peu plus loin, il ajoute (p. 197) :

> De toute façon, un modèle idéal permet de comprendre la réalité sous l'angle du « devrait être » alors que les faits permettent de comprendre la réalité sous l'angle du « étant ». L'un relève de l'idéal, l'autre du factuel, un problème étant l'écart perçu entre ces deux réalités.

Voici un exemple pour illustrer cette définition. Comme professionnel, nous avons une certaine conception de la santé mentale. Cette conception correspond, pour reprendre les termes de Poupart, à notre « modèle idéal ». Si, dans notre travail clinique, nous rencontrons un client qui est désorienté quant au temps, au lieu et aux personnes, qui a des troubles de la mémoire, qui a perdu certaines compétences sociales et qui éprouve des problèmes d'attention, nous pouvons dire que ces différentes manifestations s'éloignent de notre « modèle idéal » d'une personne en bonne santé mentale et nous permet de conclure qu'elle présente un problème de santé mentale. La figure 3.1 schématise cette façon de définir un problème.

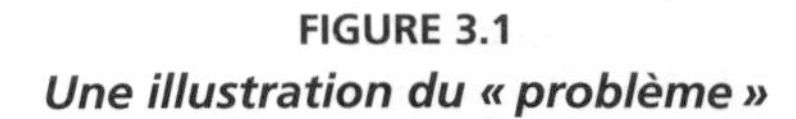

FIGURE 3.1
Une illustration du « problème »

PROBLÈME

Modèle idéal

Modèle descriptif

Autrement dit, selon Poupart (1973, p. 198) :

> Formuler un problème, c'est intégrer les faits et montrer comment l'ensemble qu'ils forment (modèle descriptif) est différent de l'ensemble qu'ils devraient former (modèle idéal). [...] La reconnaissance de leurs différences ou de leurs aires de non-recouvrement constitue l'essentiel de la définition d'un problème.

Dans ce sens, pour reprendre notre exemple, chaque professionnel de la santé mentale reconnaît qu'une personne en bonne santé mentale possède certaines caractéristiques au regard de son orientation spatiotemporelle, de sa capacité de se souvenir, de la qualité de son attention, etc.

Privilégiant le lien avec les difficultés perçues par la personne qui les vit, D'Zurilla et Goldfried (1971, p. 108) préfèrent utiliser l'expression « situation problématique » à la place du mot « problème ». Pour eux, une situation est considérée comme problématique si aucune réponse n'est immédiatement accessible à l'individu qui est dans cette situation. À cette définition correspondent toutes les situations qui, en raison de leur nouveauté, de leur complexité, de leur ambiguïté ou de leurs demandes conflictuelles, font échec aux actions automatiques que la personne applique habituellement et qui, de ce fait, requièrent une solution au problème.

Pour résumer ces quelques définitions en faisant référence au contexte de l'intervention psychothérapeutique proposé dans ce livre, une personne vit un problème :

- quand elle traverse une expérience où elle reconnaît un écart entre une situation désirée et une situation réelle ;

- quand elle ne se sent pas la compétence (que cette impression soit fondée ou non) pour combler cet écart en ayant recours à ses moyens habituels de maîtrise ;
- quand cet écart occasionne une certaine souffrance et un certain mal-être qui se traduisent, par exemple, par une maladie, de la douleur physique ou morale, une faible estime de soi, de l'anxiété, un fonctionnement social difficile, etc., et que ces limites l'empêchent d'interagir de façon harmonieuse avec son environnement et de se développer selon ses aspirations.

Face à un problème ou à une situation problématique, il est possible d'utiliser de façon méthodique un processus cognitif qui en facilite la résolution. Il s'agit du processus de solution de problème.

3.1.2 Les étapes du processus de solution de problème

Le processus de solution de problème a été décrit par plusieurs auteurs. La plupart de ceux que nous avons consultés présentent sensiblement de la même manière les étapes qui le composent. D'Zurilla et Goldfried (1971, p. 111) font aussi cette constatation à la suite de l'analyse du traitement de ce processus. Ces auteurs définissent la solution de problème comme une technique ou un processus par lequel on tente de découvrir une solution à un problème. Pour les besoins de ce chapitre, nous exposerons les étapes de ce processus décrites par Poupart (1973) en reprenant certains commentaires qu'il fait sur chacune d'elles. Notons que le processus décrit par Poupart s'applique non seulement au contexte de la psychothérapie, mais aussi à celui de la relation d'aide professionnelle.

Pour cet auteur, le processus de solution de problème se compose des quatre étapes suivantes : la définition du problème, l'inventaire des solutions, le choix de la solution ou d'un arrangement de solutions et la planification de la mise en œuvre de la solution (planification de l'implantation). Chacune de ces étapes est précédée par une sous-étape. D'Zurilla et Goldfried (1971), en plus de présenter des étapes du processus de solution de problème qui ressemblent à celles que propose Poupart, insèrent une première étape d'orientation générale qu'il nous semble important d'inclure à cause de sa portée clinique. À ces cinq étapes, nous en ajoutons une sixième, qui concerne l'évaluation de la démarche, qu'il s'agisse du résultat de celle-ci ou de la manière dont elle s'est déroulée. La figure 3.2 présente ces six étapes que nous décrirons en puisant dans les textes de ces auteurs.

FIGURE 3.2
Les étapes du processus de solution de problème

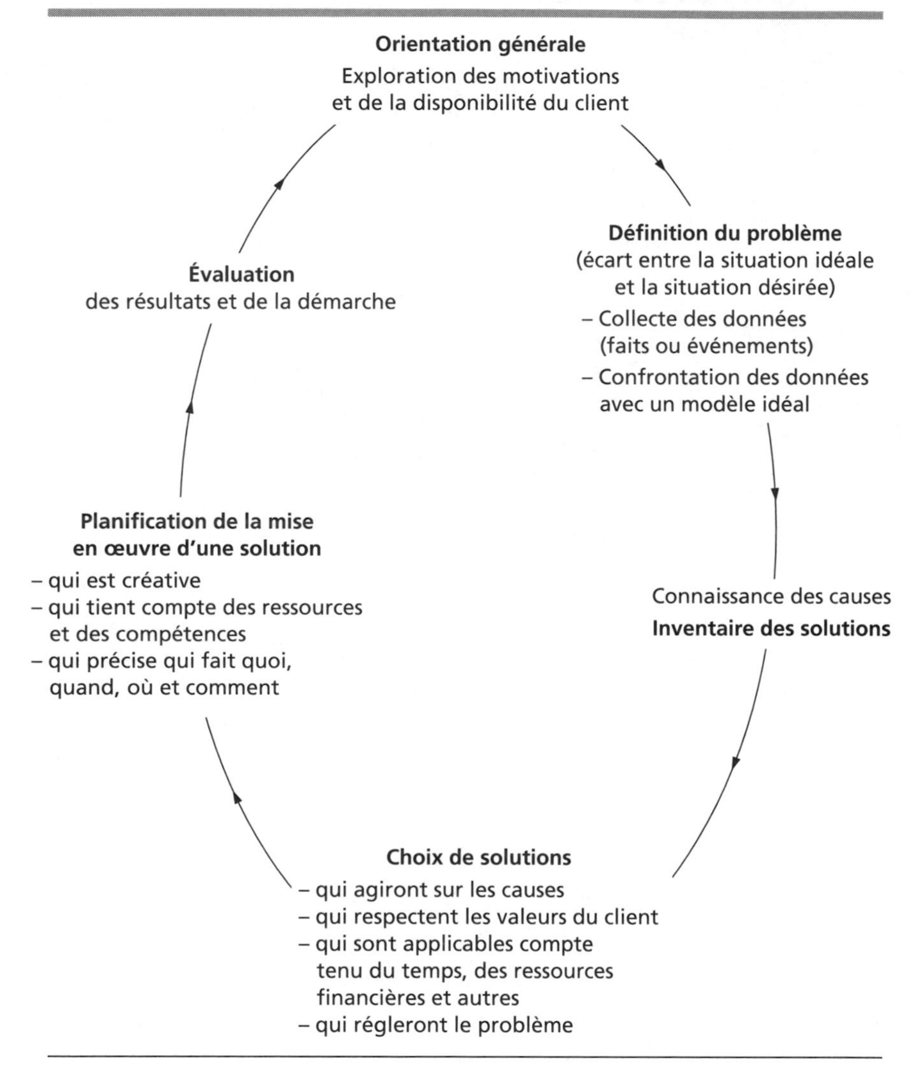

Première étape : l'orientation générale

Selon D'Zurilla et Goldfried (1971), la façon dont une personne aborde une situation peut influer grandement sur la façon dont elle pourra y répondre. En effet, la solution de problème peut être facilitée par le type d'orientation qui encourage la présence de certaines attitudes chez le client, comme le fait d'accepter que les situations problématiques font partie de la vie et qu'il est possible de composer efficacement avec plusieurs d'entre elles, le fait de reconnaître les situations problématiques quand elles se produisent et le fait d'inhiber la tendance à répondre à celles-ci de façon impulsive ou la tendance à ne rien faire. Toujours selon ces auteurs, un certain nombre de recherches soulignent que les personnes qui réussissent à régler leurs problèmes ont confiance en leur habileté à résoudre ceux-ci. De plus, elles croient que leurs actions auront un impact sur l'environnement ou sur les changements qu'elles désirent apporter.

La recherche démontre également que les personnes qui ont un faible taux de succès dans la solution de problème tendent à être impulsives, à être impatientes et à lâcher prise rapidement si une solution n'est pas tout de suite en vue. Si le thérapeute ne prête pas attention aux attitudes et aux comportements de l'individu qui tente de résoudre un problème à cette étape-ci, il y a de fortes chances qu'il aggrave son problème en faisant une des trois erreurs précisées par Watzlawick, Weakland et Fisch (1975), qui consistent à ne pas intervenir quand il le faudrait, à intervenir à un moment où il ne faut pas le faire ou à intervenir d'une façon inappropriée.

Deuxième étape : la définition du problème

Dans la vie courante, quand une personne reconnaît une situation problématique et inhibe sa tendance à répondre sous le coup de l'impulsion, elle peut alors définir les différents aspects de la situation qui fait problème en des termes opérationnels et formuler ou classifier les éléments de la situation de façon appropriée. Ce faisant, elle pourra mieux distinguer l'information significative de l'information inutile, déterminer les buts principaux, spécifier les obstacles majeurs et dégager les possibilités d'action. La personne qui veut résoudre un problème doit aussi éviter d'utiliser des termes vagues ou ambigus pour décrire la situation. De plus, avant d'agir, elle doit considérer tous les faits et toute l'information dont elle dispose, et au besoin recueillir l'information additionnelle qui n'est pas immédiatement accessible. Cela s'avère particulièrement pertinent lorsque la situation est nouvelle et comporte une information avec laquelle le client n'est pas familiarisé (D'Zurilla et Goldfried, 1971).

Comme le souligne Poupart (1973, p. 196, 198) :

> La qualité de la formulation d'un problème dépend, en grande partie, des événements qu'elle permet d'intégrer et de comprendre. [...] Donc, définir un problème, c'est élaborer un modèle idéal, le confronter à un modèle descriptif et formuler les différences que cette confrontation entre les deux modèles aura permis de mettre en lumière.

Par exemple, les professionnels de la santé ont une certaine conception d'une personne ayant une bonne santé mentale et physique ou du fonctionnement optimal d'une famille ou d'un couple. Quand une personne vient consulter parce qu'elle est en difficulté, le professionnel tente de reconnaître à cette étape du processus en quoi cette personne manifeste des signes ou des symptômes qui s'éloignent de ce fonctionnement optimal et de découvrir à quoi sont dues ces différences. Les diagnostics médicaux et les diagnostics de soins infirmiers sont de bons exemples de conclusion de cette analyse. En somme, comme le dit Poupart (1973, p. 199) : « Le problème est donc un effet dont il faut connaître les causes. »

Troisième étape : l'inventaire des solutions

Toujours selon Poupart (1973, p. 198) :

> Apporter une solution à un problème, c'est tenter d'augmenter le recouvrement d'un modèle descriptif et d'un modèle idéal. Il est impossible d'agir directement sur l'écart entre deux modèles, l'action ne rejoint qu'indirectement cet écart en ayant pour objet ses causes.

À cette étape-ci, la principale tâche consiste à générer des solutions appropriées à cette situation problématique de façon à maximiser la probabilité que la réponse la plus efficace se trouve parmi les réponses générées (D'Zurilla et Goldfried, 1971, p. 114). Des stratégies comme celle du *brainstorming* peuvent être utilisées à cette fin. Selon Poupart (1973, p. 199) :

> Inventorier les solutions possibles à un problème, c'est rechercher les moyens (ex. calmant, régime alimentaire) qui permettront d'agir sur les causes pour faire disparaître ou minimiser les effets. [...] Aussi, le passage de [...] la définition du problème à l'inventaire des solutions suppose qu'une analyse du problème a permis d'en identifier les causes. Celles-ci serviront d'appui sur lequel les solutions agiront comme des leviers. Avant d'inventorier les solutions à un problème, il faut pousser un peu plus loin l'analyse des faits et y appliquer un modèle d'interprétation causal. Comme le modèle idéal, le modèle causal peut épouser une multitude de formes.

En effet, dans le domaine de l'intervention psychothérapeutique, il existe une foule de théories explicatives des troubles mentaux et de leurs origines. Par exemple, l'explication causale des troubles phobiques diffère pour les tenants de l'école psychanalytique et pour ceux de l'école behavioriste. En somme :

> L'inventaire des solutions à un problème est essentiellement une activité de recherche de moyens. Il s'agit de découvrir les moyens qu'il serait possible d'ordonner pour réduire l'écart entre un modèle descriptif et un modèle idéal. Ces moyens agiront sur les causes de cet écart. (Poupart, 1973, p. 199.)

Quatrième étape : le choix de la solution

D'après Poupart (1973, p. 199-200) :

> Le passage de l'inventaire des solutions au choix des solutions ou d'un arrangement de solutions suppose une évaluation des solutions énumérées dans la phase [précédente]. Cette évaluation peut se baser sur plusieurs critères. Certains sont d'ordre rationnel, d'autres, d'ordre émotif, d'autres encore, d'ordre valoriel.

À ces critères s'en ajoute un autre qui concerne la cible du changement. Voyons brièvement ce que disent Poupart et St-Arnaud à propos de ces critères qui permettent de choisir des solutions.

Les critères rationnels

Selon Poupart (1973, p. 200) : « L'adéquation entre la solution envisagée et le problème tel que défini est un premier critère d'évaluation d'ordre rationnel. » À ce sujet, on tente de répondre à la question suivante : **Est-ce que la solution envisagée permet de résoudre le problème qui a été précisé ?**

Par ailleurs : « Le réalisme de la solution est le second critère rationnel d'évaluation d'une solution » (p. 200). Ce réalisme peut se définir en fonction de ces questions-ci : **Quelles sont les ressources dont nous disposons ? Ces ressources sont-elles compétentes pour appliquer la solution envisagée ? Sinon, est-il possible d'obtenir les ressources nécessaires ?**

Toujours selon Poupart (1973, p. 200) : « L'évaluation des ressources doit être accomplie pour l'identification et l'évaluation des contraintes. Une contrainte est tout ce qui inhibe à différents niveaux l'utilisation d'une solution. » Par exemple : **Est-ce que la solution envisagée est réaliste en fonction des coûts, des efforts exigés, du nombre de personnes qu'elle implique et du temps qu'elle requiert ?**

Les critères émotifs

Poupart (1973, p. 200) indique ceci : « Il est important de bien faire ressortir le fait que les résistances émotives au changement ne s'établissent pas seulement à un niveau intrapersonnel, mais aussi aux niveaux interpersonnel et de groupe. » **L'application de la solution envisagée suscite-t-elle des craintes ? Quel intérêts mettent en jeu les interventions considérées pour les personnes qui y sont mêlées directement ?** Dans certains cas, le risque de l'échec peut justifier le choix d'une solution qui semble moins performante mais qui assure une meilleure participation des personnes en cause.

Les critères valoriels

Selon Poupart (1973, p. 201) : « Les critères valoriels deviennent particulièrement importants dans les cas où la démarche impliquée par le P.S.P. [processus de solution de problème] met en relation deux individus ou deux groupes face à un même problème. » Ainsi : **Est-ce que le choix des solutions envisagées respecte les valeurs des personnes en cause ?** Encore ici, si les valeurs que sous-tend l'intervention choisie ne s'accordent pas avec la personne en difficulté, par exemple si cette intervention engendre un sentiment de culpabilité, il est possible que la solution soit vouée à l'échec ou qu'elle soit une source d'effets secondaires aussi importants que les bénéfices recherchés.

La cible du changement

Un autre aspect doit être considéré dans le choix de la solution, soit la cible du changement. Nous savons combien, dans certains cas, il peut être ardu, dans une consultation clinique, de déterminer quelle est la personne en difficulté. Par exemple, une personne peut consulter pour obtenir des conseils visant à aider un membre de sa famille, alors que cette personne éprouve aussi de la souffrance. Dans un article portant sur la clarification de son modèle d'intervention, St-Arnaud (1993, p. 253) souligne l'importance pour l'intervenant de clarifier l'objet du changement visé par ses interventions :

> **Le but de l'intervention est-il de changer la situation ?** [...] Tel surgit le cas d'une intervention qui aurait pour but de modifier une politique organisationnelle. **Le but est-il de changer le bénéficiaire lui-même, son comportement, ses attitudes, ses processus affectifs, ses habitudes, etc. ?** [...] **Le but est-il de changer le rapport entre le bénéficiaire et la situation ?** Tel sera le cas d'une intervention pour aider une personne à intégrer un événement qui ne peut être modifié : une perte d'emploi, un divorce, un deuil ; ou **pour empêcher une personne de se placer dans une situation indésirable.**

En somme, la solution choisie, en plus de porter sur le bon objet et de contribuer à résoudre le problème en cause, devrait apporter plus d'avantages que d'inconvénients au cours de son application. En effet, plus cette solution permet de résoudre la difficulté et moins elle a d'inconvénients, plus elle a de chances d'être appliquée avec succès. C'est le cas de la fidélité des clients à prendre certains médicaments prescrits. Plus les effets bénéfiques sont importants et moins les effets secondaires sont nombreux et graves, plus les probabilités que le client prenne la médication en se conformant à l'ordonnance sont élevées.

Cinquième étape : la planification de la mise en œuvre de la solution

Poupart (1973, p. 209) mentionne :

> Le choix d'une méthode d'implantation ressemble au choix d'une solution [...]. La planification d'une action déjà choisie est une opération dont l'objet est d'ordonner entre eux et de disposer dans le temps tous les éléments impliqués dans l'action, de façon à ce que leur enchaînement soit logique et corresponde aux buts visés de façon à ce qu'ils soient réalisables.

En somme, il s'agit de déterminer clairement qui fera quoi, quand, où et comment. De plus, pour que cette planification soit réaliste, elle devrait aussi déterminer des moyens et des périodes d'évaluation. Ce n'est qu'à cette condition qu'il est possible d'assurer le suivi de l'intervention.

Sixième étape : l'évaluation

L'évaluation devrait porter en premier lieu sur les résultats obtenus selon les échéances qui ont été fixées. Si les résultats escomptés n'ont pas été atteints, toutes les étapes du processus que nous venons de décrire devraient faire l'objet d'une évaluation afin que l'on puisse découvrir pourquoi les résultats n'ont pas été atteints et apporter les corrections qui s'imposent. En outre, l'évaluation devrait porter non seulement sur les résultats obtenus, mais aussi sur la façon dont ils ont été obtenus si l'on veut mesurer le niveau de satisfaction des personnes en cause. Comme nous le verrons plus loin, dans le contexte d'une psychothérapie, en plus de permettre de trouver une réponse à un problème, la démarche de solution de problème peut avoir différentes fins dont il faut aussi mesurer les résultats. Par exemple, le recours à cette démarche devrait permettre au client d'apprendre à l'utiliser à son tour afin de pouvoir l'appliquer à d'autres situations de sa vie. Le fait d'avoir trouvé une solution à un problème peut aussi accroître la confiance en soi et l'estime de soi ou encore créer un certain espoir de voir les choses aller mieux. Suivant les objectifs poursuivis, ces aspects peuvent également donner lieu à une évaluation.

Poupart (1973) de même que plusieurs autres auteurs consultés qui s'intéressent à la solution de problème soulignent que ce processus qui semble linéaire est en fait, dans la pratique professionnelle courante, beaucoup plus systémique et circulaire, les différentes étapes s'imbriquant l'une dans l'autre et s'influençant. Ce n'est qu'en acceptant de le rendre dynamique que le professionnel pourra en faire un processus utile au cours de ses interventions qui ont lieu dans une relation tout aussi dynamique.

3.2 LE PROCESSUS DE SOLUTION DE PROBLÈME DANS LE CONTEXTE D'UNE INTERVENTION PSYCHOTHÉRAPEUTIQUE

En nous inspirant tout particulièrement des écrits de Brammer (1979), Egan (1987), D'Zurilla et Goldfried (1971) ainsi que Hawton et Kirk (1989), nous décrirons l'application du processus de solution de problème à une démarche générale d'intervention psychothérapeutique. Pour ce faire, nous soulignerons d'abord les indications générales de cette approche. Par la suite, nous examinerons certains aspects à considérer au début de la thérapie, au cours de la thérapie et à la fin de la thérapie. Dans les deux sections suivantes de ce chapitre, nous présenterons des applications particulières qui s'inspirent de ce processus.

3.2.1 *Les indications générales de cette approche*

Selon Hawton et Kirk (1989, p. 406) :

> La démarche de solution de problème est attirante à la fois pour les professionnels et pour les patients parce qu'elle est facile à apprendre et qu'elle peut être appliquée à une vaste étendue de situations que l'on rencontre couramment dans la pratique psychiatrique.

En effet, les utilisations possibles de la solution de problème en psychiatrie, en travail social, en médecine, en soins infirmiers, en pratique générale et en *counseling* sont très nombreuses. Souvent, les clients consultent à cause de certains symptômes (par exemple l'insomnie, la dépression ou l'anxiété) dont ils souffrent ou de certains comportements qui les préoccupent. C'est seulement après une bonne collecte de données qu'il sera possible de regrouper ces symptômes sous un ou plusieurs problèmes. En thérapie, on utilise cette approche avant tout pour la gestion de symptômes qui font problème et de certaines difficultés majeures d'adaptation.

Selon D'Zurilla et Goldfried (1971), cette stratégie thérapeutique est indiquée pour les clients qui présentent certaines caractéristiques. Le cas le plus approprié est probablement celui du client qualifié de dépendant qui ne peut maîtriser les situations lui-même mais qui est en mesure de performer de façon relativement efficace avec un minimum de difficulté quand le thérapeute lui dit quoi faire. Ce type de client a un répertoire d'habiletés générales, mais un déficit quant à la capacité de résoudre les problèmes. Le but premier du traitement pour ce client devrait être de lui enseigner de nouvelles habiletés de solution de problème, et non de lui fournir une série de solutions.

Un autre type de client qui peut bénéficier de l'apprentissage de la démarche de solution de problème est celui qui possède des habiletés de solution de problème, mais qui ne parvient pas à les utiliser à cause d'inhibitions émotives (par exemple l'anxiété qui l'empêche de penser, d'évaluer les solutions ou d'agir en s'appuyant sur ses propres décisions). Dans ce cas, la réalisation de tâches graduées peut avoir un effet de désensibilisation. De façon générale, les clients inefficaces démontrent une combinaison des deux types précédents de difficultés (D'Zurilla et Goldfried, 1971, p. 120).

La solution de problème peut aussi être utilisée dans une grande diversité de programmes de thérapie au cours desquels une situation problématique apparaît dans la vie du client et aucune solution ne semble évidente à la fois pour lui et le thérapeute.

3.2.2 Les buts poursuivis

La démarche de solution de problème poursuit les buts suivants :

- aider les clients à préciser leurs problèmes et les sources de leurs difficultés ;
- les aider à reconnaître les ressources qu'ils possèdent pour agir sur les causes de ces difficultés ;
- leur enseigner une méthode systématique de solution de problème et ainsi favoriser leur autonomie pour maîtriser leurs problèmes courants ;
- accroître leur sentiment de contrôle sur leurs problèmes et par la même occasion leur confiance en eux-mêmes ;
- les aider à trouver des solutions qui sont adaptées à eux.

Face à ces buts et vu la brièveté des interventions, le thérapeute adopte une attitude directe dès le début de la thérapie en invitant le client à une participation optimale et en ciblant les interventions sur la difficulté actuelle et sur le processus de solution de problème. Cependant, avant d'adopter cette démarche, il faut s'assurer qu'elle répond au besoin présenté par le client et qu'elle tient compte de ses caractéristiques.

3.2.3 Les données initiales

Au cours des premiers entretiens, le thérapeute doit recueillir certaines informations qui auront une incidence sur sa décision d'utiliser ou non la démarche de solution de problème avec son client (Hawton et Kirk, 1989, p. 408). Pour ce faire, il devra s'attarder aux aspects suivants.

Déterminer le problème du client

Selon Egan (1987, p. 40-41) :

> Un intervenant ne peut venir en aide à la personne qui le consulte si celle-ci n'acquiert pas une compréhension de ses difficultés et des possibilités qui s'offrent à elle. [...] Souvent, elle consultera un aidant : 1) si son problème est assez grave ou gênant ; 2) si elle s'intéresse sérieusement à son développement personnel ; 3) si elle croit que la personne à qui elle s'adresse peut vraiment l'aider.

Cette première étape, qui est centrale, doit se faire en collaboration. Il s'agit alors d'établir une liste des différentes difficultés que présente le client, chacune d'elles étant décrite le plus clairement possible par le client. Cette liste comprend aussi les problèmes secondaires qui jouent un rôle dans le problème principal. Plus le problème sera défini avec précision, plus les étapes subséquentes en seront facilitées. En effet, dans un grand nombre de situations, les buts visés et les interventions appropriées apparaissent nettement à mesure que le problème est formulé.

Certaines questions peuvent aider à préciser le problème. En voici quelques exemples :

- Quelles sont les raisons qui amènent le client à consulter ?
- Qu'est-ce qui le préoccupe le plus ?
- En quoi désire-t-il que sa vie soit différente ?
- Que disent les autres à propos de ses difficultés ?
- Comment se manifestent ces difficultés ?
- Quels effets ont ces difficultés sur lui et sur son environnement ?
- Comment voit-il sa vie sans ces difficultés ?

Connaître les ressources du client

Autant que possible, le thérapeute met à profit les ressources du client. Afin de connaître celles-ci, il peut aborder certaines questions concernant ses ressources internes et son réseau de soutien.

Voici quelques questions touchant les ressources internes du client :

- Comment le client a-t-il résolu ses problèmes dans le passé, particulièrement en ce qui a trait à des problèmes similaires ?
- A-t-il utilisé ou utilise-t-il des moyens de fuite ou d'évitement face à la situation actuelle (par exemple l'alcool, la drogue ou le travail) ?
- Quelles actions propose-t-il pour résoudre son problème ?
- Quelles compétences se reconnaît-il ?

Par ailleurs, voici des questions qui permettent de déterminer la présence d'un réseau de soutien chez le client :

- A-t-il un confident ?
- Utilise-t-il les services d'autres professionnels ?
- De quels autres facteurs de soutien dispose-t-il (logement, ressources financières, travail valorisant, etc.)?

Obtenir des informations d'autres sources

Si cela s'avère nécessaire, le thérapeute peut, avec l'accord du client, rechercher des informations complémentaires auprès d'autres personnes, comme des professionnels de la santé ou des membres de la famille du client.

Décider de la pertinence du recours au processus de solution de problème

Le professionnel doit considérer différents facteurs avant de décider d'utiliser le processus de solution de problème avec un client. En effet, après avoir analysé la demande d'aide ou examiné les ressources du client, il peut juger que cette approche thérapeutique n'est pas susceptible de répondre au besoin du client. Par exemple, le besoin d'aide présenté par le client peut nécessiter le recours à une autre stratégie thérapeutique, comme l'une de celles que nous décrirons dans les chapitres suivants. Il se peut aussi que le client ait des attentes irréalistes qui ne relèvent pas d'une intervention psychothérapeutique et qu'il refuse de réévaluer.

Décider des modalités des rencontres

Il s'agit ici de clarifier certains points : Qui fera l'objet de la démarche : le client ou d'autres personnes ? Pendant combien de séances ? Quelle en sera la durée ? À quelle fréquence ? À quel endroit ? Suivant quelles exigences ? etc.

Établir un contrat thérapeutique

Il est important d'établir un contrat précis concernant la nature et les buts de l'intervention thérapeutique, laquelle ne consiste pas uniquement à régler un problème, mais aussi à enseigner au client comment le faire. De plus, il faut donner une information claire sur les rôles exercés par le thérapeute et par le client au cours des entretiens, et sur les tâches que ce dernier aura à réaliser en dehors des entretiens.

3.2.4 *Le déroulement du processus*

Lorsque l'on a satisfait à ces diverses exigences, le thérapeute et le client peuvent poursuivre les rencontres selon les modalités prévues. Les échanges se dérouleront de la façon suivante.

Choisir le problème à aborder en premier

Il est préférable de cibler un problème en particulier sur lequel portera l'intervention. Le choix de ce problème peut être laissé à l'initiative du client pour autant que ce problème puisse être géré à ce moment de la thérapie. Dans certains cas, cependant, il vaut mieux choisir un problème plus facile à résoudre, surtout si le client a besoin d'être stimulé et encouragé. Lorsque celui-ci croit qu'un problème peut être résolu, cela suscite de l'espoir chez lui et renforce son estime de lui-même, ce qui peut se traduire par un plus grand investissement personnel dans la thérapie.

S'entendre sur les buts poursuivis

Au cours de la collecte de données initiale, le thérapeute et le client doivent avoir déterminé les buts généraux de la thérapie. À ce stade-ci, le thérapeute doit aider le client à établir des cibles ou des objectifs plus précis en fonction de chaque problème. Ces cibles ou ces objectifs doivent être réalistes et, si cela est possible, traduits sous forme de comportements.

Préciser les moyens pour atteindre graduellement les objectifs

Une fois qu'on a décidé de la direction que prendra la solution de problème, il s'agit alors de préciser les différentes activités à mettre en place pour atteindre les objectifs. Les tâches doivent être réalistes, pratiques et planifiées en détail ; il est nécessaire d'indiquer leur nature, le moment où elles seront effectuées, leur fréquence, les personnes en cause, et ainsi de suite. Si des difficultés sont prévisibles, le thérapeute doit aider le client à trouver des moyens de les contrer. Le choix de ces moyens tiendra compte des caractéristiques du client, notamment de ses préférences, de ses valeurs et de ses compétences. Enfin, ce choix doit porter sur les causes du problème.

Les décisions prises quant aux tâches que le client devra réaliser en dehors des rencontres peuvent être écrites. Le thérapeute s'entendra avec le client sur le fait qu'au début de la prochaine rencontre ils discuteront de la façon dont ces tâches auront été accomplies.

Évaluer les progrès accomplis et les difficultés éprouvées

Au début de chaque séance, le thérapeute peut préciser le thème de celle-ci en invitant le client à parler de ce qui s'est passé depuis la dernière rencontre. S'il y a eu des échecs, le client et le thérapeute explorent ce qu'ils peuvent apprendre de ces échecs en en déterminant les causes, comme le manque de temps consacré à une activité, le mauvais choix des actions ou l'ampleur insoupçonnée de la difficulté. Le thérapeute demande ensuite au client d'explorer d'autres façons de faire. Il se peut que celui-ci ne soit pas suffisamment motivé pour agir. Dans ce cas, la situation doit être abordée franchement avec le client et une décision doit être prise sur la pertinence de poursuivre ou non la thérapie.

Décider de la prochaine étape à franchir

Si la démarche progresse et qu'un problème est résolu, on décide alors du prochain problème à aborder. Le thérapeute incite le client à prendre une responsabilité plus grande dans la démarche. Comme le rappellent D'Zurilla et Goldfried (1971), le but visé par cette stratégie est d'aider le client à acquérir la maîtrise du processus de solution de problème afin de pouvoir l'utiliser dans différentes situations de sa vie. À cette fin, cet apprentissage peut se faire de façon graduelle. Par exemple, le thérapeute applique les étapes de la démarche de solution de problème en les expliquant au client à mesure qu'elles sont franchies. Progressivement, le client joue un rôle plus actif, le thérapeute exerçant alors un rôle de superviseur-consultant en posant des questions au client et, au besoin, en répondant aux siennes. Le client est invité à reconnaître de quelle manière, dans sa vie de tous les jours, il utilise des processus automatiques et non réfléchis de solution de problème. Petit à petit, il est encouragé à prendre l'initiative de cette démarche pour en acquérir la maîtrise.

Parfois, il est préférable de ne pas attendre que le client soit capable d'acquérir cette maîtrise. Ce peut être le cas de personnes qui ont de sérieux déficits, que ce soit un manque d'affirmation de soi ou un manque d'habiletés sociales, ou qui présentent des inhibitions sociales, comme la crainte d'être rejeté ou la peur de ne pas être à la hauteur. Lorsque cela se produit, il faut d'abord aider le client à mieux affronter cette difficulté. Dans d'autres cas où les clients présentent des déficits cognitifs, il se peut qu'ils ne parviennent pas à maîtriser cette démarche, qui nécessite certaines habiletés intellectuelles.

Terminer la relation

Dès le début des entretiens, le nombre de rencontres est fixé. Au cours de la thérapie, il ne s'agit pas pour le client de résoudre avec le thérapeute tous les problèmes qui ont été déterminés, mais d'acquérir l'habileté à résoudre ses problèmes. Quand ce but est atteint, la thérapie peut prendre fin. Dans certains cas, elle doit se terminer car la démarche ne donne aucun résultat et le nombre de rencontres fixées est épuisé. Il faut alors faire une évaluation détaillée des résultats obtenus en tentant de préciser les causes le plus clairement possible. Le cas échéant, le client sera dirigé vers des ressources plus adaptées à ses besoins.

3.3 LE PROCESSUS DE SOLUTION DE PROBLÈME DANS LE CONTEXTE DES SOINS INFIRMIERS

Plusieurs disciplines, notamment les soins infirmiers, la médecine, le service social, la psychologie, les services d'orientation, la physiothérapie et l'ergothérapie, utilisent un processus clinique général qui s'inspire de la démarche scientifique et du processus de solution de problème. Ce processus clinique général est employé non seulement dans des interventions thérapeutiques à caractère psychosocial, mais aussi dans différentes interventions professionnelles touchant, par exemple, les soins et les traitements qui nécessitent une démarche rigoureuse. De plus, on utilise ce processus dans le domaine de la santé mentale lors du suivi réalisé par une équipe interdisciplinaire à l'aide du plan de services individualisé (PSI) des clients qui présentent des troubles sévères et persistants (Régie régionale de la santé et des services sociaux de Montréal-Centre, 1994).

Cependant, le contenu de ce processus est influencé à la fois par le cadre de référence sur lequel il s'appuie, en l'occurrence une vision existentielle-humaniste de la personne et de l'intervention psychothérapeutique, et par le cadre de la discipline, qui donne certaines directions aux modalités d'application en fonction notamment des caractéristiques et des buts de la profession, de même que des limites du champ d'exercice. À titre d'illustration, nous présenterons la démarche de soins utilisée par les infirmières travaillant dans le domaine de la santé mentale.

Dans nombre de manuels de soins généraux ou spécialisés, les auteurs décrivent d'une façon plus ou moins élaborée un processus qui guide les étapes à respecter dans l'exercice des soins infirmiers. Cette démarche consiste dans la démarche de soins. Selon Stuart (1995), la démarche de soins est un processus interactif de solution de problème. À la lecture de nombreux écrits sur ce sujet, on constate que les étapes proposées sont sensiblement les mêmes que celles qu'on trouve dans le processus de solution de problème; en fait, elles s'inspirent de la solution de problème appliquée aux soins infirmiers par l'American Nurses' Association (ANA, 1991).

De plus, la démarche de soins s'appuie sur la classification des diagnostics de nursing adoptée par la North American Nursing Diagnosis Association (NANDA). Les étapes de ce processus sont la collecte de données, le diagnostic infirmier, la détermination des résultats recherchés, la planification des soins, la mise en application des soins et l'évaluation (voir la figure 3.3). Dans la pratique courante, ces étapes s'imbriquent souvent et peuvent être abordées simultanément.

FIGURE 3.3
Les étapes de la démarche de soins

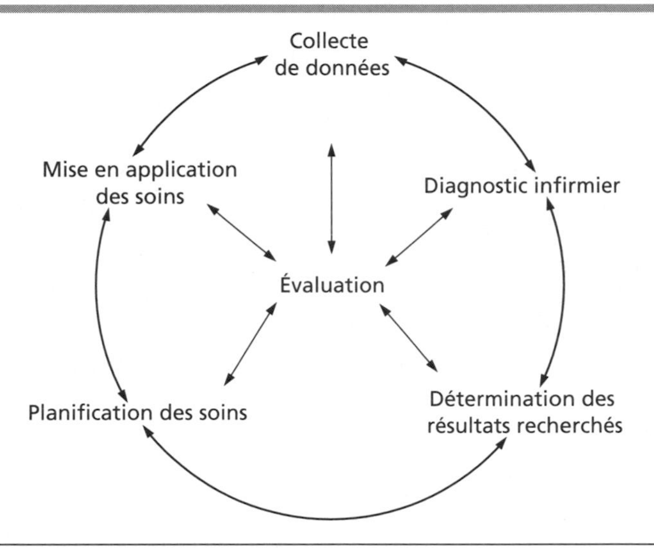

3.3.1 *Les règles générales d'application de la démarche de soins*

L'efficacité de la démarche de soins est conditionnelle au respect de certaines règles générales d'application. Nous verrons d'abord ces règles, puis nous décrirons chacune des étapes de ce processus.

La démarche de soins s'appuie sur un cadre théorique

Il est important de retenir que la démarche de soins est un processus continu sans contenu déterminé, que l'infirmière ne peut utiliser sans faire appel à sa conception de la personne, de la santé, de son rôle et de l'environnement du client. Ce volume ainsi que le volume 1 (Chalifour, 1999) présentent des thèmes qui pourraient guider l'infirmière dans l'application de ce processus. Aussi, l'intervenant qui utilise cette démarche doit s'inspirer d'un modèle conceptuel qui alimentera et dirigera ses observations, et qui justifiera en partie le choix de ses interventions professionnelles. En matière de soins infirmiers, il existe plusieurs théories et modèles conceptuels. Une dizaine d'entre eux ont été résumés par Fawcett (1993, 1995), Gasse et Guay (1994) et Kérouac et autres (1994).

Le client doit participer à l'application des étapes de ce processus

La démarche de soins est un processus qui doit se réaliser avec la participation active du client. L'infirmière apporte ses compétences dans la mise en œuvre de ce processus, et ses connaissances scientifiques reliées à la problématique que vit le client. Celui-ci, de son côté, apporte une perception subjective de sa difficulté, ses habiletés de maîtrise de situations semblables dans le passé de même qu'une vision unique et complexe de l'ensemble de son expérience de vie dans laquelle s'inscrit cette difficulté. Il devient ainsi à la fois sujet et objet de cette intervention. Aussi, dans beaucoup de situations psychosociales, l'expertise du client doit être mise à contribution à toutes les étapes du processus de solution de problème.

Face à cette règle de l'exercice des soins infirmiers, nous pouvons dire que l'infirmière et le client doivent d'abord reconnaître et mettre en commun leur perception de la situation réelle. Nous avons vu que la perception comporte une grande part de subjectivité. Cette subjectivité peut être une source de conflits et d'incompréhension entre l'infirmière et le client, car la compréhension de la difficulté et du besoin du client peut différer chez l'une et chez l'autre. Par exemple, en milieu psychiatrique, il arrive que des clients perçoivent leur état de santé et leurs comportements comme tout à fait acceptables, allant même jusqu'à considérer qu'ils n'ont pas besoin de soins, alors que l'infirmière voit la situation tout autrement. Dans ces cas, le principal risque est que le personnel infirmier tente de forcer le client à se conformer à sa perception, oubliant que ce dernier a des valeurs et des attentes précises lorsqu'il fait une demande d'aide.

Nous croyons qu'il appartient au client de choisir la « situation désirée », même si ce choix va à l'encontre des préférences de l'intervenant. C'est en respectant ce principe que l'infirmière reconnaît que le client est différent d'elle, qu'il est unique, qu'il peut faire des choix en ce qui a trait à la façon de diriger sa vie. Cependant, compte tenu de l'état mental du client, l'infirmière doit user de discernement quant à sa capacité intellectuelle et affective de faire ces choix. Les décisions qui auraient pour conséquence de mettre en péril la vie du client ou d'autres personnes constituent une limite à ne pas franchir.

L'infirmière doit suivre les étapes de la démarche de soins

Comme nous l'avons souligné, la démarche de soins est basée sur la démarche de solution de problème. Cette démarche fait appel avant tout aux processus cognitifs que nous utilisons habituellement pour résoudre nos difficultés quotidiennes. Cependant, nous respectons rarement l'ordre des étapes de ce processus, notre compréhension de la situation étant globale et intuitive. Dans bien des situations, nous avons déjà choisi les comportements à adopter sans avoir pris le temps de définir le problème que nous vivons. La difficulté consiste alors à trouver après coup des justifications de ces choix. Quand cela se produit, les personnes qui commenteront ce comportement parleront, selon le contexte et leurs perceptions, de coup de tête, d'inspiration ou encore d'intuition. Devant ces faits, il faut envisager la démarche de soins comme un moyen systématique de résoudre un problème, qui ne coïncide pas nécessairement avec le fonctionnement intellectuel, qui s'avère plus spontané. L'infirmière doit en connaître suffisamment les étapes pour les utiliser avec souplesse. Par exemple, si un client demande un médicament pour dormir, il est facile de voir qu'il propose une solution à un problème. Dans ce sens, avant d'entreprendre les démarches nécessaires pour lui faire prescrire une médication, l'infirmière posera des questions afin de recueillir des données sur l'insomnie du client, ses caractéristiques, ses causes et ses effets. Autrement dit, elle tentera de déterminer le problème réel et sa cause. C'est seulement après avoir accompli cette démarche qu'elle sera en mesure de porter un jugement éclairé sur la pertinence du moyen que suggère le client.

Cependant, dans des situations d'urgence et dans d'autres situations où le temps presse, cette démarche peut être utilisée d'une façon beaucoup plus systématique. L'infirmière qui travaille dans un tel contexte doit être consciente que, si elle n'y prête pas attention, le risque est grand d'approcher le problème à résoudre uniquement à partir de ses connaissances techniques et de son expérience sur ce sujet, oubliant de faire participer le client à cette décision et d'apporter les ajustements qui s'imposent pour que son intervention convienne aux caractéristiques de la personne qui vit la difficulté. Ces risques sont tout particulièrement accrus lorsque le client présente un désordre mental important et que l'infirmière ne le juge pas compétent pour se prononcer sur son état de santé.

Les difficultés du client ne peuvent pas toujours être formulées en tant que problèmes à résoudre

Stuart (1995, p. 200) explique qu'il est difficile d'utiliser la démarche de soins auprès de personnes vivant des problèmes émotionnels étant donné que ces problèmes ne sont pas toujours tangibles, que leur symptomatologie varie en fonction des caractéristiques personnelles des clients et qu'ils ont des causes multiples que l'on n'arrive pas toujours à préciser. De plus, beaucoup de clients en psychiatrie sont incapables de décrire clairement leurs problèmes. D'autres ont tendance à croire que leurs problèmes sont attribuables à des causes extérieures dont ils sont victimes. L'infirmière devra donc tenir compte de ces contraintes dans l'application de ce processus.

Nous avons déjà souligné que la démarche de soins constitue une démarche susceptible d'être utilisée quand les difficultés du client peuvent se formuler en tant que problèmes à résoudre. Dans certaines situations psychosociales, le fait de vouloir traduire sous forme de problème un vécu existentiel semble à notre avis une façon trop simplifiée de comprendre la réalité du client. En procédant ainsi, une partie importante de sa réalité est ignorée au profit du besoin du professionnel de rédiger un plan de soins en des termes quantifiables, observables et mesurables. Dans de telles conditions, il serait préférable de rédiger un plan de soins en indiquant, par exemple, les difficultés vécues par le client, certains symptômes majeurs qui ont un impact sur sa santé et sa difficulté à les gérer de façon satisfaisante. Il se peut, cependant, qu'au cours des entretiens se dégagent des thèmes et des données additionnelles suffisamment précises permettant de formuler un problème spécifique.

Dans certaines situations, la difficulté que vit le client doit être considérée non pas comme un problème à résoudre, mais comme une situation à reconnaître et à assumer. Le fait d'établir une relation significative avec le client et de l'écouter selon les règles décrites dans le volume 1 (Chalifour, 1999) constitue alors un des moyens de déterminer la difficulté du client et une des façons de l'aider à l'assumer. Les chapitres qui suivent fournissent pour ce type de cas des exemples de stratégies d'intervention plus pertinentes que la démarche de solution de problème. Dans d'autres cas, l'infirmière peut utiliser la démarche de soins comme un métaprocessus dans lequel les stratégies qui seront décrites dans les prochains chapitres serviront d'interventions à des moments particuliers. Par exemple, en discutant avec un client qui présente un problème de santé mentale, elle peut constater que, parmi les difficultés qu'éprouve ce client, il vit un deuil non résolu. Pour aborder cette difficulté, elle s'inspirera alors de la stratégie du travail de deuil. Cependant, au cours des entretiens, elle remarquera que le client éprouve une certaine difficulté qui nécessite une intervention faisant appel à la démarche de solution de problème. En somme, suivant le contexte de son utilisation, le processus de solution de problème peut devenir le contenant ou le contenu de l'intervention thérapeutique.

Sans perdre de vue les règles d'application que nous venons de décrire, la démarche de soins doit garder son caractère interactif, dynamique, et être utilisée avec souplesse. Le plan de soins qui en découle devrait être considéré comme un compte rendu provisoire de la compréhension qu'ont l'infirmière et le client du problème que vit celui-ci, et des décisions prises comme moyens de résoudre ce problème.

Voici un exemple qui illustre comment ces règles s'appliquent à une intervention en soins infirmiers. Lors d'une rencontre de suivi avec un homme âgé dont la conjointe est décédée des suites d'un cancer il y a quinze jours, une infirmière constate qu'il a perdu du poids depuis leur dernière rencontre. De plus, il se dit très fatigué et sans entrain. En poursuivant sa collecte de données auprès du client, l'infirmière apprend que depuis la mort de sa conjointe il se sent très seul et déprimé, qu'il pleure souvent, qu'il a perdu l'appétit et qu'il s'alimente très peu. De ces données l'infirmière conclut que le client est en deuil, qu'il s'est coupé de son réseau de soutien, qu'il a une perception réaliste de ce qui lui arrive et qu'il reconnaît avoir besoin d'aide pour mieux s'adapter à cette expérience. Il lui faudrait en premier lieu un soutien pour l'aider à vivre celle-ci. Ensemble, ils font l'inventaire des moyens qui pourraient l'aider à traverser cette période difficile. Cet inventaire comprend à la fois les suggestions de l'infirmière et celles du client. Parmi les solutions proposées, ils en choisissent une : 1) qui agit sur les causes ; 2) qui respecte les valeurs du client ; 3) qui tient compte de variables comme le contexte, le temps, l'argent, les ressources et les compétences des personnes ; 4) qui aura pour effet de résoudre le problème, c'est-à-dire de réduire l'écart entre la situation effective et la situation désirée. Dans cet exemple, le client accepte de déménager temporairement chez l'une de ses filles qui, à la mort de sa conjointe, l'avait invité à demeurer chez elle.

Une fois la solution choisie, il reste à l'appliquer d'une façon créative en prenant en considération les ressources des personnes et en s'assurant d'obtenir une réponse positive aux questions suivantes : qui fera quoi, quand, où et comment. Ainsi, en présence de l'infirmière, le client téléphone à sa fille pour lui indiquer qu'il est intéressé à aller demeurer temporairement chez elle. Celle-ci acquiesce à sa demande. Le jour même, elle vient chercher son père.

Au cours des semaines qui ont suivi, à la suggestion de l'infirmière et avec l'accord du client, le père et sa fille ont pu partager leur tristesse, se remémorer de bons moments vécus avec la personne décédée, regarder des photos de la disparue, etc. De plus, l'infirmière a profité de leurs entretiens pour s'assurer que le client prêtait attention à son alimentation.

Une fois la solution appliquée, il reste à évaluer les résultats en fonction des objectifs poursuivis et du problème défini. Si le problème est toujours présent, chacune des étapes du processus est évaluée de nouveau et son contenu précisé jusqu'à ce qu'on trouve une réponse satisfaisante au problème. Dans notre exemple, la réaction de deuil liée à une perte importante n'est pas un problème mais plutôt une expérience à assumer qui peut occasionner certains symptômes comme la perte d'appétit, des troubles du sommeil ou une humeur dysthymique. C'est sur ces problèmes potentiels que porte l'intervention à des fins préventives.

Dans l'exemple précédent, l'infirmière avait prévu une rencontre hebdomadaire avec ce client dans les locaux du CLSC, afin de lui accorder du soutien. Lors de leur rencontre la semaine suivante, elle a constaté que le client semblait plus disposé à parler de son chagrin et de sa révolte causés par le fait que sa femme l'avait quitté si rapidement alors qu'il pensait vivre une vieillesse heureuse avec elle. Il avait recommencé à manger normalement. Son sommeil était toujours perturbé, le client soulignant que son lit était bien grand. À la troisième rencontre, l'infirmière a observé que le client avait repris son poids habituel et qu'il faisait désormais de courtes promenades quotidiennes. Ils ont tous deux exploré les types de loisirs que le client aimerait avoir. Déjà, il était prévisible qu'à court terme les rencontres prendraient fin et que le client poursuivrait son travail de deuil entouré de personnes appartenant à son réseau de soutien.

Voyons maintenant plus en détail les étapes de la démarche de soins que nous venons d'illustrer.

3.3.2 *La collecte de données*

Au cours de ses échanges avec le client, l'infirmière recueille une foule d'informations. Une de ses habiletés cliniques consiste à être attentive à ces informations et à retenir celles qui sont significatives au regard de la demande d'aide initiale et celles qui lui semblent utiles pour comprendre l'origine de la difficulté et choisir les moyens d'y répondre. La collecte de données est un processus continu. Dès le premier contact avec le client et jusqu'au dernier entretien avec lui, l'infirmière ne cesse de recueillir de nouvelles informations. Plusieurs de ces données se modifieront au fil des rencontres. Par exemple, les signes vitaux, certaines caractéristiques émotives et certains symptômes peuvent subir de nombreuses fluctuations pendant toute la durée de l'utilisation des services. Afin d'apporter une aide psychologique valable, l'infirmière devra observer ces modifications et en tenir compte dans ses interventions.

Au moment de la rencontre initiale avec un nouveau client, l'infirmière devra obtenir une information se rapportant particulièrement à la demande d'aide ou à la raison de l'entrée du client dans le système de santé. Les aspects auxquels elle prêtera attention sont étroitement liés à sa conception de la personne et aux raisons de la consultation. Par exemple, dans le volume 1 (Chalifour, 1999), nous avons fait une description générale des caractéristiques de la personne. En fonction de ces caractéristiques, nous énumérerons à titre d'exemple, dans les pages qui suivent, les différents aspects qui peuvent être considérés lors des échanges avec une personne présentant un besoin d'aide psychologique. L'observation ne doit pas porter systématiquement sur tous les aspects que nous désignerons. L'infirmière doit toutefois les connaître afin d'être plus attentive à leurs manifestations à l'égard des buts poursuivis par cette étape de la démarche de soins.

La collecte de données vise à connaître la personne, à poser un diagnostic de soins infirmiers, à déterminer les causes du problème, à découvrir les effets du problème sur le fonctionnement général de la personne, sur sa qualité de vie et sur celle des personnes que ce problème concerne directement, à connaître les ressources dont la personne dispose pour composer avec cette difficulté, à préciser ses attentes et son niveau de motivation, à établir la qualité de l'environnement humain et physique dans lequel vit cette personne et, enfin, à explorer les solutions possibles.

Les principes généraux

La réalisation des buts que nous venons de nommer sera facilitée si les principes suivants sont respectés. D'abord, les données recueillies devraient porter à la fois sur des aspects subjectifs (c'est-à-dire les impressions du client et de l'infirmière) et sur des données objectives (c'est-à-dire des données observables, quantifiables et mesurables). Une distinction doit être faite entre, d'une part, les données précédant l'apparition du problème et la demande d'aide et, d'autre part, les données recueillies après l'apparition du problème. Par exemple, les habitudes alimentaires de la personne alors qu'elle était en bonne santé étaient peut-être satisfaisantes. Cependant, à la suite d'un problème de santé, elles peuvent s'avérer inadéquates. Il en sera de même pour tous les autres besoins. Aussi les données portant sur des conditions passées peuvent-elles être très utiles :

- pour comprendre ce que vit actuellement le client ; par exemple, il sera facile de comprendre l'impatience et la frustration d'une personne assez solitaire qui, depuis le début de son hospitalisation, est obligée, en raison de la thérapie qu'elle suit, à être continuellement en groupe dans une salle commune ;
- pour découvrir les raisons qui ont causé en partie cette maladie ;
- pour établir un plan de prévention et de réadaptation ;
- pour concevoir des attentes réalistes au regard des buts possibles de l'intervention.

Voici un autre principe à respecter : le choix des données à recueillir est guidé à la fois par le rôle de l'infirmière et par le problème de santé que présente le client. En effet, l'infirmière doit se servir de son jugement clinique afin de décider des données qu'elle doit recueillir pour clarifier le besoin d'aide du client et planifier ses soins. En fonction de son domaine de travail, elle doit donc ajuster et enrichir cette grille de données tout en gardant à l'esprit que la pathologie du client et le besoin d'aide qui en découle la guideront quant au choix des données à recueillir.

Par exemple, l'infirmière qui travaille en psychiatrie et celle qui travaille dans une unité d'oncologie, malgré la différence de leurs clientèles et des besoins d'aide de celles-ci, auront à recueillir des données générales communes à ces deux clientèles, auxquelles s'ajouteront des données particulières propres à chacune d'elles. De plus, à l'intérieur d'une même spécialisation, l'infirmière devra recueillir des données sur les signes et les symptômes reliés à la pathologie du client. D'ailleurs, au cours des dix dernières années, de plus en plus d'auteurs dans le domaine des soins infirmiers psychiatriques (dont Rawlins, Williams et Beck, 1993 ; Stuart, 1995 ; Townsend, 1997) ont présenté les diagnostics de nursing en les associant aux classifications des troubles mentaux du DSM-IV. Ces auteurs soulignent l'importance pour l'infirmière de connaître les caractéristiques de ces diagnostics afin qu'elle puisse en tenir compte dans ses observations et ses interventions.

Par ailleurs, l'infirmière doit utiliser différents moyens lui permettant de colliger les données nécessaires pour poser son diagnostic et décider des soins à dispenser. Elle peut recueillir des informations directement du client :

- en parlant avec lui ;
- en l'observant, que ce soit au cours d'un entretien ou des traitements ;
- en étant attentive aux comportements qu'il adopte avec les autres clients, les membres du personnel, les visiteurs et sa famille ;
- en utilisant d'autres moyens relevant de sa compétence, comme des instruments de mesure de l'anxiété, du stress, de la dépression ou de l'orientation spatiotemporelle ;
- et, si elle le rencontre chez lui, en observant l'environnement dans lequel il vit, que ce soit l'aménagement, la propreté des lieux, le type d'objets qui s'y trouvent, etc.

Certaines données additionnelles peuvent provenir de l'information portée au dossier du client par les autres professionnels de l'équipe, comme le diagnostic psychiatrique dont il a déjà été question, de l'information verbale transmise par les collègues à propos de leur expérience avec le client, de la famille et de tous les autres membres du réseau de soutien du client.

Au cours du premier entretien, il est généralement préférable de recueillir des données à partir de la demande d'aide initiale du client plutôt que de suivre l'ordre des questions d'un questionnaire déterminé à l'avance. Une collecte de données systématique à partir d'un questionnaire préétabli n'est pas, selon nous, la méthode la plus pertinente ni la plus économique pour recueillir des informations sur le client. Sachant que la collecte de données est un processus continu qui se poursuit au fil des rencontres avec le client, qu'une personne change constamment, de même que les données qui la décrivent, il vaut mieux utiliser une stratégie de collecte de données basée sur la demande d'aide initiale et susceptible de s'élargir selon les besoins. Pour utiliser une telle approche, l'infirmière doit cependant avoir toujours à l'esprit un guide général constitué des principaux repères sur lesquels doivent porter ses observations. Selon la pathologie du client, la demande d'aide et le contexte dans lequel elle travaille, certaines de ces données seront explorées de façon systématique alors que d'autres le seront seulement si cela s'avère nécessaire.

Par exemple, l'infirmière travaillant dans un centre de crise a besoin, comme nous le verrons au chapitre 4, de connaître l'objet de la demande de consultation, les événements significatifs qui se sont produits au cours des dernières semaines, etc. À moins d'indications particulières, il n'est pas essentiel de connaître, lors de cette première rencontre avec le client, ses habitudes sexuelles ou ses loisirs. Toutefois, au cours des jours qui suivront, il sera peut-être utile d'aborder aussi ces questions.

Si l'infirmière procède ainsi pour recueillir des données, le client se sentira plus intéressé par les questions sur lesquelles porte l'échange. En outre, avec cette façon de faire, l'infirmière n'a pas à poser des questions qui ont peu de sens pour elle et qui correspondent davantage aux exigences de l'institution ou de l'organisme qu'à celles du client.

Les principaux aspects à considérer dans l'observation du client

Dans le contexte d'une vision existentielle-humaniste de la personne et de l'intervention, et à l'aide d'exemples provenant de différents modèles de collecte de données, comme ceux qu'ont décrits Hutton et Parkinson (1993), Stuart (1995) et Townsend (1997), voici les principaux aspects à considérer au cours de la collecte de données auprès des clients présentant des troubles mentaux. Nous avons regroupé ces données sous les sept catégories qui apparaissent dans le tableau 3.1.

TABLEAU 3.1

Les principaux aspects à considérer au cours de l'observation d'un client

– L'apparence générale
– Les caractéristiques physiques
– Les caractéristiques émotives
– Les caractéristiques sociales
– Les caractéristiques intellectuelles
– Les caractéristiques spirituelles
– Les autres aspects à considérer

Par rapport à ces différents aspects, nous verrons sur quoi peuvent porter au besoin les échanges et les observations au cours des entretiens, que ce soit pour poser un diagnostic nursing, pour choisir les moyens d'intervention qui conviennent le mieux au client ou pour évaluer les résultats obtenus.

L'apparence générale

L'apparence générale comprend les éléments suivants :

- les vêtements : propreté, choix (suivant l'âge, le sexe, la saison), etc. ;
- la coiffure : propreté, entretien, etc. ;
- le poids : proportionné à la taille ;
- la taille : proportionnée ;
- l'âge : allure plus jeune ou plus vieille (cheveux, rides, démarche) ;
- le sexe : présentation des caractéristiques sexuelles extérieures (barbe, seins, masse musculaire) ;
- les bijoux : petits, gros, discrets, voyants, etc. ;
- le maquillage : discret, abondant, etc.

Les caractéristiques physiques

Les caractéristiques physiques comprennent les éléments suivants :

- La peau :
  - la coloration des extrémités (par exemple cyanosées) ;
  - la température des téguments (par exemple froide) ;
  - la moiteur, la sudation, la sécheresse (par exemple les mains humides, la sueur) ;
  - l'intégrité physique (par exemple la présence de cicatrices, de brûlures, d'ecchymoses, de réactions allergiques) ;
  - la propreté (par exemple l'odeur de transpiration, de parfum) ;
  - les habitudes d'hygiène (par exemple la fréquence des bains ou des douches, le type de savon).
- Les phanères :
  - les ongles (propreté, coloration, vernis, intégrité, etc.) ;
  - les cheveux (propreté, perte, entretien, etc.) ;
  - les dents (propreté, intégrité, présence de prothèses, etc.).
- Les sens (vérification de l'intégrité et du degré d'acuité) :
  - la vue (exemples de manifestations particulières : diplopie, crises d'oculogyres, port de lunettes, nystagmus) ;
  - l'ouïe (exemples de manifestations particulières : hallucinations auditives, besoin qu'on répète, surdité) ;
  - l'odorat (exemples de manifestations particulières : perte de sensibilité, hallucinations olfactives) ;
  - le toucher (exemples de manifestations particulières : perte de sensibilité, sensations internes ou externes étranges, démangeaisons, picotements) ;

  - le goût (exemples de manifestations particulières : mouvements incontrôlés des lèvres et de la langue, bave, impressions de goûts bizarres).

- Le système digestif :
  - l'alimentation (quantité, qualité, goûts, habitudes ; exemples de manifestations particulières : douleurs gastriques, douleurs abdominales, gaz, crampes) ;
  - l'hydratation (quantité, goûts ; exemples de manifestations particulières : dépendance à l'alcool, déshydratation, sécheresse de la bouche) ;
  - l'élimination (fréquence, quantité, caractéristiques ; exemples de manifestations particulières : nausées, vomissements, constipation, sang dans les selles, diarrhée).
- Le système respiratoire :
  - la respiration (fréquence, amplitude ; exemples de manifestations particulières : dyspnée, crachats, essoufflement, toux, sensation de constriction thoracique, boule dans la gorge).
- Le système cardiaque :
  - le pouls, la tension artérielle (exemples de manifestations particulières : douleurs précordiales, palpitations).
- Le système génito-urinaire :
  - la miction (fréquence, quantité, coloration ; exemples de manifestations particulières : douleurs lors de la miction, présence de sang, globe vésical) ;
  - la sexualité (habitudes, problèmes particuliers, méthode contraceptive) ;
  - les menstruations (fréquence, quantité, durée ; exemples de manifestations particulières : dysménorrhée, aménorrhée).
- Le système musculo-squelettique :
  - les mouvements (par exemple la rapidité, les tremblements, les tics, les spasmes) ;
  - les postures (par exemple la prostration, la rigidité, l'immobilité, l'agitation, l'impatience psychomotrice) ;
  - la flexibilité articulaire ;
  - la force musculaire ;
  - la démarche (hésitante, traînante, rapide, maniérée, etc.) ;
  - les habitudes d'activités physiques quotidiennes.
- Les habitudes de repos :
  - les moyens utilisés.

- Les habitudes de sommeil :
  - le nombre d'heures par jour ;
  - la qualité du sommeil (sommeil agité, réveils fréquents, insomnie, etc.) ;
  - les moyens utilisés pour favoriser le sommeil (somnifères, boissons, bain, etc.).
- La satisfaction des besoins physiques et physiologiques :
  - l'oxygénation (quantité et qualité) ;
  - l'alimentation et l'hydratation (fréquence, qualité) ;
  - le repos (quantité et qualité) ;
  - l'exercice (selon la condition physique) ;
  - l'élimination des déchets de l'organisme ;
  - les activités sexuelles (fréquence, qualité) ;
  - la protection contre les dangers physiques ;
  - l'habitation d'un logement confortable ;
  - la jouissance d'un revenu suffisant ;
  - le maintien d'une température corporelle constante ;
  - le maintien de l'intégrité optimale des systèmes de l'organisme.

Les caractéristiques émotives

Les caractéristiques émotives comprennent les éléments suivants :

- l'humeur générale (par exemple la tristesse, l'inquiétude, la méfiance, l'euphorie, l'indifférence ou la joie) ;
- la capacité de reconnaître ses émotions (par exemple la négation de certaines émotions) ;
- la capacité d'exprimer ses émotions (par exemple le manque d'aisance dans l'expression de certaines émotions) ;
- l'exacerbation de certains états émotifs (par exemple la présence de tristesse, l'agitation, l'impression d'un affect plat, la méfiance) ;
- le degré général d'anxiété ;
- les manifestations de l'anxiété ;
- la concordance des émotions exprimées avec la situation présente ;
- les principales émotions communiquées ;
- les affects dominants au cours de l'entretien ;
- la satisfaction des besoins émotifs :
  - la conscience de ses émotions ;
  - le sentiment d'être capable d'exprimer ses émotions ;
  - le sentiment d'être libre d'exprimer ses émotions ;
  - la sensibilité aux émotions des autres ;

- la capacité de donner de l'affection ;
- la capacité de recevoir de l'affection ;
- le sentiment d'être heureux.

Les caractéristiques sociales

Les caractéristiques sociales comprennent les éléments suivants :

- Les habiletés de socialisation :
  - la connaissance et le respect des lois, des règles et des normes qui régissent la vie en société (par exemple la connaissance et le respect des règlements du milieu qui offre des services au client, les problèmes avec la justice) ;
  - la relation avec les pairs : les gens du même âge, les autres clients (par exemple le retrait, la participation aux activités de groupe, la façon d'amorcer les échanges, les affinités) ;
  - les relations avec les intervenants ;
  - l'attitude envers l'infirmière (par exemple la séduction, le refus de collaborer, la soumission, la dépendance, la négation, les attitudes défensives, la méfiance, l'agressivité, la coopération, l'intérêt, la réserve, la fuite).
- Les groupes d'appartenance :
  - les groupes religieux, culturels, sportifs ;
  - les amis (caractéristiques) ;
  - la famille (caractéristiques, liens).
- La perception de soi :
  - le degré d'estime de soi ;
  - le degré de réalisme de la perception de soi ;
  - la capacité d'introspection.
- La perception des autres :
  - le degré d'estime ;
  - le degré de confiance ;
  - le degré de réalisme de la perception des autres.
- La capacité d'exercer des rôles sociaux (comme ceux de parent, de grand-parent, de travailleur ou d'étudiant) :
  - le degré de satisfaction quant à l'exercice de ces rôles ;
  - le niveau de compétence ;
  - la reconnaissance sociale qui en est retirée.
- La capacité d'assumer les tâches de développement reliées à l'âge (par exemple avoir un emploi stable, avoir un conjoint, élever des enfants).

- La situation socioéconomique et le degré de satisfaction (par exemple la position sociale, le revenu, le logement, l'environnement social).
- La capacité d'établir des relations intimes avec certaines personnes (comme les amis ou le conjoint).
- Les loisirs (exemples de passe-temps).
- L'environnement physique (le quartier, la rue, etc.).
- L'habitation (l'ameublement, la propreté, le nombre de pièces, etc.).
- La satisfaction des besoins sociaux :
  - la solidarité avec certains groupes ;
  - l'intégration de l'identité sexuelle ;
  - le sentiment de compétence dans son rôle d'homme ou de femme ;
  - le sentiment de compétence dans son rôle professionnel ;
  - le sentiment de compétence dans les tâches de développement reliées à l'âge ;
  - le sentiment d'habileté à interagir avec l'environnement physique ;
  - la connaissance des règles et des lois régissant le milieu ;
  - le sentiment d'habileté à interagir avec les autres ;
  - le sentiment d'être respecté par les autres ;
  - le fait d'avoir une bonne réputation ;
  - le sentiment d'être apprécié par les autres ;
  - le sentiment d'être compétent pour communiquer.

Les caractéristiques intellectuelles

Les caractéristiques intellectuelles comprennent les éléments suivants :

- La qualité de l'attention volontaire.
- Le degré de conscience (la capacité de contact avec les personnes et l'environnement ; exemples de manifestations particulières : l'obnubilation ou le fait de ne pouvoir fixer son attention, la confusion ou la perte du sens de l'orientation dans le temps et dans l'espace et l'incapacité de reconnaître les personnes).
- La mémoire :
  - à court terme ou immédiate (par exemple la capacité de se souvenir d'une information qui vient d'être donnée) ;
  - des faits récents (par exemple la capacité de se souvenir de faits survenus au cours des derniers jours, des derniers mois) ;
  - des faits anciens (par exemple la capacité de se souvenir de faits de son enfance).

- Les moyens de stimulation intellectuelle (comme les centres d'intérêt, les études, la lecture, le cinéma, les journaux, la télévision, la radio, la musique).
- Le jugement :
  - la capacité de faire des liens entre les événements (des relations de cause à effet) ;
  - la capacité de résoudre les problèmes de la vie courante ;
  - la créativité dans la solution des problèmes de la vie courante ;
  - le degré d'autocritique (par exemple la capacité de se prononcer sur la pertinence de ses comportements, de reconnaître qu'on a besoin d'aide).
- La communication verbale :
  - les principaux thèmes abordés au cours des échanges (les obsessions, les peurs, les délires, les besoins, les projets, etc.) ;
  - la fréquence à laquelle les thèmes sont abordés ;
  - la manière dont les sujets sont communiqués (par exemple les hésitations, les réponses par monosyllabes, l'apport de nombreuses précisions, l'agressivité, la minimisation, le rythme et le ton de la voix, la logorrhée, l'écholalie) ;
  - la motivation à communiquer ;
  - le vocabulaire utilisé (la richesse, le recours à des néologismes, le choix des mots pour désigner les choses, etc.) ;
  - la facilité d'expression ;
  - la qualité de la prononciation.
- La communication non verbale :
  - les expressions du visage ;
  - l'écriture (capacité et utilisation) ;
  - la lecture (capacité et utilisation) ;
  - le dessin (capacité et utilisation) ;
  - les tics et les stéréotypes (séquences répétitives des mêmes mots ou gestes) ;
  - les rires non motivés et les bruits (reniflement, raclement de gorge, claquement de la langue, grincement de dents) ;
  - l'échopraxie (mimétisme du geste).
- Le degré de satisfaction des besoins intellectuels :
  - la découverte de réponses à ses questions (qualité) ;
  - l'apprentissage (quantité et qualité) ;
  - la sûreté du jugement ;
  - la fidélité de la mémoire ;

- l'habileté à résoudre des problèmes ;
- l'utilisation de la créativité ;
- l'orientation dans le temps, dans l'espace et face aux personnes.

Les caractéristiques spirituelles

Les caractéristiques spirituelles comprennent les éléments suivants :

- Les croyances religieuses (par exemple les habitudes quant aux pratiques religieuses).
- Les valeurs (l'amour de la vie, le besoin de beauté, d'ordre, de justice, de se sentir utile, de faire des choses que l'on aime, le sens de l'humour, etc.).
- Le sens qui est donné à l'expérience de la maladie.
- L'importance accordée à la santé.
- Les projets à court terme et à long terme.
- Le degré de satisfaction des besoins spirituels :
  - la découverte d'un sens à la vie ;
  - l'utilisation du potentiel (les talents) ;
  - le sentiment de se développer, d'évoluer ;
  - la croyance dans certaines valeurs ;
  - les efforts consacrés à la mise en pratique des valeurs.

Les autres aspects à considérer

Voici d'autres aspects à considérer au cours de l'observation du client :

- Les manifestations des symptômes de la maladie ou de la difficulté pour laquelle le client consulte. Face au trouble mental ou à la difficulté d'adaptation que présente le client, l'infirmière doit prêter attention aux manifestations des signes et des symptômes (par exemple les manifestations de la schizophrénie chez le client) et à leur évolution, ou aux manifestations de la difficulté qu'il présente (par exemple les difficultés relationnelles).
- Les mécanismes de défense les plus souvent utilisés par le client au cours des entretiens ainsi que les mécanismes de régulation de la fonction « je » (déflexion, introjection, projection, confluence, rétroflexion).
- Les connaissances que le client possède à l'égard de sa maladie ou de sa difficulté d'adaptation :
  - la raison de la demande d'aide ;
  - la connaissance de son état de santé ;
  - les causes que le client attribue à sa maladie ;

  - la connaissance de son pronostic ;
  - son vécu par rapport à son état de santé.
- Les maladies et les hospitalisations antérieures.
- Les motivations à participer aux entretiens :
  - les raisons invoquées ;
  - les buts poursuivis ;
  - le degré d'intérêt et d'engagement.
- Les connaissances reliées à ses médicaments :
  - les noms et la posologie ;
  - les effets recherchés ;
  - les effets secondaires possibles ;
  - les moyens de contrer les effets secondaires.
- Les activités thérapeutiques :
  - la connaissance qu'a le client de ses activités (les buts poursuivis, l'information sur l'horaire des activités) ;
  - la perception à l'égard de ces activités.
- Les soins :
  - la capacité de prendre en charge ses propres soins de santé ;
  - les attentes au regard des soins dispensés ;
  - les préoccupations par rapport aux soins dispensés (par exemple le manque de temps pour s'alimenter ou le fait de recevoir des soins d'hygiène par une personne de sexe différent).
- La perception du milieu d'intervention :
  - les attentes du client face au milieu et au personnel ;
  - la connaissance des attentes du personnel à son égard ;
  - le désir de participer à son traitement ;
  - la connaissance des services offerts ;
  - la perception des lieux ;
  - la connaissance du centre de santé ;
  - la connaissance des procédures et des règlements qui régissent son passage dans ce centre de santé ;
  - le degré de confiance dans les intervenants.
- Le degré de danger que le client représente pour lui-même et pour les autres.

L'utilisation des données recueillies

Comme on le voit, les données que l'infirmière doit considérer au cours des échanges avec le client sont très nombreuses. Il importe d'accorder une grande attention à celles qui lui permettront de répondre aux questions suivantes :

- Quelles sont les caractéristiques de cette personne ?
- Comment ces caractéristiques aident-elles ou nuisent-elles à la satisfaction de ses besoins ?
- Quelles sont les caractéristiques de son environnement physique et humain ?
- Comment ces caractéristiques aident-elles ou nuisent-elles à la satisfaction de ses besoins ?
- Quelles sont ses compétences pour interagir avec son environnement afin d'y puiser l'information et l'énergie nécessaires pour satisfaire ses besoins ?
- Comment sa difficulté à satisfaire ses besoins affecte-t-elle son état de santé et comment celui-ci affecte-t-il la satisfaction de ses besoins ?

Dans la plupart des milieux de santé, on résume par écrit les données recueillies sur les clients dans différents documents, comme le guide de collecte de données, le plan de soins infirmiers, les notes évolutives de l'infirmière, ou d'autres documents interdisciplinaires tels que l'évaluation de l'autonomie multiclientèle dans les programmes de services à domicile pour les personnes âgées ou d'autres documents semblables reliés au plan de services individualisé (PSI).

3.3.3 *Le diagnostic infirmier*

La deuxième étape du processus de nursing consiste à faire l'analyse des données recueillies, en les comparant à des normes de santé et d'adaptation. Ces normes doivent cependant tenir compte des facteurs culturels et individuels propres à chaque client. Cette analyse permet de définir les problèmes du client et d'en découvrir certaines causes.

Dans la formulation du diagnostic, quelques règles doivent être respectées. Selon Gordon (1987), le diagnostic formulé dans le plan de soins doit comprendre trois types d'informations, à savoir le problème observé chez le client, les causes qui semblent associées à ce problème et ses principales manifestations. Afin de faciliter cette formulation, plusieurs auteurs dans le domaine des soins infirmiers psychiatriques proposent d'utiliser la liste de diagnostics infirmiers établie par la North American Nursing Diagnosis Association (NANDA), qui, par suite des travaux de plusieurs équipes de recherche, a approuvé cette liste en 1996. Régulièrement, de nouveaux diagnostics sont soumis à ce groupe de travail, qui en fait l'étude.

Par ailleurs, le diagnostic doit être fait d'une façon provisoire et, au besoin, être ajusté en fonction des nouvelles informations que livre le client et des modifications de son comportement. De même, le diagnostic doit découler directement des différentes informations recueillies qui apparaissent dans l'histoire nursing. En outre, lorsque l'infirmière formule un diagnostic infirmier, elle doit être consciente qu'il aura un impact direct sur les objectifs poursuivis et que les causes qui ont été précisées influenceront le choix des interventions. Un autre principe à respecter est le fait que le diagnostic infirmier doit être formulé avec le client. Enfin, les diagnostics formulés doivent, avec l'aide du client, être ordonnés selon les priorités en ce qui a trait aux interventions.

En somme, le diagnostic infirmier devrait être utilisé quand la situation du client peut être définie sous forme de problème. Dans ce cas, la liste de diagnostics proposée par la NANDA devrait servir à l'infirmière pour préciser la formulation de son diagnostic. En effet, de ces formulations générales devrait découler une formulation décrivant le plus fidèlement possible la réalité du client.

3.3.4 La détermination des résultats recherchés

À propos des résultats recherchés, Carpenito (1995, p. 75) précise :

> Parfois désignés sous les expressions objectifs, résultats escomptés ou résultats, les buts de la planification des soins s'appuient sur des critères établis par le client ou des critères établis par les infirmières. [...] Les objectifs du client et les objectifs de soins sont des normes ou des mesures servant à évaluer les progrès du client (le résultat) et l'efficacité des soins prodigués (le processus).

En fonction des problèmes de santé qui ont été déterminés, l'infirmière et le client ont certaines attentes qui peuvent être traduites sous forme d'objectifs. Parfois, l'objectif poursuivi est la résolution du problème qui a été défini. Par exemple, devant un client souffrant de schizophrénie qui présente un déficit de ses « auto-soins », on pourrait avoir comme objectifs de voir le client, d'ici une semaine, se laver le visage chaque matin, se peigner et se raser sans l'aide du personnel infirmier. Cependant, face à plusieurs problèmes de santé mentale qui sont observés, les objectifs sont moins d'éliminer certains symptômes que de ralentir leur aggravation, de les atténuer ou d'apprendre à mieux composer avec eux. Dans ces cas, la connaissance des objectifs poursuivis est importante. Pour être utiles, ils doivent cependant respecter certaines règles d'application et de formulation. Nous en rappellerons quelques-unes.

Les règles d'application

Les objectifs ont plus de chances d'être atteints si, lorsqu'on les choisit, on respecte les règles suivantes :

- Ils doivent découler directement des diagnostics qui ont été posés.

- Ils doivent tenir compte des données recueillies sur le client et, dans ce sens, être réalistes.
- Ils doivent prendre en considération les attentes du client.
- Ils doivent s'appuyer sur les connaissances scientifiques actuelles au sujet de la problématique qui a été dégagée et des changements qu'il est possible de réaliser.
- Ils doivent tenir compte de la vision que le thérapeute et le client ont de l'intervention thérapeutique, et ainsi être des indicateurs des progrès accomplis.
- Ils doivent accorder de l'importance aux effets recherchés à court terme et à long terme.
- Ils doivent tenir compte du contexte dans lequel a lieu l'intervention thérapeutique.

Les règles de formulation

La formulation des objectifs doit respecter des règles rigoureuses. Plus ces objectifs seront formulés avec précision, plus il sera facile de les utiliser pour juger de l'efficacité des interventions choisies et des résultats obtenus. Voici les principales règles de formulation des objectifs de soins :

- Selon Stuart (1995, p. 207), les résultats attendus devraient posséder les qualités suivantes : être spécifiques plutôt que généraux, être mesurables plutôt que subjectifs, être réalisables plutôt que non réalistes, être à jour plutôt que périmés, être adéquats quant au nombre plutôt qu'insuffisants ou trop vastes, être communs plutôt qu'individuels.
- « Un objectif spécifique comprend toujours deux éléments : un objet et une intention face à cet objet, celle de l'auteur de l'objectif. Trois autres éléments complètent cette intention : un destinataire, des conditions de réalisation, un seuil de performance. » (Bell, Lemieux et Miller, 1985, p. 2.)
- Dans un plan de soins infirmiers, il est important que l'objectif porte sur le destinataire des soins, en l'occurrence le client.
- « Le résultat escompté doit décrire la réaction précise que l'on souhaite obtenir. Pour être précis, l'objectif doit comporter un verbe d'action, des éléments de contenu et un délai de réalisation. Le verbe d'action indique ce que le client fera, ressentira ou apprendra. […] On ajoute des éléments de contenu aux verbes pour préciser des préférences particulières ou personnelles. Ces éléments peuvent être des substantifs, des adjectifs ou des adverbes qui expliquent le quoi, le où, le quand et le comment, par exemple : boire (quoi et quand), marcher (où et quand), apprendre (quoi). » (Carpenito, 1995, p. 79.)

– « L'objectif doit décrire une action ou un comportement précis et mesurable permettant à l'infirmière de juger des résultats de son intervention. L'action ou le comportement doit pouvoir être validé par l'observation, c'est-à-dire en voyant ou en entendant. » (Carpenito, 1995, p. 78.)

3.3.5 La planification des soins

Suivant le diagnostic formulé, le client et l'infirmière doivent tout d'abord fixer des priorités parmi les problèmes à résoudre. Cet ordre devrait être déterminé en fonction des effets de ces problèmes sur l'état de santé du client, de l'importance que le client accorde à ses problèmes et de l'influence que ces problèmes exercent les uns sur les autres. Il arrive que lorsqu'on résout un problème, d'autres problèmes qui en découlaient soient en même temps résolus.

L'infirmière et le client tentent ensuite de découvrir les possibilités de résoudre le problème. Pour ce faire, l'infirmière explorera les différents moyens déjà utilisés par le client pour y arriver. Elle peut aussi proposer des interventions qui tiennent compte à la fois des caractéristiques du client, de ses compétences et de celles des autres membres de l'équipe de soins ainsi que de l'état actuel des connaissances sur ce problème. Afin de vérifier la pertinence de son choix, elle tentera de répondre aux questions suivantes :

– Est-ce que l'intervention privilégiée permet de résoudre le problème ? Là-dessus, l'intervention devrait porter sur la cause du problème qui a été défini.

– Est-ce que l'intervention relève de la compétence de l'infirmière ?

– Est-ce que l'évaluation des résultats prévisibles relève de sa compétence ?

– L'intervention est-elle valorisée par le client ? Selon les situations, il peut être préférable de modifier certains aspects de l'intervention afin de s'assurer de la participation du client.

– Cette intervention est-elle réaliste, compte tenu des compétences des personnes en présence, de leur disponibilité et des limites de l'établissement ? (Certaines interventions, quoiqu'elles soient intéressantes, s'avèrent irréalisables. Il vaut mieux, alors, choisir une intervention plus facilement applicable, même si elle est plus modeste.)

– L'intervention choisie laisse-t-elle une place importante à la participation du client et de sa famille ou leur fait-elle jouer un rôle passif ?

– Est-ce que l'intervention choisie prévoit la possibilité d'effectuer des ajustements en cours d'application ?

– L'intervention choisie tient-elle compte de l'état actuel des connaissances sur ce sujet ?

– L'intervention est-elle formulée assez clairement pour répondre aux questions suivantes : qui fera quoi, quand, où, comment, pendant combien de temps ?

Tout en permettant de résoudre le problème qui a été déterminé, l'intervention choisie devrait avant tout prendre en considération les caractéristiques actuelles du client de même que les compétences et la disponibilité de l'infirmière.

3.3.6 *La mise en application des soins*

À cette étape du processus de nursing, l'infirmière et le client appliquent l'intervention choisie. Selon le besoin qui a été précisé et la méthode d'intervention qui a été choisie, l'infirmière peut :

- utiliser une intervention de *counseling* pour aider le client à acquérir des habiletés de maîtrise de certains symptômes et à adopter des comportements de prévention ou de maintien d'une bonne santé mentale ;
- faire de l'enseignement au sujet de situations de santé, de la médication, etc. ;
- donner des soins en encourageant la participation du client, et, pour cela, utiliser les différentes activités quotidiennes comme situations privilégiées pour augmenter les compétences et l'autonomie du client, et l'inciter à s'engager dans sa prise en charge ;
- faire appel au milieu à des fins thérapeutiques, c'est-à-dire favoriser la participation de personnes significatives aux soins du client, coordonner les activités des autres professionnels qui interviennent auprès de ce client (*case manager*) et utiliser les activités offertes par le milieu comme moyen de répondre au besoin du client ;
- donner les traitements prescrits par le médecin en s'assurant de la participation du client.

En somme, l'infirmière applique l'intervention choisie en vérifiant continuellement la participation optimale du client. De plus, elle ajuste son intervention en fonction des réactions de celui-ci en gardant à l'esprit les objectifs poursuivis. Si cela s'avère nécessaire et avec l'accord du client, elle redéfinit son intervention. Dans certains cas, si elle possède les connaissances et les habiletés suffisantes, et si la situation est indiquée, elle peut utiliser d'autres stratégies thérapeutiques comme celles que nous décrivons dans ce livre.

3.3.7 *L'évaluation*

L'évaluation est en quelque sorte présente tout au long de la démarche de soins, mais elle est utilisée de façon plus systématique comme dernière étape de ce processus. L'évaluation doit porter sur deux aspects : les résultats obtenus et le déroulement de chacune des étapes du processus.

Pour évaluer les résultats, l'infirmière détermine si le problème sur lequel portait l'intervention est encore présent. Si ce problème est résolu, l'infirmière et le client peuvent mettre fin à la relation ou reprendre le processus en précisant les points sur lesquels ils auront maintenant à travailler, jusqu'à ce que le client quitte le système de santé ou jusqu'à ce qu'il acquière une certaine compétence pour utiliser ce processus. Aussi longtemps qu'il est en contact avec l'infirmière, celle-ci peut recourir à ce processus pour guider ses interventions. Si le problème est encore présent, l'infirmière et le client révisent ensemble chacune des étapes du processus.

En fonction du diagnostic infirmier, ils doivent se poser les questions suivantes :

- Compte tenu de l'information recueillie depuis la dernière formulation du problème, celui-ci a-t-il changé ?
- Est-ce que la formulation actuelle est satisfaisante ?
- Si elle ne l'est pas, comment le diagnostic infirmier devrait-il être formulé ?

En fonction de la planification des soins et de leur application, l'évaluation porte sur les questions suivantes :

- Est-ce que les objectifs poursuivis étaient réalistes ?
- Est-ce que les moyens choisis ont été appliqués ?
- Les moyens utilisés étaient-ils pertinents ?
- Quelle a été la participation du client ?
- Quelle a été la participation de l'équipe professionnelle ?
- Le délai fixé pour la réalisation des objectifs était-il réaliste ?
- Quelles modifications faudrait-il apporter aux objectifs et aux moyens d'intervention ?

En fonction de l'évaluation elle-même, il est important de se poser aussi certaines questions :

- Est-ce que les moyens choisis permettent de mesurer la réalisation des objectifs ?
- Est-ce que la façon d'utiliser la méthode d'évaluation était pertinente ?
- Quelles modifications faudrait-il apporter à l'évaluation pour pouvoir comparer efficacement les résultats obtenus à l'objectif visé ?

En somme, la démarche de soins est un processus général d'intervention qui s'inspire du processus de solution de problème. Lorsque ce processus est adapté aux soins infirmiers, il sert de guide à une démarche rigoureuse d'intervention. La démarche de soins utilisée par les infirmières en santé mentale permet de guider les interventions de *counseling* thérapeutique ; elle vise la prévention et la promotion de la santé, la gestion de symptômes, la modification de comportements et l'augmentation des habiletés de maîtrise. Il faut toutefois que l'intervenant parvienne à distinguer dans l'expérience que vit le client ce qui relève de cette stratégie et ce qui nécessite d'autres stratégies thérapeutiques.

3.4 LE PROCESSUS DE SOLUTION DE PROBLÈME DANS LE CONTEXTE DE LA PSYCHOTHÉRAPIE ORIENTÉE VERS LES SOLUTIONS

Jusqu'ici dans ce chapitre, nous avons décrit les différentes étapes que l'intervenant et le client franchissent dans la solution de problème, dans la gestion de symptômes ou dans l'adaptation. Nous avons ensuite présenté la démarche de solution de problème dans le contexte d'une intervention psychothérapeutique et dans celui des soins infirmiers. À travers ces différentes façons d'aider le client, un souci demeure chez l'intervenant, soit celui d'être efficace et de favoriser la participation du client à toutes les étapes du processus d'intervention. Ainsi, sans perdre de vue cette préoccupation, les cliniciens du Brief Family Therapy Center de Milwaukee, dont Steve de Shazer est l'un des principaux représentants, ont décrit une stratégie thérapeutique qu'ils qualifient de psychothérapie orientée vers les solutions.

Cette approche, tout en s'inspirant de la démarche de solution de problème, s'en distingue à certains égards. Si nous avons choisi de la présenter, c'est parce qu'elle constitue un bon exemple d'une intervention qui se situe à mi-chemin entre une démarche cognitive centrée sur un problème à résoudre et la vision existentielle-humaniste de l'intervention, qui accorde une place importante à la perception subjective que le client a de sa difficulté et de sa participation au processus psychothérapeutique. En outre, plusieurs stratégies que proposent les auteurs de cette approche sont applicables aux interventions que nous venons de décrire.

À l'aide de différents écrits consultés, notamment ceux d'O'Hanlon et Weiner-Davis (1995), nous présenterons une synthèse de cette stratégie thérapeutique. Pour ce faire, nous préciserons en quoi consiste cette approche, exposerons ses prémisses et décrirons les clientèles auxquelles elle s'adresse. Puis, nous examinerons ses principales techniques de même que leurs modalités d'application dans le contexte d'une intervention psychothérapeutique.

3.4.1 Une description de cette approche

Selon Leppanen Montgomery et Webster (1994), au cours des dernières années, il y a eu dans différentes disciplines une augmentation marquée du nombre de théories qui présentent des stratégies favorisant le changement suivant une certaine vision du *caring* (du « prendre-soin »). Ces stratégies reconnaissent l'unicité de la personne, font la promotion de la santé en misant sur les forces et sur les ressources du client, et préconisent des moyens plus créatifs d'exprimer son intérêt pour le client en participant plus activement comme thérapeute. Ces théories proviennent du constructivisme et des idéologies postmodernes. Par exemple, dans le domaine des soins infirmiers, des théories sur les soins plus récentes, comme celles de Newman (1986), Parse (1981), Rogers (1986) et Watson (1985, 1988), valorisent cette vision du *caring*. En psychothérapie, les théories portant sur ce modèle sont qualifiées de brèves, intermittentes ou orientées sur les possibilités. Elles recherchent les méthodes les moins « intrusives », les moins « pathologisantes » possible et celles qui font le plus appel à la participation du client. Ces théories incluent, par exemple, les approches éricksoniennes (Dolan, 1985) centrées sur les solutions, et celles qui concernent l'intervention en situation de crise. Voyons comment ces différentes caractéristiques se retrouvent dans les descriptions que nous avons retenues de la psychothérapie orientée vers les solutions.

Pour Shazer (1996, p. 70-71) :

> Le modèle centré sur la résolution des problèmes (Weakland *et al.*, 1974) met l'accent sur des séquences interactionnelles dans le présent. Son but est de décrire des tentatives de solution qui ont échoué, c'est-à-dire des efforts qui maintiennent accidentellement le problème, et il tente d'intervenir pour mettre fin à ces efforts. Le modèle centré sur les solutions, qui présente une certaine analogie avec le modèle centré sur la résolution des problèmes mais en est cependant distinct, met également l'accent sur les séquences interactionnelles dans le présent et vise à décrire des exceptions à la règle de la plainte et des prototypes ou des précurseurs de la solution qui ont échappé au client, et intervient donc pour aider le client à faire davantage de ce qui a déjà bien fonctionné.

Déjà, cette définition nous permet de mieux comprendre la dénomination de thérapie centrée sur les solutions que l'on utilise pour décrire cette approche thérapeutique.

O'Hanlon et Weiner-Davis (1995, p. 7), dans une définition plus élaborée, décrivent cette approche thérapeutique de la façon suivante :

> Il s'agit d'un mode de pensée qui s'intéresse en premier lieu non pas au problème mais à la recherche de solutions – même si celles-ci paraissent difficiles et éloignées – et au moyen de les atteindre. C'est un mode de pensée qui fait naître des images de ce qui pourrait être –

> ou devrait être – et, par là, favorise l'émergence des possibilités qui, autrement, ne pourraient pas être comprises, et permet d'évoquer des actions qui, autrement, ne pourraient se produire. Ces images génèrent de l'énergie et s'opposent à tout compromis hâtif aux piètres résultats.

Lamarre et Grégoire (1995), quant à eux, présentent une description plus complète de cette approche en la situant à l'intérieur des différentes approches de thérapie brève :

> Ce courant est dit de deuxième génération dans l'univers de la psychothérapie brève stratégique. Tout en partageant certaines caractéristiques et modalités d'intervention avec l'école de Palo Alto (vision non pathologique de la personne, utilisation de recadrage, prescription de tâches, etc.), la psychothérapie orientée vers les solutions se démarque néanmoins de celle-ci par le fait qu'elle met l'accent sur les solutions existantes et les habiletés manifestées par le client à l'intérieur même de sa situation problématique. Elle recherche les exceptions positives dans le déroulement du problème et utilise ces possibilités comme levier de changement pour aider la personne à résoudre ses difficultés.

Mason, Breen et Whipple (1994, p. 46), pour leur part, décrivent cette approche en fonction de certaines de ses modalités d'application :

> Cette approche thérapeutique souligne les attributs positifs que la personne apporte avec elle en thérapie, facilite le développement d'un partenariat entre l'infirmière et le client, aide le client à concevoir des buts positifs orientés vers l'avenir et détermine des actions pour atteindre ces buts.

Ils ajoutent plus loin (p. 47) :

> Au lieu de se centrer sur les faiblesses du client, sur ses déficits et sur ses problèmes, la thérapie centrée sur les solutions explore les moments où le problème n'existe pas. Elle mise sur les compétences, les ressources et les habiletés du client à trouver des solutions et à atteindre des buts déterminés.

Ces définitions donnent un bon aperçu de l'origine de cette approche, de son objet et des moyens qu'elle met en œuvre. En plus de connaître ses caractéristiques générales, il est important de saisir ses fondements. À ce propos, Webster (1990) mentionne que la psychothérapie orientée vers les solutions peut procurer un cadre de référence pour la solution de problème qui s'appuie sur une approche utilisant les principes éricksoniens. Cette approche s'harmonise avec les valeurs traditionnelles des soins infirmiers et avec l'approche féministe. Notons que ces valeurs sont aussi partagées par d'autres professions. Le tableau 3.2 présente un résumé des valeurs décrites par cette auteure.

TABLEAU 3.2
Un résumé des valeurs de l'approche traditionnelle des soins et de l'approche féministe décrites par Webster

Les valeurs de l'approche traditionnelle des soins

- Être sensible aux différences individuelles et culturelles
- Préserver la dignité humaine
- Accroître les habiletés d'« auto-soins »
- Définir et soutenir les forces du client
- Se centrer sur la santé plutôt que sur la pathologie
- Tenter de réduire la douleur
- Se centrer sur la réintégration du client dans un réseau de soutien social
- Mettre l'accent sur le pragmatisme : faire ce qui fonctionne
- Assurer un climat de sécurité
- Mobiliser l'espoir du client

Les valeurs de l'approche féministe

- Chercher à créer une interaction égalitaire
- Valoriser la coopération au-delà de la compétition
- Accepter l'expérience personnelle comme une source valide d'information
- Démystifier les soins de santé
- Redonner du pouvoir au client
- Se situer dans une perspective holistique
- Maintenir un juste équilibre entre la responsabilité face à soi et la responsabilité face aux autres

Source : Webster (1990, p. 17).

Webster (1990, p. 18) ajoute que la psychothérapie orientée vers les solutions accepte une vision constructiviste de la réalité. Les constructivistes sociaux croient que les significations sont construites par l'individu à travers ses communications avec les autres, par opposition à une réalité objective (Hoffman, 1990). Cette perspective présuppose la pertinence de réalités multiples. Le « problème » abordé en thérapie dépend de la « cocréation » de sens qui émerge des interactions du client avec le thérapeute. Dans plusieurs situations thérapeutiques, le problème et la solution sont largement définis par l'orientation théorique du thérapeute.

En somme, nous pouvons dire que cette méthode thérapeutique se fonde sur une conception positive de la personne. À ce propos, O'Hanlon et Weiner-Davis (1995, p. 1) mentionnent : « Il s'agit d'une méthode qui s'appuie sur les compétences des personnes plutôt que sur leurs insuffisances, sur leurs points forts plutôt que sur leurs faiblesses, sur leurs aptitudes plutôt que sur leurs limites. »

3.4.2 Les clientèles visées par cette approche

Mais à qui s'adresse cette approche thérapeutique et face à quels types de difficultés est-elle particulièrement efficace ? La psychothérapie orientée vers les solutions vise des clientèles diversifiées qui présentent des difficultés variées concernant la gestion de symptômes et les comportements de toutes sortes, qu'ils aient trait aux relations, à l'adaptation aux problèmes de la vie courante ou à la gestion du stress. À ce propos, O'Hanlon et Weiner-Davis (1995) indiquent que cette approche convient à la plupart des personnes qui cherchent de l'aide en thérapie.

Cette affirmation appelle cependant quelques nuances. En effet, comme nous le verrons dans les pages qui suivent, cette approche exige un engagement affectif et cognitif important. Aussi, les clients qui ne participent pas à leur traitement ou ceux qui ne possèdent pas sur une base temporaire ou permanente les compétences cognitives que nécessite cette approche éprouveront certaines difficultés. Là-dessus, Mason, Breen et Whipple (1994), qui ont expérimenté cette approche en milieu psychiatrique de courte durée, font des distinctions entre les clientèles pour lesquelles cette approche est particulièrement efficace et celles qui peuvent plus difficilement bénéficier d'une telle approche. Ils signalent que l'expérience dans leur établissement a démontré que la psychothérapie orientée vers les solutions, comme les autres techniques cognitives, est surtout efficace quand elle est utilisée avec des clients qui ont un fonctionnement général plus élevé. Ces clients présentent les caractéristiques décrites au tableau 3.3.

TABLEAU 3.3

Les caractéristiques des clients qui répondent bien à la psychothérapie orientée vers les solutions

- Les clients qui participent activement avec le personnel à la formulation de leur plan de soins ; ces clients montrent plus d'intérêt pour leurs soins et tendent à être plus indépendants
- Les clients qui manifestent de l'insatisfaction au regard de différents aspects de leur vie et qui, par conséquent, sont motivés à changer
- Les clients qui sont capables de tolérer des interactions relativement longues avec le personnel infirmier
- Les clients qui sont capables d'établir des rapports avec les autres
- Les clients qui ont été admis à l'hôpital à la suite d'une expérience traumatique, comme des abus physiques ou sexuels

Source : Adapté de Mason, Breen et Whipple (1994, p. 48).

Webster (1990, p. 20) ajoute que cette approche thérapeutique convient bien aux clients qui ne valorisent pas la thérapie expressive et qui ne voient pas le bien-fondé de la prise de conscience (*awareness*).

Selon Mason, Breen et Whipple (1994), la psychothérapie orientée vers les solutions donne de moins bons résultats avec les clients qui vivent une exacerbation des troubles de la pensée et avec ceux qui présentent des troubles cérébro-organiques. Plus le trouble est sévère, moins cette approche s'avère efficace. Cependant, certains résultats sont quand même possibles. Le tableau 3.4 décrit les caractéristiques des clients pour lesquels cette approche est peu indiquée.

TABLEAU 3.4

Les caractéristiques des clients qui ont une faible réponse à la psychothérapie orientée vers les solutions

- Les clients en état de psychose aiguë
- Les clients ayant une déficience cognitive importante comme de la démence, un déficit intellectuel grave ou un déficit de la mémoire à court terme
- Les clients présentant une exacerbation de l'humeur ou une dépression grave qui interfère avec leurs habiletés à interagir avec les autres
- Les clients qui investissent leurs énergies dans le maintien du rôle de malade
- Les clients qui sont perturbés même par une faible stimulation

Source : Adapté de Mason, Breen et Whipple (1994, p. 48).

Quant aux indications de cette approche face aux difficultés que présentent les clients, celle-ci semble tout particulièrement efficace en ce qui touche la gestion de symptômes et de troubles du comportement ainsi que la résolution de problèmes de la vie courante, comme les relations interpersonnelles difficiles, la gestion du stress ou les difficultés d'adaptation. Cette stratégie thérapeutique peut aussi être utilisée de façon complémentaire dans les autres stratégies qui visent en premier lieu la prise de conscience de soi, le travail de deuil, la gestion de crise et le soutien. En tenant compte de ces indications dans le choix des clients de même que des difficultés qu'ils présentent, le thérapeute augmente les chances que cette approche thérapeutique ait les effets désirés.

3.4.3 Les prémisses de la psychothérapie orientée vers les solutions

Les stratégies psychothérapeutiques prennent appui sur un certain nombre de prémisses plus ou moins énoncées qui portent généralement sur un ou plusieurs des aspects suivants : une certaine conception du client et de son fonctionnement, une certaine compréhension de l'origine de ses difficultés, les stratégies à mettre en place pour lui venir en aide ainsi que le rôle exercé par l'intervenant. Le clinicien qui n'accepte pas les prémisses formulées par les auteurs d'une théorie ne peut fonder son intervention sur cette théorie sans prendre le risque d'engendrer des incongruences majeures au cours de son intervention, puisque les prémisses sont souvent au cœur de l'approche thérapeutique décrite.

La psychothérapie orientée vers les solutions prend elle aussi appui sur certaines prémisses. À partir de celles que décrivent O'Hanlon et Weiner-Davis (1995) et de celles qui sont formulées plus ou moins explicitement dans les différents écrits consultés, nous présenterons sous forme d'énoncés quatre d'entre elles. Puis, nous les commenterons brièvement, ce qui nous permettra de mieux comprendre la manière d'appliquer les interventions qui seront expliquées par la suite.

Première prémisse : le client a des ressources pour résoudre ses problèmes ; aussi doit-il être considéré comme un participant tout au long de la thérapie. Pendant la thérapie, le clinicien a une double responsabilité, soit celle d'aider le client à reconnaître ses ressources et celle de le motiver. Pour ce faire, il doit s'assurer que le client participe à toutes les étapes qui mènent à la solution de son problème, telles la détermination du problème et la définition des objectifs. Dans certains cas, le clinicien aide le client à développer les ressources existantes ou à en acquérir de nouvelles. Ce faisant, non seulement il l'aide à résoudre la difficulté qu'il vit, mais aussi il le rend plus compétent pour affronter d'autres difficultés qu'il ne manquera pas d'éprouver au fil de sa vie.

Deuxième prémisse : en général, il n'est pas indispensable d'en savoir beaucoup sur le problème pour le résoudre, mais il est nécessaire de connaître ce qui se passe quand le problème est absent ou moins présent. Contrairement aux trois autres stratégies de solution de problème que nous avons présentées, la psychothérapie orientée vers les solutions n'intervient pas à partir des causes du problème. Elle reconnaît d'emblée que le changement est permanent, c'est-à-dire qu'à certaines périodes le problème est présent et à d'autres il est absent ou se manifeste de façon moins grave. C'est sur ces exceptions que porte tout particulièrement l'investigation du thérapeute. Lorsque ces exceptions sont connues, l'une des principales stratégies thérapeutiques consiste à aider le client à accroître dans sa vie ces moments d'exception et à les utiliser pour résoudre le problème. Rogers (1986) confirme ces propos dans sa conception du présent relatif. Elle mentionne à ce sujet que, dans la vie, nous expérimentons et percevons des rythmes et des *patterns* : le cycle veille-sommeil, le cycle menstruel, le rythme circulatoire, nerveux ou respiratoire, les périodes d'exercice, de repos et d'alimentation en sont des exemples. Quant aux *patterns*, nous créons et définissons continuellement ce que nous sommes dans nos processus de vie (*patterns of living*), par exemple dans nos choix concernant l'alimentation, les loisirs ou le travail.

Le fait d'envisager les comportements symptomatiques sous l'angle des rythmes est d'une importance particulière en *counseling* et en thérapie. Les symptômes aussi alternent avec des périodes de non-symptômes. Par exemple, une personne qui est aux prises avec une douleur physique vit des périodes de plus grande douleur et d'autres de moins grande douleur. Les facteurs contribuant à ces changements de situations peuvent être précisés et utilisés.

Sur le plan thérapeutique, quand on prête attention aux *patterns* de vie des clients, on peut reconnaître qu'ils sont appris et renforcés par la répétition et que, conséquemment, ils peuvent également être désappris et remplacés par de nouveaux *patterns*. Ainsi, au cours de la thérapie, le client peut apprendre à changer son type d'interaction avec des personnes significatives ou encore modifier certaines façons d'aborder les études ou le travail. Ce processus peut être au cœur même de la manière d'aider des personnes à changer (Tuyn, 1992). Le thérapeute s'intéresse aux problèmes pour lesquels il existe des possibilités de changement. À cette fin, les problèmes sont définis en des termes concrets. On ne traite pas, par exemple, une personnalité limite, mais on peut traiter plusieurs symptômes d'une personne qui présente ce trouble.

Troisième prémisse : un changement mineur invite à des changements plus importants. Selon O'Hanlon et Weiner-Davis (1995, p. 49) :

> Dès qu'un petit changement positif est obtenu, les gens se sentent optimistes et un peu plus confiants pour s'attaquer à d'autres changements. [...] Pour souligner l'importance des petits changements, Erickson utilisait la métaphore de la boule de neige qui dévale une montagne : une fois la boule en mouvement, le thérapeute n'a plus qu'à se tenir à l'écart de son trajet.

Ces auteurs ajoutent plus loin (p. 50) : « On peut dire par ailleurs que le changement a un caractère contagieux : tout changement dans l'une des parties du système entraîne des changements dans d'autres parties de ce système. »

La métaphore de l'« effet papillon » décrit par Konrad Lorenz concernant les changements climatiques peut servir à décrire cette expérience. Cet effet se résume ainsi :

> Un changement minuscule dans les conditions du temps en un certain lieu peut provoquer des changements majeurs ailleurs. Par exemple, un monarque battant des ailes en Californie pourrait à la limite provoquer un blizzard en Mongolie. (Lynch et Kordis, 1994, p. 129.)

Par exemple, à partir de cette prémisse :

> [...] pour établir le contrat thérapeutique, le praticien convient du changement minimal attendu par le client dans cette thérapie. Le changement minimal constitue le but de la thérapie. [...] Il doit être formulé en termes précis, observables et mesurables. (Charest, 1996, p. 55.)

Cette façon de faire favorise la présence de changements rapides et explique en partie la courte durée de la thérapie.

Quatrième prémisse : il n'y a pas une seule manière de percevoir les choses et de leur donner un sens. À ce propos, Rogers (1986) affirme que nous avons différentes visions de la réalité et que nous créons continuellement notre propre réalité, expérience qu'elle qualifie de présent relatif. Autrement dit, chaque personne est le centre de sa conscience avec son expérience unique de l'espace et du temps, ou encore, chacun est une exception (Tuyn, 1992, p. 84).

De même, selon O'Hanlon et Weiner-Davis (1995, p. 56, 58) :

> Quand différentes personnes exposent leur point de vue, au lieu de juger en termes de « vrai » ou « faux », nous partons du principe que la perception de chacun est une représentation tout aussi valable de la réalité, qu'elle en est une partie intégrante. [...] Il est parfois possible de déclencher des changements significatifs en aidant simplement la personne à modifier sa façon de percevoir la situation.

Voyons comment il est possible d'intervenir à partir de ces prémisses en tenant compte d'aspects particuliers à considérer au cours des entretiens et de techniques d'intervention utilisées pendant ceux-ci.

3.4.4 Les principaux aspects à considérer au cours des entretiens

Des différentes caractéristiques de l'entretien que nous avons décrites au chapitre 2, il y en a quatre qui reçoivent une attention particulière dans le contexte des entretiens de psychothérapie orientée vers les solutions. Ce sont la structure de l'entretien, la prise de contact avec le client, le problème et ses exceptions ainsi que les objectifs de la thérapie. Ces aspects doivent être traités avant tout en fonction du caractère unique de chaque client. À ce propos, O'Hanlon et Weiner-Davis (1995, p. 92) mentionnent :

> La montagne va vous « apprendre » comment l'escalader. De même, les clients nous ont appris comment les aider à atteindre leurs objectifs et parfois ils nous ont appris que pour y arriver nous devions suivre une procédure différente de notre procédure habituelle.

En tenant compte de cette remarque, voyons ce qui caractérise chacun de ces aspects pendant le premier entretien.

La structure de l'entretien

La structure de l'entretien utilisée dans le contexte de la psychothérapie orientée vers les solutions est celle de l'entretien formel structuré que nous

TABLEAU 3.5
Les points pertinents d'un plan de traitement efficace

- La présence de buts valorisés par le client et le thérapeute au cours de la première rencontre
- La prise de décisions portant sur le nombre de rencontres et sur leur répartition dans le temps
- La clarification des principaux thèmes ainsi que des principales techniques utilisées au cours de la thérapie
- Le choix des activités à réaliser en dehors des rencontres si cela est jugé nécessaire
- La mise en place de liens avec des ressources communautaires
- Le recours à des ressources complémentaires nécessaires, comme à un psychiatre pour l'évaluation de la pertinence d'une médication
- La mise en place d'interventions face à certains facteurs de risque comme l'abus d'une substance, la létalité ou le potentiel d'agression
- La réalisation, à la fin de chaque rencontre, d'un résumé du travail qui a été effectué afin de renforcer les cibles du changement
- Le choix d'indicateurs permettant au client et au thérapeute d'évaluer les résultats et de décider du moment où la thérapie prendra fin

Source : Adapté de Shires et Tappan (1992, p.18).

avons décrite au chapitre 2. Au sujet de la forme de l'entretien employée dans la thérapie brève, Shires et Tappan (1992) soulignent que le succès ou l'échec du traitement à court terme sont souvent liés à la solidité du plan initial de traitement. Le tableau 3.5 résume les points que ces auteures suggèrent de considérer dans le plan de traitement. Ces différents points devraient faire partie du traitement, compte tenu de la nature de la demande d'aide et des caractéristiques du client.

La prise de contact avec le client

Au cours du premier entretien, le thérapeute a comme principal souci de prendre contact avec le client. Cette prise de contact a un double objectif : créer un lien de confiance avec le client et connaître celui-ci. Ainsi, le thérapeute sera plus en mesure de proposer des solutions qui seront réalistes et qui correspondront aux compétences du client ou à celles que ce dernier peut acquérir sans trop de difficulté. À cet égard, l'échange porte sur les goûts du client, sur ses réalisations, sur son travail, sur ses loisirs et sur ses autres habitudes de vie. Ce premier contact permet aussi de vérifier si cette approche convient aux caractéristiques de ce client. En effet, il se peut que l'état mental du client ne lui permette pas de s'engager suffisamment pour pouvoir répondre aux exigences d'une telle approche psychothérapeutique.

Le problème et ses exceptions

Ce premier contact amorcé, le thérapeute invite le client à parler de la raison pour laquelle il consulte. Déjà, à cette étape du processus, le thérapeute prête attention au langage qu'il utilise. Par exemple, au lieu de demander au client quel est son problème, ce qui signifierait que si le client vient consulter, c'est parce qu'il a nécessairement un problème, il formulera une question plus générale, comme la suivante : « Qu'est-ce qui vous amène à venir me consulter ? » ou encore : « Quel est l'objet de votre démarche ? »

Le client est invité à décrire son problème ou sa difficulté. Contrairement au cas des autres approches psychothérapeutiques, le thérapeute n'explore pas les différentes facettes du problème dans le but d'en connaître l'origine ou la cause. Il essaie avant tout d'en déceler les exceptions, c'est-à-dire les conditions dans lesquelles le problème est absent ou moins intense. De plus, il s'intéresse aux circonstances – qu'il s'agisse des lieux, des moments de la journée ou de la semaine, des personnes présentes ou absentes ou de tout autre élément du contexte – qui semblent avoir une influence sur les variations d'intensité du problème. En fait, comme le dit Webster (1990), sur un plan tactique, le thérapeute interrompra le client dans sa description du problème si cette description ne semble pas favoriser la découverte de solutions. Il lui demandera alors ce qui se produit quand le problème n'est pas présent. Aucune situation n'étant constante, il est possible de repérer les exceptions et d'observer ce qui se passe alors. Cela constitue une partie importante de l'évaluation. À ce propos, O'Hanlon et Weiner-Davis (1995, p. 99) mentionnent :

> [...] les exceptions au problème donnent une quantité formidable d'informations sur ce qui est nécessaire pour le résoudre. On peut dénicher des solutions en examinant les différences entre les moments où le problème se produit et les moments où il ne se produit pas. Les clients ont souvent simplement besoin de faire plus de ce qui marche déjà jusqu'à ce que le problème disparaisse.

Cette exploration porte aussi sur la détermination des circonstances passées où la personne a vécu des problèmes semblables ou d'autres problèmes et sur les moyens qu'elle a utilisés pour les résoudre. Le thérapeute essaie de voir si certains de ces moyens ont été utilisés par le client pour résoudre la difficulté actuelle et, dans la négative, de trouver les raisons pour lesquelles ils n'ont pas été utilisés. De plus, il explore les moyens qui ont été utilisés sans succès pour résoudre le problème actuel et cherche avec le client les raisons de ces échecs.

Dans cette approche de thérapie brève, la thérapie commence dès le premier entretien. Par exemple, la façon d'accueillir le client en lui accordant de la considération, de l'intérêt et une compréhension empathique, de lui reconnaître une certaine compétence pour définir et décrire son problème, et d'en faire un participant dans le choix des buts poursuivis par la thérapie et des moyens de les atteindre peut avoir pour effet d'améliorer son estime de lui-même, de lui redonner de l'espoir et un certain sentiment de maîtrise. Aussi, tous les moments de l'entretien peuvent être utilisés à des fins thérapeutiques. Par exemple, à cette étape du processus, le thérapeute recourt à un vocabulaire qui normalise et « dépathologise » le problème du client. Si le client parle de « dépression », le thérapeute reformulera ce mot en employant par exemple le terme « déprime passagère », laissant entendre par là qu'il y aura dans l'avenir des moments exempts de déprime. Par ailleurs, le thérapeute peut dédramatiser au besoin la situation en parlant, si cela s'applique, de la fréquence de cette problématique chez les gens qui partagent sa condition. De plus, tout en écoutant la description du problème, il peut faire certains commentaires qui auront pour effet d'encourager et de soutenir le client, par exemple en lui disant : « Je suis étonné de constater qu'avec toutes les difficultés que vous avez vécues vous vous en sortiez si bien. »

O'Hanlon et Weiner-Davis (1995, p. 121) résument de la façon suivante les différentes tâches du thérapeute concernant cet aspect de l'intervention :

> Notre objectif au cours de la séance est que nos clients centrent autant que possible leur attention sur les exceptions, les solutions et sur leurs propres compétences. En même temps, nous normalisons constamment leurs expériences, directement ou indirectement. Dans de nombreux cas, la combinaison des techniques [...] occupe la majeure partie de la première séance. Si tout se passe comme prévu, nous procédons ensuite à la définition des objectifs.

Les objectifs de la thérapie

Pour Shazer (1996, p. 135) :

> Les objectifs sont [donc] des descriptions de ce qui sera présent, de ce qui va se passer dans la vie des clients quand la plainte sera absente, quand la douleur qui les a amenés en thérapie sera absente et qu'ils ne décriront donc plus leur vie en termes de problèmes.

Compte tenu de l'importance de ces descriptions, un très grand soin est apporté à leur formulation, à laquelle le client prendra une part active. Dans cette interaction, thérapeute et client agissent comme co-investigateurs pour préciser les objectifs désirés et créer les stratégies nécessaires pour les atteindre (Webster, 1990). Le thérapeute demande au client de décrire dans les moindres détails quels succès seront observés, atttendus et ressentis. Par exemple, si un client se plaint d'une faible estime de soi, le thérapeute et le client décriront en détail comment le client saura quand il aura augmenté son estime de lui-même, comment les autres observeront ce changement et quels seront les premiers signes de changement (Tuyn, 1992).

Selon Shazer (1996, p. 134), ces objectifs devraient:

> [...] se conformer aux caractéristiques générales suivantes:
> 1. de préférence petits que grands;
> 2. identifiables pour les clients;
> 3. décrits en termes de comportements spécifiques et concrets;
> 4. réalisables dans le contexte pratique de la vie du client;
> 5. perçus par les clients comme nécessitant leur « participation active » ;
> 6. décrits comme étant le « début de quelque chose » plutôt que « la fin de quelque chose » ; [une des principales règles dans la définition des objectifs est de démarrer doucement avec des questions comme : « Quel sera le tout premier signe qui montrera que les choses vont dans la bonne direction ? » (O'Hanlon et Weiner-Davis, 1995, p. 121)] ;
> 7. traités comme entraînant de nouveaux comportements plutôt que l'absence ou la cessation de comportements existants.

À ces caractéristiques générales, il est important d'ajouter que ces objectifs doivent être définis au cours de la première rencontre, ou tout au moins des premières rencontres, à la satisfaction du client et du thérapeute. À cette étape de la thérapie, il se peut que certains clients aient de la difficulté à définir leurs objectifs en fonction de changements concrets et observables. Shazer (1985) a imaginé une stratégie afin d'aider ces clients à formuler de façon précise leurs attentes. Il utilise avec eux la « question miracle », accompagnée des sous-questions suivantes : « Supposez qu'une nuit un miracle se produise pendant que vous dormez et que le problème qui vous a mené en thérapie est résolu : comment le sauriez-vous ? Qu'est-ce qui serait différent ? » (Shazer, 1988, p. 5). « Qu'est-ce que vous remarquerez de différent le matin suivant, qui vous dira qu'un miracle s'est produit ? Qu'est-ce que votre conjoint remarquera ? » (Shazer, 1996, p. 135).

Il est important de noter que cette question, en plus d'aider le client à préciser ses attentes quant à des comportements, porte la présupposition selon laquelle les changements décrits surviendront. En effet, pour pouvoir répondre à cette question, le client doit envisager la possibilité d'un changement éventuel (O'Hanlon et Weiner-Davis, 1995 ; Shazer, 1996 ; Tuyn, 1992).

En fonction des objectifs poursuivis, différentes interventions seront proposées au client. Ces dernières tiendront compte à la fois de ses compétences personnelles, de ses forces, de ses préférences, de son réseau de soutien ainsi que des exceptions aux problèmes déjà définis afin de renforcer celles-ci et d'augmenter ses capacités de maîtrise. À cette fin, le client aura certaines tâches à réaliser en dehors des entretiens. L'une d'entre elles peut être utilisée avec différents clients, indépendamment de la nature de la plainte qu'ils présentent. Cette tâche porte le nom de « tâche-formule de la première séance ». Elle peut être présentée ainsi :

« Entre aujourd'hui et le moment de notre prochaine rencontre, j'aimerais que vous prêtiez attention, afin de pouvoir me le décrire la prochaine fois, à tout ce qui arrive dans votre vie (au choix : famille, mariage, relation) et que vous voudriez voir continuer à se produire » (Shazer, 1985, p. 137).

Dans les séances qui suivent, afin de maintenir et d'amplifier le changement, le thérapeute fait le point sur les tâches prescrites au client. À ce sujet, O'Hanlon et Weiner-Davis, 1995, p. 173) mentionnent :

> Notre première question est une question à présupposition dont les termes sont soigneusement pesés : « Ainsi, que s'est-il passé que vous voudriez voir continuer à se produire ? » ou « Qu'avez-vous remarqué que vous faisiez et qui vous donnait plus de confiance en vous ? » ou « Quelles sont les choses valables que vous avez faites cette semaine ? » [...] Comme avec toutes les questions à présupposition, notre première question exprime notre certitude [que les clients] ont effectué leur tâche et que des choses valables se sont produites ; de plus, la question est précise et non pas vague. Plus les questions sont précises et plus elles orientent les clients dans des directions productives.

Tout au long des rencontres, d'autres stratégies et d'autres techniques sont utilisées. Nous décrirons celles que l'on trouve couramment dans les écrits sur le sujet.

3.4.5 Les techniques

Plusieurs auteurs qui ont traité de la psychothérapie orientée vers les solutions reconnaissent que cette approche est liée à l'habileté du thérapeute à créer un lien de confiance et à utiliser de manière judicieuse différentes techniques, dont certaines sont empruntées aux thérapies brèves stratégiques et systémiques, et d'autres, mises au point pour les besoins de cette approche. La combinaison de ces techniques vise des changements dans les perceptions et les comportements. À ce propos, Mason, Breen et Whipple (1994) mentionnent que les techniques les plus utiles dans ce contexte sont celles qui reconnaissent la compétence du client et l'aident à comprendre comment il a trouvé des solutions dans le passé, et celles qui mettent l'accent sur la façon dont il peut découvrir de nouvelles solutions. Certaines techniques, comme celles que nous venons de décrire, sont particulièrement utilisées au cours des premiers entretiens, alors que d'autres le sont tout au long des rencontres. En voici quelques exemples.

La normalisation

La normalisation consiste à recadrer les interprétations pathologiques en vue de faire ressortir leur normalité (Leppanen Montgomery et

Webster, 1994, p. 295). Le thérapeute essaie alors, quand cela s'applique, de dédramatiser certains aspects d'une situation. Par exemple, à un parent qui parle de sa difficulté à se faire obéir par un de ses enfants qui est adolescent, le thérapeute peut dire qu'il s'agit là d'une des caractéristiques de l'adolescent que de refuser d'obéir à ses parents. Lorsqu'il se trouve devant une mère inquiète quant aux soins à donner à son nouveau-né, le thérapeute peut aider celle-ci à reconnaître, s'il s'agit de son premier enfant, que le rôle de mère s'apprend et qu'il est tout à fait normal, voire important, qu'elle se sente incompétente. Ainsi, elle fera plus attention à son enfant et veillera à s'informer si elle en éprouve le besoin.

La synchronisation avec le langage du client

Une deuxième stratégie consiste à harmoniser son langage ou sa gestuelle avec celle du client en reproduisant certains mots clés ou certains gestes significatifs du client afin de favoriser le contact et le rapprochement. Selon O'Hanlon et Weiner-Davis (1995, p. 73) :

> Dans la mesure où le thérapeute accorde son langage à celui de son client, ce dernier est amené à penser que le thérapeute comprend son expérience subjective, qu'il en fait cas et qu'il en reconnaît la valeur. La relation de coopération se construit sur cette croyance ; dès que le client a la sensation d'être compris, on peut souvent le voir se détendre.

Se synchroniser peut prendre plusieurs formes, que décrivent ces auteurs. Ainsi, on peut utiliser certains mots que privilégie le client, au lieu d'employer un vocabulaire technique. Par exemple, avec un client qui utilise couramment le qualificatif « nerveux » pour se décrire, le thérapeute peut reprendre ce mot pour l'inviter à parler de lui ou pour clarifier ses objectifs. Aussi, au lieu de demander au client comment se manifeste sa difficulté, le thérapeute lui demandera : « Comment se manifeste votre nervosité ? » ou « Qu'est-ce que les gens autour de vous observent quand vous êtes nerveux ? » ou « Quand vous irez mieux, qu'est-ce qui vous permettra de dire que vous n'êtes plus nerveux ? »

Toujours selon O'Hanlon et Weiner-Davis (1995, p. 76), « une autre façon de refléter le langage du client, de s'harmoniser avec lui, consiste à reprendre ses métaphores ». Par exemple, avec un client, nous reprendrons sa métaphore « avoir le vent dans les voiles » pour parler de sa motivation et de ses intérêts. De plus, nous pouvons utiliser comme métaphore des mots qui ont un lien avec son travail ou avec certains de ses loisirs. Ainsi, avec un client qui aime les voitures, on peut employer l'expression « manquer d'essence » pour qualifier un manque d'énergie. S'ajoutent à ces exemples des moyens de synchronisation comme ceux que nous avons décrits dans le volume 1 (Chalifour, 1999). Ces moyens portent notamment sur la gestuelle et sur les modes sensoriels dominants du client, soit les modes visuel, auditif ou kinesthésique.

La reconnaissance des forces du client

Le thérapeute assiste activement le client dans l'accession à ses ressources et lui adresse des félicitations sincères quand il rapporte ses succès, grands ou petits (Webster, 1990). À cette fin, l'intervention la plus utilisée est celle qui reconnaît les forces du client. On peut manifester cette reconnaissance en complimentant le client pour une tâche simple qu'il a réalisée. Des compliments comme : « Je suis impressionné par votre... » ou « Je suis étonné par votre habileté à... », ou des questions comme : « Comment saviez-vous que c'était la bonne action à faire ? » ou « Comment avez-vous procédé pour gérer cette situation ? » sont des exemples de cette technique (Mason, Breen et Whipple, 1994). Une autre façon de découvrir les forces du client consiste à explorer avec lui la manière dont il a résolu dans le passé un problème semblable à celui qui est abordé dans la thérapie, et les moyens qu'il pourrait utiliser dans la situation actuelle pour favoriser le changement désiré (Tuyn, 1992).

Le recadrage

Charest (1996, p. 55) définit le recadrage de la façon suivante :

> Recadrer signifie fournir une explication verbale qui change le sens conceptuel et émotionnel d'une situation particulière, tout en étant compatible avec le cadre de référence (ou le langage) du client. Les parents de l'adolescent « schizophrène » abusant de leur dévouement refuseront probablement de répondre à la suggestion du thérapeute d'appliquer une discipline sévère. Par contre, ils pourraient accepter plus facilement de baliser le comportement abusif de leur adolescent si la formulation de la suggestion cadre avec leur vision des choses : « Votre enfant a besoin de votre aide pour structurer sa vie actuellement très désorganisée ». Cette suggestion correspond au cadre de référence de parents tout dévoués à leur enfant.

Les caractéristiques et le contexte du client concernant ses symptômes et ses plaintes peuvent aussi être utilisés comme des moyens possibles pour trouver des solutions. Dans ce sens, le fait d'être sans abri peut être redéfini comme une indication de force. En effet, pour vivre dans ces conditions, la personne doit posséder une variété d'habiletés. La reconnaissance de ces habiletés est susceptible d'accroître l'estime du client et de créer un sentiment d'accomplissement au regard de sa survie (Mason, Breen et Whipple, 1994).

Les interventions sur les patterns

Les interventions sur les *patterns* consistent à trouver des *patterns* positifs, à en établir de nouveaux et à interrompre ceux qui nuisent à la réalisation des buts du client. Dans ce cas, le thérapeute prescrit une intervention qui rend plus difficile le maintien du symptôme. Par exemple, Haley (cité dans Tuyn, 1992) propose au client qui se suralimente avec des aliments gras de continuer à manger autant de beignets qu'il le désire en prenant soin cependant, avant de le faire, de manger chaque fois cinq branches de céleri.

Le paradoxe

Le paradoxe consiste à « prescrire » le symptôme, ce qui suggère qu'en agissant sur le symptôme la personne a le sentiment de le maîtriser (Leppanen Montgomery et Webster, 1994). Watzlawick, Weakland et Fisch (1975) fournissent de nombreux exemples de cette stratégie.

Au cours de notre pratique, une cliente qui avait des pensées négatives a été invitée à se donner chaque jour un moment précis pour s'entretenir avec ces idées parasites. En tout autre temps, elle devait refuser carrément d'y prêter attention.

Une autre cliente qui, à la suite du décès de l'un de ses frères, avait vu sa mère en larmes s'agripper au cercueil et refuser de s'en éloigner, était habitée par cette vision à de très nombreuses reprises au cours de la journée et même dans ses rêves. Le thérapeute et la cliente ont convenu qu'elle prendrait trente minutes chaque soir pour repenser à cette scène et en parler à des amis. En d'autre temps, elle devait chasser cette image de son esprit en se disant que le soir elle y accorderait l'attention nécessaire. Peu après, cette image s'est estompée.

Dans le contexte d'une vision existentielle-humaniste de l'intervention, cette stratégie thérapeutique prendra tout son sens et aura les effets désirés si le thérapeute veille à créer une relation de confiance avec le client et se préoccupe continuellement du client en s'assurant que cette technique lui convient et appuie le processus de changement.

Résumé

Dans ce chapitre, nous nous sommes intéressés à la démarche de solution de problème, que nous avons appliquée à trois types d'interventions psychothérapeutiques dans un contexte de courte durée. Cette stratégie est particulièrement utile aux clients qui ont du mal à gérer cetains comportements ou certains symptômes ou à s'adapter à des situations auxquelles ils font face. En prenant appui sur la conception de la personne que nous avons décrite dans le volume 1 (Chalifour, 1999) et sur les assises de l'intervention psychothérapeutique présentées dans ce livre-ci, le thérapeute s'assurera que son intervention portera à la fois sur le problème à résoudre et sur la personne aux prises avec ce problème. Ce faisant, il obtiendra une plus grande participation du client et, du même coup, accroîtra les chances que les solutions choisies soient efficaces.

Bibliographie

American Psychiatric Association (1996). *DSM IV. Manuel diagnostique et statistique des troubles mentaux* (trad. : J.-D. Guelfi et coll.), Paris, Masson.

ANA (1991). *Standards of Clinical Nursing Practice*, Kansas City, American Nurses' Association.

Bell, R., Lemieux, M. et Miller, F. (1985). *Comment rédiger vos objectifs spécifiques. Guide technique*, Québec, Les Presses de l'Université Laval.

Brammer, L. (1979). *The Helping Relationship Process and Skills*, Englewood Cliffs, N.J., Prentice Hall.

Carpenito, L.J. (1995). *Diagnostics infirmiers : applications cliniques*, 5e éd. (trad. : M. Lefebvre), Montréal, Éditions du Renouveau Pédagogique.

Chalifour, J. (1999). *L'intervention thérapeutique*, vol. 1 : *Les fondements existentiels-humanistes de la relation d'aide*, Boucherville, Gaëtan Morin Éditeur.

Charest, J. (1996). « Thérapie stratégique : fondements, techniques et applications cliniques », *Revue québécoise de psychologie*, vol. 17, nº 3, p. 43-82.

Cusson, Y. (1996). « La psychanalyse et l'urgence », dans P. Doucet et W. Reid, *La psychothérapie psychanalytique. Une diversité de champs cliniques*, Boucherville, Gaëtan Morin Éditeur, p. 543-556.

Dolan, Y. (1985). *A Path with a Heart. Ericksonian Utilization with Resistant and Chronic Clients*, New York, Bruner/Mazel.

D'Zurilla, T.J. et Goldfried, M.R. (1971). « Problem solving and behavior modification », *Journal of Abnormal Psychology*, vol. 78, nº 1, p. 107-126.

Egan, G. (1987). *Communication dans la relation d'aide*, Montréal, Éditions du Renouveau Pédagogique.

Équipe régionale d'implantation PSI en santé mentale, région 03 (1996). *PSI santé mentale. Guide pratique*, Québec, Régie régionale de la santé et des services sociaux.

FAWCETT, J. (1993). *Analysis and Evaluation of Nursing Theories*, Philadelphie, F.A. Davis Company.

FAWCETT, J. (1995). *Analysis and Evaluation of Conceptual Models of Nursing*, Philadelphie, F.A. Davis Company.

GASSE, J.-M. et GUAY, L. (1994). *Des modèles conceptuels en soins infirmiers*, Cap-Rouge, Presses Inter Universitaires.

GORDON, M. (1987). *Nursing Diagnosis : Process and Application*, 2e éd., New York, McGraw-Hill.

HAWTON, K. et KIRK, J. (1989). « Problem-solving », dans K. Hawton, P. Salkovskis, J. Kirk et D.M. Clark, *Cognitive Behaviour Therapy for Psychiatric Problems. A Practical Guide*, New York, Oxford University Press, p. 406-426.

HOFFMAN, L. (1990). « Constructing realities : an art of lenses », *Family Process*, vol. 29, no 11, p. 1-12.

HUTTON, A. et PARKINSON, A.R. (1993). « The nursing process in psychiatric nursing », dans R.P. Rawlins, S.R. Williams et C.K. Beck, *Mental Health Psychiatric Nursing : A Holistic Life-Cycle Approach*, Toronto, Mosby Year Book, p. 134-165.

KÉROUAC, S., PÉPIN, J., DUCHARME, F., DUQUETTE, A. et MAJOR, F. (1994). *La pensée infirmière*, Laval, Éditions Études Vivantes.

LAMARRE, J. et GRÉGOIRE, A. (1995). *Activités de formation 1995-1996*, document du Centre de psychothérapie stratégique.

LEPPANEN MONTGOMERY, C. et WEBSTER, D. (1994). « Caring, curing, and brief therapy : a model of nurse-psychotherapy », *Archives of Psychiatric Nursing*, vol. VIII, no 5, octobre, p. 291-297.

LYNCH, D. et KORDIS, P.L. (1994). *La stratégie du dauphin : les idées gagnantes du 21e siècle*, Montréal, Éditions de l'Homme.

MASON, W.H., BREEN, Y. et WHIPPLE, W.R. (1994). « Solution-focused therapy and inpatient psychiatric nursing », *Journal of Psychosocial Nursing*, vol. 32, no 10, p. 46-49.

NEWMAN, M. (1986). *Health as Expanding Consciousness*, St. Louis, Mosby.

O'HANLON, W.H. et WEINER-DAVIS, M. (1995). *L'orientation vers les solutions*, Bruxelles, Éditions SATAS.

PARSE, R.R. (1981). *Man Living, Health : A Theory of Nursing*, Philadelphie, Saunders.

POUPART, R. (1973). « La participation et le changement planifié », dans R. Tessier, *Changement planifié et développement des organisations*, Paris, Collection Épi.

RAWLINS, R.P., WILLIAMS, S.R. et BECK, C.K. (1993). *Mental Health Psychiatric Nursing : A Holistic Life-Cycle Approach*, 3e éd., Boston, Mosby Year Book.

RÉGIE RÉGIONALE DE LA SANTÉ ET DES SERVICES SOCIAUX DE MONTRÉAL-CENTRE (1994). *Plan d'intervention et d'allocation de services, programme de services à domicile*.

ROGERS, M. (1986). « Science of unitary human being », dans V. Malinski (sous la dir. de), *Explorations on Martha Rogers' Science of Unitary Human Beings*, Norwalk, Conn., Appleton-Century-Crofts.

SHAZER, S. DE (1985). *Keys to Solution in Brief Therapy*, New York, Norton.

SHAZER, S. DE (1988). *Clues : Investigating Solutions in Brief Therapy*, New York, Norton.

SHAZER, S. DE (1996). *Différence, changement et thérapie brève*, Bruxelles, Éditions SATAS.

SHIRES, B. et TAPPAN, T. (1992). « The nurse specialist as brief psychotherapist », *Perspective in Psychiatric Care*, vol. 28, no 4, octobre-décembre, p. 15-18.

ST-ARNAUD, Y. (1993). « Guide méthodologique pour conceptualiser un modèle d'intervention », dans F. Serre, *Recherche, formation et pratiques en éducation des adultes*, Sherbrooke, Éditions du C.R.P., Université de Sherbrooke, Faculté d'éducation, p. 237-282.

STUART, G.W. (1995). « Implementing the nursing process : standards of care », dans G.W. Stuart et S.J. Sundeen, *Principles & Practice of Psychiatric Nursing*, 5e éd., Toronto, Mosby, p. 199-233.

TOWNSEND, M.C. (1997). *Nursing Diagnosis in Psychiatric Nursing : A Pocket Guide for Care Plan Construction*, 4e éd., Philadelphie, F.A. Davis Company.

TUYN, L.K. (1992). « Solution-oriented therapy and rogerian nursing science : an integrated approach », *Archives of Psychiatric Nursing*, vol. VI, no 2, avril, p. 83-89.

WATSON, J. (1985). *Nursing : Human Science and Health Care*, Norwalk, Conn., Appleton-Century-Crofts.

WATSON, J. (1988). *Nursing : Human Science and Human Care – A Theory of Nursing*, New York, National League of Nursing.

WATZLAWICK, P. (1978). *La réalité de la réalité*, Paris, Seuil.

WATZLAWICK, P., WEAKLAND, J. et FISCH, R. (1975). *Changements, paradoxes et psychothérapie*, Paris, Seuil.

WEBSTER, D.C. (1990). « Solution-focused approaches in psychiatric/mental health nursing », *Perspectives in Psychiatric Care*, vol. 26, no 4, p. 17-21.

CHAPITRE 4

L'intervention en situation de crise

Comme nous l'avons souligné dans le volume 1 (Chalifour, 1999), selon une vision humaniste, la personne est perçue comme un organisme ayant des caractéristiques biologiques, émotives, intellectuelles, sociales et spirituelles en interaction constante avec l'environnement avec lequel elle partage information et énergie. Cette personne en développement est unique à cause de son hérédité et de ses expériences de vie. Sa motivation première réside dans sa tendance à l'actualisation de toutes ses caractéristiques. Le besoin de considération constitue aussi une motivation profonde.

Le fonctionnement de la personne est guidé par certains processus, dont ceux qui sont liés aux sensations, aux perceptions, aux pensées, aux émotions et aux besoins. Au cours de sa vie, elle fait face continuellement à des limites personnelles (réelles ou imaginées) et à des obstacles plus ou moins importants provenant de l'environnement, qui nuisent à la satisfaction de ses besoins quotidiens ou qui, au contraire, l'invitent au dépassement. Si ces obstacles l'empêchent de satisfaire certains besoins, d'atteindre certains idéaux ou menacent certaines valeurs qu'elle juge importantes, voire essentielles, elle mobilisera alors une grande partie de ses énergies pour les surmonter. Si elle parvient à trouver en elle ou dans son environnement les ressources nécessaires pour composer avec ces obstacles, elle pourra apprendre de ces expériences et ainsi continuer à se développer selon ses caractéristiques propres.

Chaque personne, au cours de son existence, élabore un ensemble plus ou moins varié de stratégies d'adaptation pour faire face à de telles situations. Sur le plan intrapersonnel, la personne possède certains moyens de se soutenir. Par exemple, l'utilisation de ses sens lui permet d'avoir une perception relativement juste de l'environnement qui l'entoure et l'aide à choisir les comportements moteurs et verbaux adaptés à la fois à ses besoins et aux exigences de cet environnement. Sur le plan physiologique, la personne utilise sa respiration pour autoréguler certaines fonctions physiologiques dans des moments de stress. Sur le plan cognitif, elle fait appel à son jugement et à sa mémoire pour composer avec la situation présente. Quand son intégrité physique ou psychique est menacée, elle puise dans la confiance qu'elle a en ses ressources et dans l'estime qu'elle a d'elle-même pour se sécuriser et s'interroger sur la meilleure façon de se comporter dans les circonstances. Sur le plan social, la personne utilise avec discernement son réseau de soutien. Enfin, sur le plan spirituel, elle peut prendre appui sur certaines croyances et valeurs qui lui permettront de mieux passer à travers les épreuves. Certaines expériences, malgré la souffrance qu'elles comportent, peuvent donc devenir une source de défis, d'apprentissage et de croissance si la personne parvient à utiliser avec compétence ces différentes ressources.

Cependant, si la personne ne parvient pas à trouver en elle et dans l'environnement les ressources qui lui permettront de faire face à la réalité qui l'afflige, elle vivra une période de désorganisation plus ou moins importante selon la nature du stimulus stresseur, selon la perception qu'elle en a et la signification qu'elle lui accorde, et selon les effets du stress sur elle. C'est alors que la crise peut survenir. Compte tenu de l'ampleur de la désorganisation et du contexte dans lequel elle se produit, la personne qui se sent démunie peut s'adresser à un professionnel de la santé pour recevoir de l'aide. Généralement, l'aide offerte sera de courte durée. De plus, elle portera en priorité sur l'expérience en cours, le but premier étant d'aider la personne à composer avec cette expérience et à retrouver l'état mental précédant l'état de stress qui est vécu. Bien entendu, la tâche de l'intervenant n'est pas de se substituer aux propres ressources de la personne et à son réseau de soutien, mais de lui en faciliter l'accès en apportant le soutien environnemental et thérapeutique nécessaire et, parfois, de suppléer temporairement aux ressources manquantes. Dans certains cas, au cours de l'intervention, le client et le thérapeute reconnaîtront que cette expérience de crise est en fait la manifestation d'un trouble psychique plus grave qui requiert une psychothérapie de fond d'une plus longue durée. La crise résolue, ils pourront alors convenir de poursuivre ou non la thérapie.

Ces conditions que nous venons de décrire sont présentes avec plus ou moins d'intensité dans différents contextes de pratique professionnelle. Dans certaines situations, l'objet de la consultation porte directement sur un état de crise. Par exemple, une personne consulte à la suite d'une rupture amoureuse, d'un décès ou d'un problème d'adaptation au travail, qui occasionne chez elle une détresse qu'elle ne se sent pas en mesure de gérer. Dans d'autres situations, l'objet premier de la consultation est un problème de santé physique ou mentale. Au cours de l'intervention concernant ce problème, le client est susceptible de vivre des moments de crise. Dans ce cas, il est important de distinguer la crise du problème de santé et de traiter l'une et l'autre séparément. En effet, comme le souligne Rapoport (1974, p. 24) :

> L'état de crise n'est pas une maladie, même si la personne peut souffrir de symptômes temporaires ou chroniques ou de comportements pathologiques quand elle est dans cet état. Ces deux conditions doivent être évaluées séparément. Par exemple, en réponse à un événement menaçant – le décès d'une personne aimée –, une personne pourra présenter une réaction dépressive, qui peut être vue comme un processus normal de deuil. Ce type de dépression doit être différencié d'un syndrome clinique dans lequel le patient présente un degré pathologique de dépression comme symptôme principal. [....] Le trouble dépressif peut être ou non une réaction à un événement de menace.

Le diagnostic d'une maladie chronique, de troubles dégénératifs, d'une incapacité fonctionnelle permanente, l'annonce d'une mort intra-utérine, etc., sont quelques exemples de situations qui peuvent occasionner une expérience de crise pour les personnes touchées et souvent pour les membres de leur famille. Dans de nombreux cas, les manifestations de cette désorganisation psychique ne sont pas apparentes et peuvent échapper à l'attention de l'intervenant. Celui-ci doit alors s'interroger sur la présence possible d'un état de crise chaque fois qu'il se trouve devant des comportements inattendus et exacerbés de la part du client ou de sa famille, qu'il s'agisse de comportements d'opposition, d'agression ou d'indifférence. Ces comportements sont souvent des indicateurs de la présence d'un état de crise.

Si ces expériences de crise sont ignorées, elles auront des répercussions directes sur la qualité des services offerts et sur l'issue de la maladie. En effet, de nombreux exemples de manque de fidélité de clients à la médication prescrite ou aux changements d'habitudes de vie proposés par les professionnels sont attribuables au déni par les clients de la maladie dont ils souffrent, ou au déni de son importance, ou encore à leur refus d'accepter les limites que cette maladie engendre pour eux.

Pour illustrer ce propos, imaginons un cadre supérieur dans une entreprise en pleine expansion, âgé de 48 ans, qui a été hospitalisé pour un premier infarctus. Dès que la douleur physique s'est atténuée, il a commencé à plaisanter sur son état, ridiculisant les conseils des intervenants et refusant même d'en tenir compte. Il insistait pour faire des appels concernant son travail. Il déclarait qu'à sa sortie de l'hôpital la première chose qu'il ferait serait de fumer un bon cigare et de boire un scotch à la santé du personnel. Connaissant la gravité de son état, le personnel infirmier était à la fois étonné, irrité et très mal à l'aise face à ces propos. L'état du client s'étant légèrement amélioré dans les jours qui ont suivi, il pouvait quitter l'unité de soins et retourner chez lui. Avant son départ, une infirmière l'a renseigné sur les modalités de la prise de sa médication et lui a donné les conseils d'usage sur les modifications à apporter à ses habitudes de vie. Le client écoutait distraitement ces informations en continuant à plaisanter. Il a fait de même avec la diététicienne qui le renseignait au sujet de son alimentation. En dépit de la qualité des services offerts, le personnel était convaincu que ce client, comme d'autres clients hospitalisés précédemment à l'unité de soins qui avaient eu le même type de comportements et d'attitudes, ne respecterait pas la médication prescrite, ne se conformerait pas aux enseignements donnés et que, de plus, il y avait de fortes probabilités qu'il revienne sous peu pour des douleurs précordiales ou, pire encore, pour un nouvel infarctus du myocarde. En somme, dans cet exemple, malgré la qualité des traitements et des soins dispensés, l'expérience de crise vécue par ce client n'a pas été explorée. Les lecteurs ont sans doute à l'esprit certains exemples de clients qui, au cours de leurs traitements, ont adopté de tels comportements.

Dans les pages qui suivent, nous tenterons de mieux comprendre en quoi consiste la crise et verrons comment il est possible d'intervenir auprès des personnes ou des familles qui sont aux prises avec une telle expérience. Pour ce faire, nous ferons la synthèse des écrits consultés et illustrerons notre propos à l'aide de quelques exemples cliniques[1]. Après avoir présenté quelques définitions de la crise, nous décrirons ses principales manifestations ainsi que les conditions internes et externes qui peuvent l'occasionner. Par la suite, en fonction des buts et des objectifs poursuivis par l'intervention en situation de crise, nous examinerons une stratégie générale d'intervention qui résume la pensée de plusieurs auteurs sur ce sujet.

4.1 QUELQUES DÉFINITIONS DE LA CRISE

Afin d'avoir une bonne compréhension de ce qui caractérise la crise vécue par un client que l'on rencontre en clinique, nous présenterons le point de vue de plusieurs auteurs qui décrivent ce concept sous différents angles.

Onis (1990, p. 43) souligne que le concept de crise est difficile à définir. Cette difficulté est liée, dit-il, à son étymologie. En effet, le mot « crise »

1. Tout en reconnaissant que le deuil peut à l'occasion être vécu par certaines personnes comme une expérience de crise, nous avons choisi d'aborder ce sujet dans le prochain chapitre, car le travail de deuil ne se prête pas à une démarche qui s'inspire de la démarche de solution de problème, contrairement à d'autres expériences de crise. De plus, le fait de traiter du travail de deuil dans ce chapitre-ci nous obligerait à apporter de nombreuses nuances qui alourdiraient considérablement le texte.

vient du grec *krino*, qui signifie « je juge », « je choisis ». Ce mot comporte donc l'idée de choix entre différentes perspectives et possibilités. Cette définition apporte une première explication de la signification duelle attribuée à la crise : l'une négative, où la crise est perçue comme une destruction pathologique d'un équilibre préexistant, comme une déviation dangereuse d'un état connu de normalité ; l'autre positive, où la crise est perçue comme la douleur face à quelque chose, et parfois le besoin obscur de croître, de tendre vers un plus grand équilibre.

Comme cette description le laisse entendre, la crise n'est pas la situation traumatisante elle-même (par exemple être agressé), mais plutôt la perception d'une situation donnée et la réponse d'une personne à cette situation (Parad, 1971, p. 197). Cette distinction est semblable à celle qui est faite entre le stimulus stresseur, qui correspond à l'agent responsable de l'état de stress, et le stress, qui est la réaction subjective de la personne à ce stimulus. Aussi la crise est-elle une expérience subjective.

Voyons en quoi la crise est intimement liée à la vie de chaque personne et, dans ce sens, comment elle a un caractère de normalité. À ce sujet, Chanel (1992, p. 93) mentionne :

> À chaque instant de notre vie s'établit implicitement un équilibre dynamique entre les situations auxquelles nous sommes confrontés et les moyens dont nous disposons pour y faire face. Une crise est une rupture temporaire, et souvent brusque, de cet équilibre. Elle est déclenchée par un événement extérieur qui trouve une résonance subjective particulière chez une personne en fonction de son histoire, de ses forces et de ses limites. Il s'agit d'un processus normal, indispensable au développement et pouvant permettre l'accession à des états d'équilibre plus stables intégrant de nouveaux éléments de notre personnalité. Cependant, la nature et l'intensité d'une crise sont variables. Un trop grand déséquilibre peut conduire à la paralysie de ressources et de capacités d'adaptation qui avaient pourtant déjà été actualisées par le passé. Cette paralysie se produit précisément au moment où la personne aurait le plus besoin de ses moyens. Elle se trouve alors en proie à une anxiété et à une souffrance parfois intolérables et elle a un urgent besoin de soutien.

Cette description nous rappelle non seulement le caractère normal de cette expérience dont l'intensité peut être très variable, mais aussi son importance dans le développement et l'évolution de la personne. Dans le même ordre d'idées, Golan (1978, p. 8) souligne qu'un état de crise « n'est ni une maladie ou une expérience pathologique ; elle reflète au contraire une bataille dans la vie courante de la personne ». Elle ajoute un peu plus loin que les situations de crise peuvent se produire épisodiquement pendant « la vie normale des personnes, des familles, des groupes, des communautés et des nations », et elles sont souvent déclenchées par un événement imprévu. Ce peut être un événement catastrophique ou une succession d'événements stressants ayant un effet cumulatif.

De son côté, Rapoport (1974, p. 24), tout en reconnaissant le caractère normal d'une telle expérience, en attribue les causes à un manque d'habileté de la personne en crise à utiliser ses mécanismes de maîtrise, notamment de solution de problème, au regard des réactions émotives que la crise peut engendrer. Pendant toute la vie, dit-elle, plusieurs situations provoquent des ruptures soudaines de l'équilibre homéostatique. Pour répondre à plusieurs de ces situations, la personne possède des mécanismes adéquats d'adaptation ou de rééquilibrage. Cependant, en état de crise, les stratégies de solution de problème habituelles ne s'avèrent pas adéquates ; elles ne parviennent pas à rétablir rapidement l'état d'équilibre perdu. L'événement imprévu requiert une solution qui est nouvelle pour la personne. Certaines personnes sont capables de mettre au point de nouvelles solutions en faisant appel à un nombre varié de solutions utilisées par le passé qui leur permettront de composer adéquatement avec l'événement imprévu. D'autres sont incapables de trouver une solution appropriée. L'événement imprévu et ses conséquences continuent alors à être une source de stress.

Là-dessus, Rapoport (1974, p. 25) résume ses propos de la façon suivante :

> Il y a trois facteurs interreliés qui peuvent produire un état de crise :
>
> 1) un événement imprévu qui a un caractère menaçant ;
>
> 2) une menace à un besoin instinctuel qui, symboliquement, est reliée à des menaces vécues antérieurement qui ont provoqué une certaine vulnérabilité ;
>
> 3) une inhabileté de la personne à fournir une réponse adéquate en utilisant les mécanismes de maîtrise appropriés.

Dans le même ordre d'idées, pour Bard et Ellison (1974, p. 68), la crise est « une réaction subjective à une expérience stressante, laquelle affecte la stabilité de l'individu, de sorte que son habileté à gérer cette expérience et à fonctionner peut être sérieusement compromise ». À ce sujet, Golan (1978, p. 8) souligne :

> L'impact de cet événement imprévu perturbe l'équilibre homéostatique de la personne et la place dans un état de vulnérabilité. Si le problème perdure et ne peut être résolu, évité ou redéfini, la tension s'accroît jusqu'à un point culminant et un facteur précipitant peut alors en constituer le point tournant, au cours duquel les modes habituels de maîtrise ne fonctionnent plus et la personne entre dans un état de déséquilibre – une crise active.

Roberts (1990, p. 9) présente la description suivante de la personne en crise :

> Il y a un consensus entre les travailleurs sociaux et les psychologues cliniciens selon lequel les aspects suivants sont caractéristiques de la personne en crise :

1. La perception d'un événement précipitant significatif et menaçant;
2. Qui semble insurmontable par ses mécanismes habituels de maîtrise;
3. Le sentiment d'un accroissement de la peur, de la tension et de la confusion;
4. La présence d'un niveau élevé d'inconfort;
5. Qui se manifeste rapidement par un état de crise, de déséquilibre.

Fondamentalement, les auteurs précités semblent s'entendre sur la nature de la crise et sur ses manifestations. Plusieurs d'entre eux ont été influencés par la définition que Caplan (1961, p. 18) donne de la crise. Aussi, en guise de synthèse des différentes définitions présentées, nous avons retenu cette définition. Pour cet auteur:

> **Un état de crise se produit quand une personne fait face à un obstacle à un des buts importants de sa vie qui, pour un certain temps, est insurmontable par l'utilisation des méthodes habituelles de solution de problème. Une période de désorganisation s'ensuit, période d'inconfort durant laquelle différentes tentatives de solution sont utilisées en vain. Éventuellement, une certaine forme d'adaptation se produit, qui peut ou peut ne pas être dans le meilleur intérêt de la personne et de ses proches.**

Ces quelques définitions nous permettent de distinguer la crise d'autres difficultés psychologiques observées en milieu clinique, notamment des troubles de la personnalité et de certaines pathologies courantes. Il est important de souligner que les personnes atteintes de ces pathologies ont une plus grande vulnérabilité psychique, qui les prédispose davantage à vivre des moments de crise.

4.2 L'ÉVOLUTION DE LA CRISE

Plusieurs observations menées auprès de personnes en situation de crise permettent de constater que la crise dure habituellement de une à six semaines. Après cette période, ou bien elle est résolue, ou bien elle entre dans un processus de chronicité, l'organisme ne pouvant plus mobiliser autant d'énergie pour tenter de la résoudre. Dans ce cas, la personne met en veilleuse cette expérience en tentant, avec plus ou moins de succès, de l'oublier et d'éviter les situations qui en font le triste rappel. Dans l'évolution de la crise, il est possible de reconnaître différentes étapes. Nous en présenterons quelques exemples. Dans le chapitre suivant, nous décrirons aussi quelques exemples de ces étapes, mais davantage en fonction du deuil.

Rapoport (1974, p. 28) mentionne que, lors d'un séminaire, Caplan a décrit de la façon suivante les étapes du développement de la crise. À la première étape, il y a un accroissement de la tension en réponse à l'impact initial du stress. Pendant cette période, les mécanismes habituels de solution de problème sont activés. Si ce premier effort échoue, il y aura, à l'étape suivante, une augmentation de la tension accompagnée d'un sentiment accru de malaise et d'inefficacité. Cet état peut faire appel aux mécanismes d'urgence de solution de problème. Trois choses peuvent alors se produire : 1) le problème peut être résolu ; 2) le problème peut être redéfini en vue de répondre de façon satisfaisante aux besoins de la personne ; 3) le problème peut être mis de côté par la personne, qui renonce à ses buts ou à la satisfaction de ses besoins. Si le problème ne peut être résolu de l'une de ces manières, un état de désorganisation majeure peut s'ensuivre.

Toujours selon Rapoport, cet état de désorganisation peut se manifester par un état de tension très élevée, un sentiment d'impuissance et un état de confusion. Alors, la personne ne sait plus comment penser à son problème, comment évaluer la réalité, comment formuler ses attentes et reconnaître les possibilités de solution. Dans une situation extrême, elle peut éprouver de la confusion sur le plan perceptuel par rapport au temps et à l'espace. Elle peut être désorganisée et en difficulté de fonctionnement. La personne accomplit alors des gestes pour réduire sa tension plutôt que de résoudre le problème. L'état de tension peut devenir en lui-même un problème. En effet, cette tension peut prendre la forme d'anxiété, se convertir en symptômes somatiques ou être niée au moyen de la répression.

Afin de bien saisir l'évolution qui marque les différents moments de la crise, voici comment Horowitz (1976) en fait l'illustration (voir la figure 4.1). Cet auteur souligne qu'au cours de la crise il est possible de reconnaître quatre étapes de réponse aux stresseurs. Cependant, les personnes réagiront différemment à chacune de ces étapes selon qu'elles sont introverties ou extraverties. Dans le second cas, les étapes se franchissent plus rapidement. Ces quatre étapes sont les suivantes :

- l'étape de la surprise ou du choc initial ;
- l'étape du déni, qui suit généralement de très près l'étape de la surprise ;
- l'étape de l'intrusion, au cours de laquelle la personne revit l'événement traumatique sous des formes variées telles que les rêves, les cauchemars, les souvenirs qui apparaissent spontanément ou qui sont stimulés par des objets ou des personnes rappelant l'événement traumatique ;
- l'étape de la perlaboration, au cours de laquelle il y a une assimilation cognitive, affective et physiologique de l'expérience.

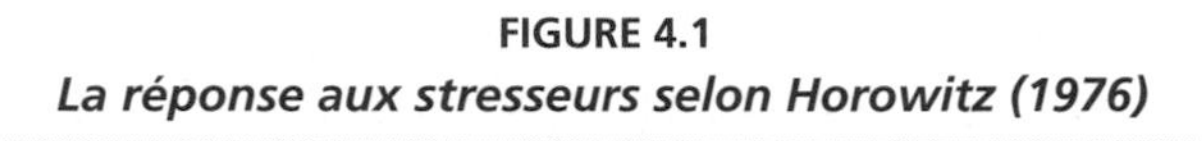

FIGURE 4.1
La réponse aux stresseurs selon Horowitz (1976)

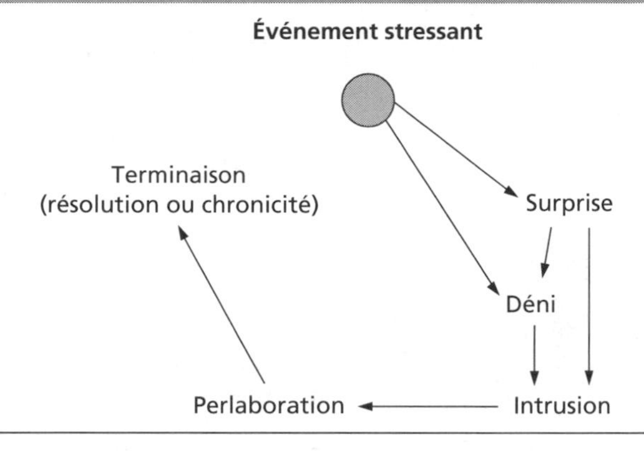

Le déséquilibre, qui est caractérisé par la présence d'émotions confuses, de plaintes somatiques, de comportements inconséquents et d'idées troubles, est réduit considérablement dans les six premières semaines de l'intervention. Le malaise émotionnel grave vécu par la personne en crise mobilise ses énergies afin qu'elle puisse réduire cet état de tension. C'est dans ce sens que l'équilibre est restauré et que la désorganisation est limitée dans le temps. Dans ce cas, les actions de la personne en crise ne sont plus dirigées vers la résolution de la crise, mais vers un objectif secondaire qui est d'atténuer le malaise et la souffrance. Cependant, plusieurs auteurs soulignent que la résolution de la crise peut prendre plusieurs semaines, voire plusieurs mois. En effet, comme le souligne Roberts (1990), il est important de faire la distinction entre la **restauration de l'équilibre** et la **résolution de la crise**.

L'illustration des périodes de la crise présentée par Parad et Resnick (1975) permet de comprendre davantage cette distinction (voir la figure 4.2). Ces auteurs proposent trois périodes de la crise, soit une période de précrise, au cours de laquelle une personne présentait un certain niveau de fonctionnement, une période de crise, au cours de laquelle son fonctionnement habituel est perturbé et réduit, et une période de postcrise. Au regard de cette dernière période, l'équilibre peut être restauré, mais à un niveau moindre de fonctionnement qu'avant cette expérience de crise. Dans ce cas, la personne sort diminuée de la crise, se sentant moins en mesure de faire face aux difficultés de la vie courante qu'elle ne l'était avant la crise. Elle peut aussi, si elle possède certains mécanismes de maîtrise ou si elle a reçu un soutien approprié, sortir d'une telle expérience sans avoir subi de perte apparente et sans nécessairement avoir appris sur elle-même ni avoir acquis de nouvelles habiletés de maîtrise. Elle fonctionnera alors avec les mêmes compétences que celles qu'elle possédait avant

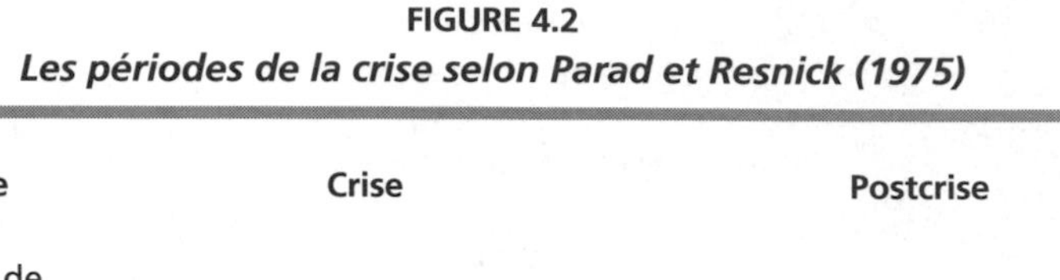

FIGURE 4.2
Les périodes de la crise selon Parad et Resnick (1975)

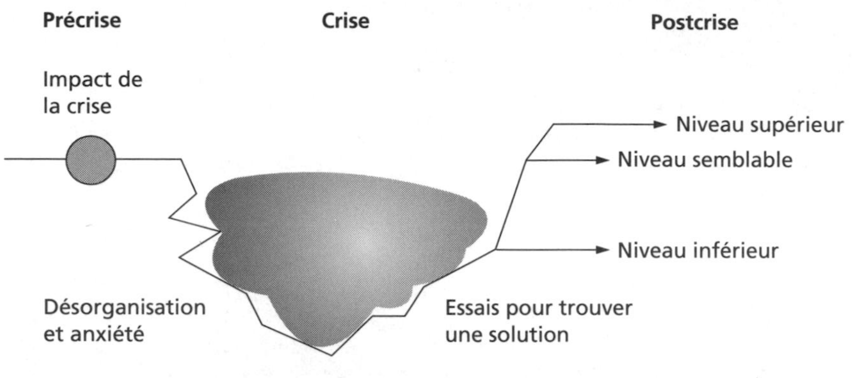

la crise. Enfin, certaines personnes sortent d'une expérience de crise avec certaines acquisitions, que ce soit par rapport aux apprentissages réalisés, à la remise en question de certaines habitudes de vie ou à la considération qu'elles ont acquise à l'égard d'elles-mêmes. Dans ce dernier cas, nous pouvons dire que la crise est résolue dans le sens que décrivent Fairchild (1986) et Viney (1976).

En effet, comme le mentionne Viney (1976), la résolution de la crise est la restauration de l'équilibre, la maîtrise cognitive de la situation ainsi que l'acquisition de nouveaux moyens de maîtrise. Fairchild (1986) va dans le même sens en présentant la résolution de la crise comme étant une conséquence adaptative d'une crise. Une personne se développe alors au cours de cette expérience par la découverte de nouvelles habiletés de maîtrise et de nouvelles ressources qu'elle pourra utiliser à l'avenir.

En somme, la crise est une expérience subjective qui évolue dans le temps pour le meilleur ou pour le pire. En effet, si une personne reçoit, au moment opportun, le soutien dont elle a besoin, elle peut sortir de cette expérience grandie, mieux outillée pour la vie, plus en mesure de faire face à de nouvelles situations de stress qui ne manqueront pas de se présenter sur sa route. Cependant, si elle n'a pas reçu le soutien désiré, au mieux elle aura le sentiment d'avoir évité le pire. Dans ce cas, elle sortira meurtrie de cette expérience, plus craintive à l'idée de poursuivre sa vie et plus vulnérable à de nouvelles expériences de stress. Aussi est-il important que les intervenants ne concluent pas trop rapidement que la personne n'a plus besoin d'aide si elle ne présente pas de symptômes marqués de malaise, et qu'ils fassent une distinction claire entre la restauration de l'équilibre et la résolution de la crise. Voyons maintenant quelles sont les principales circonstances susceptibles d'engendrer une crise.

4.3 LA CLASSIFICATION DES STIMULI STRESSEURS SUSCEPTIBLES D'ENGENDRER UNE CRISE

Plusieurs auteurs consultés s'entendent pour regrouper sous trois catégories les conditions (stimuli stresseurs) susceptibles d'engendrer un état de crise, à savoir des expériences situationnelles ou accidentelles, des expériences liées aux stades du développement et aux tâches afférentes, et des expériences à la fois normales et accidentelles survenant dans la famille. Après avoir décrit brièvement ces catégories et illustré chacune d'elles au moyen d'exemples, nous présenterons une autre façon de regrouper les situations susceptibles d'engendrer une crise en fonction des réactions qu'elles suscitent chez la personne en crise. La description de ces deux façons de regrouper les stimuli stresseurs nous permettra de constater la diversité des sources de stress susceptibles d'engendrer une crise chez un individu et de reconnaître que ces stimuli peuvent se présenter simultanément, car ils ne sont pas mutuellement exclusifs.

4.3.1 *Une classification en fonction des événements*

À l'aide de quelques exemples, nous verrons en quoi se distinguent les trois conditions précitées dans lesquelles les situations de crise peuvent se manifester.

Les expériences situationnelles ou accidentelles

Les expériences situationnelles ou accidentelles sont habituellement des événements qui ne font pas partie des habitudes de vie de la personne, qui surviennent soudainement et de façon généralement non prévisible, qui dépassent les ressources dont dispose la personne ou ses habiletés de maîtrise et nécessitent un changement de comportement. Voici quelques exemples de ces situations : une hospitalisation subite par suite d'un problème aigu de santé, l'annonce d'une maladie grave, le placement en centre d'accueil ou d'hébergement, un accident d'automobile avec blessures et bris du véhicule, l'échec à un examen, une perte financière, la naissance d'un enfant présentant une malformation, un vol avec violence, un viol ou un incendie avec une perte majeure de biens.

Les expériences liées aux stades du développement et aux tâches afférentes

En plus d'être soumise à des expériences stressantes qui apparaissent de manière inattendue au cours de la vie, la personne, tout au long de son développement, aura à affronter des changements majeurs qui feront appel à ses capacités d'adaptation. Ces événements, quoique prévisibles, comportent malaise et stress. Ils sont associés ordinairement aux périodes de transition entre les stades du développement et s'accompagnent de changements auxquels la personne doit faire face.

Les crises qui seront vécues sont souvent reliées à l'incapacité de la personne d'assumer de nouveaux rôles rattachés à un nouveau stade du développement, à la difficulté de se percevoir dans ces rôles et de donner un nouveau sens à sa vie. L'entrée à l'école, l'entrée sur le marché du travail, l'éloignement des parents, le mariage, l'arrivée d'un enfant et la retraite sont quelques exemples d'événements courants qui obligent la personne à apporter des changements majeurs dans sa vie. Si elle ne parvient pas à répondre avec compétence à ces exigences, elle risque de vivre une situation de crise. En somme, les crises de maturation sont associées aux stades du développement humain (l'enfance, l'adolescence, le stade du jeune adulte, la maturité, la vieillesse) ou aux étapes du développement comme celles que décrivent Erickson (1974), Levinson (1978) ou Sheehy (1979).

Voici les principales raisons pour lesquelles le changement de rôle est difficile :

- le manque d'habileté de la personne à se percevoir dans un nouveau rôle, lequel est souvent associé à l'absence de référence à des « modèles de rôle » (par exemple le rôle de parent ou le rôle de travailleur) ;
- le manque de connaissances et d'habiletés nécessaires à l'exercice de ce nouveau rôle (par exemple, pour une nouvelle mère, la difficulté de prendre soin de son nourrisson) ;
- les résistances plus ou moins fortes de l'entourage à accepter le fait que la personne est en changement (par exemple les parents qui refusent de voir leur fille grandir et de lui reconnaître le droit de s'occuper de sa vie comme elle l'entend).

Les expériences à la fois normales et accidentelles présentes dans la famille

Comme nous pouvons le constater, plusieurs sources de stress situationnels ou liés au développement humain sont susceptibles d'engendrer un état de crise chez une personne qui vit ce stress. De plus, ces sources de stress peuvent affecter les personnes qui se sentent préoccupées par un événement touchant un de leurs proches. À ce propos, voici la classification que présente Hill (1974, p. 38) des événements susceptibles d'affecter la famille et, dans plusieurs cas, d'autres personnes qui ont un lien significatif avec elle. Sa classification des événements stressants associés à la situation de la famille comprend trois catégories : le démembrement, l'accession et la démoralisation ou le discrédit. Elle ajoute que certaines situations de stress affectent plus d'une catégorie. Voici quelques exemples de situations se rapportant à chacune de ces catégories :

- Le démembrement de la famille :
  - la mort d'un enfant, d'un conjoint ou d'un parent ;
  - l'hospitalisation d'un conjoint ou d'un autre membre de la famille ;
  - une séparation ;
  - le départ de la maison d'un jeune adulte.
- L'accession à la famille :
  - une grossesse non désirée ;
  - la prise en charge d'un parent âgé qui vient habiter à la maison ;
  - une adoption ;
  - une famille reconstituée.
- La démoralisation ou le discrédit de la famille :
  - l'infidélité conjugale ;
  - l'alcoolisme d'un des membres ;
  - la délinquance d'un des membres ;
  - la violence familiale ;
  - la condamnation d'un membre pour un acte criminel.

4.3.2 Une classification en fonction des expériences personnelles

Bancroft et Graham (1996) ont regroupé les situations susceptibles d'engendrer une crise en fonction des expériences vécues par les personnes qui les vivent, soit la perte, le changement, les difficultés relationnelles et les conflits. Cette classification et les quelques exemples apportés par ces auteurs nous donnent un tableau plus complet des situations susceptibles d'engendrer une expérience de crise.

La perte

La perte peut prendre plusieurs formes : la séparation ou la mort d'une personne aimée, la perte de l'estime de soi, la perte d'une fonction de l'organisme (par exemple à la suite d'une amputation) ou la perte de ressources telles que les ressources financières. Parmi les conséquences de traumatismes, comme ceux qui sont reliés à une agression sexuelle ou à un désastre, une personne peut perdre confiance en elle-même, perdre sa liberté ou perdre le sens de son identité. La perte conduit à un mode typique d'intervention, qui consiste notamment à aider la personne à reconnaître la réalité de la perte, à l'exprimer et à faire le travail de deuil. Cet aspect sera traité au chapitre 5.

Le changement

En ce qui concerne le changement, le problème vécu est, comme dans le cas de la perte, la présence d'une nouvelle situation qu'une personne ne parvient pas à intégrer dans sa vie. Les principaux types de changements qu'elle doit réaliser sont l'acquisition d'un rôle au travail, dans le statut conjugal ou parental et la modification de l'identité qui accompagne ces nouveaux rôles (les crises de transition ou de maturation décrites par Erickson [1974] appartiennent à cette catégorie). Habituellement, un aspect positif accompagne le changement, soit le fait gratifiant de relever un défi face à de nouvelles possibilités de vie. Le changement peut néanmoins se révéler menaçant. Une forme particulière de changement qui peut être perçue comme une perte est celle de l'entrée dans le « rôle de malade », où l'on est menacé de perdre la santé et le bon fonctionnement de l'organisme.

Les difficultés relationnelles

Un degré élevé de stress peut provenir de relations interpersonnelles troublées, particulièrement entre les conjoints ou avec les autres membres de la famille.

Les conflits

En ce qui concerne les conflits, Bancroft et Graham (1996, p. 121-122) mentionnent : « Ici, la personne est placée devant un choix difficile, voire impossible, à faire entre deux ou plusieurs solutions. L'utilisation du processus de solution de problème est particulièrement pertinente dans ce contexte. »

4.4 L'INTERVENTION EN SITUATION DE CRISE

La crise étant une expérience profondément humaine, nous avons tous, en dehors de notre travail professionnel, eu l'occasion d'aider des personnes de notre entourage qui faisaient face à ce type de difficulté. Aussi, certains intervenants qui sont en présence de clients aux prises avec ce type d'expérience ont parfois du mal à rester dans les limites de leur rôle professionnel et ont tendance à intervenir comme ils le feraient avec un parent ou un ami. Ils se substituent en quelque sorte aux membres du réseau de soutien naturel de la personne en difficulté, privant ceux-ci d'une expérience d'intimité susceptible d'être très valorisante. Dans d'autres cas, l'expérience en cours peut éveiller chez l'aidant certaines expériences passées qui n'ont pas été résolues. Il aura alors tendance soit à nier la présence de la crise, pourtant évidente chez l'aidé, comme il l'a fait pour lui-même, soit à s'investir dans la relation au point qu'il y aura confusion entre ses besoins et ceux du client.

Aussi, afin d'offrir une aide efficace, le clinicien doit-il, en plus d'être conscient de ses limites personnelles et de travailler à les reculer, avoir une vision claire des buts qu'il poursuit en intervenant et des stratégies qu'il met en place pour atteindre ces buts. Dans cette section du chapitre, nous apporterons des précisions à ce sujet. À cette fin, nous décrirons en quoi consiste l'intervention en situation de crise.

4.4.1 Les caractéristiques et les buts de l'intervention en situation de crise

Selon Rapoport (1974, p. 23) :

> Par contraste [avec le concept de stress], la crise est perçue comme porteuse d'un potentiel de croissance. [...] Ainsi conçue, elle est un appel à un nouveau comportement ; le défi qu'elle pose consiste à mettre en œuvre de nouveaux mécanismes d'adaptation qui serviront à renforcer les capacités d'adaptation de la personne, et, ce faisant, de façon générale, à augmenter son niveau de santé mentale.

Les propos de cette auteure donnent un bon aperçu des caractéristiques et des buts poursuivis par l'intervention. Voyons un peu plus en détail, à partir des écrits de quelques auteurs, en quoi consiste l'intervention en situation de crise.

D'abord, voici ce qu'en dit Parad (1974, p. 2) :

> L'intervention en situation de crise fait référence à l'entrée dans la situation de vie d'une personne, d'une famille ou d'un groupe en vue d'atténuer l'impact de la crise ; on cherche alors à mobiliser les ressources des individus qui en sont affectés et de ceux qui gravitent autour d'eux. L'intervenant poursuit un double objectif, soit réduire autant que possible l'impact de l'événement stressant et utiliser la situation de crise pour aider les personnes affectées non seulement à résoudre le problème actuel, mais aussi à augmenter leurs compétences et à maîtriser les futures vicissitudes de la vie par l'utilisation de mécanismes de maîtrise plus adaptés et plus efficaces.

Selon Roberts (1990, p. 11) :

> [...] l'intervention en situation de crise est vue comme un processus de travail sur l'événement de crise de telle sorte que la personne soit assistée dans l'exploration d'une expérience traumatique et dans ses réactions à celle-ci. On se préoccupe également d'aider la personne :
>
> – à faire des changements de comportements et des ajustements interpersonnels ;
>
> – à mobiliser des ressources et un soutien internes et externes ;
>
> – à réduire les affects déplaisants et perturbants reliés à la crise ;
>
> – à intégrer l'événement et ses conséquences aux autres expériences et aux autres événements significatifs de sa vie.

Rapoport (1974, p. 29) mentionne à ce sujet :

> De façon générale, les modes de réponse nécessaires à une saine résolution de la crise pour une personne ou une famille peuvent se décrire ainsi :
>
> 1) corriger la perception cognitive de la situation qui est faussée en acquérant de nouvelles connaissances et en gardant le problème à la conscience ;
>
> 2) gérer les affects en prenant conscience des émotions présentes et en les verbalisant de façon appropriée, ce qui conduit à une décharge et à une maîtrise de la tension ;
>
> 3) acquérir des moyens de rechercher et d'utiliser l'aide en relation avec les tâches à assumer et les sentiments présents, en faisant appel à des ressources interpersonnelles et institutionnelles.

À cette fin, Chanel (1992, p. 93) remarque :

> Il est donc important de travailler avec des objectifs clairs, explicites et opérationnels (bien évidemment ajustables au fur et à mesure que le suivi progresse). Ces objectifs visent en priorité un ou plusieurs symptômes ou syndromes cliniques et non la modification des structures de la personnalité.

Il ajoute un peu plus loin : « Dans tous les cas, l'objectif global minimal est la résolution de la crise en cours et le retour au niveau de fonctionnement existant avant la période de crise. »

Roberts (1990, p. 11) va un peu plus loin au regard des buts en soulignant que le but d'une résolution efficace de la crise est d'éliminer la vulnérabilité passée de la personne et de l'enrichir d'un répertoire accru de nouvelles habiletés de maîtrise qui lui serviront de protection contre des situations stressantes semblables qu'elle rencontrera à l'avenir.

Dans un contexte existentiel-humaniste de l'intervention, et en nous inspirant des notions sur la crise que nous avons vues jusqu'à maintenant, nous pouvons dire que les principaux buts poursuivis lors de l'intervention sont les suivants :

- Que le client se sente accueilli et compris dans l'expérience qu'il vit (par exemple se sentir écouté et accueilli dans sa peine et sa colère).
- Que le client reconnaisse sans distorsion la présence de l'expérience en cours et la manière dont elle affecte son état de santé, et qu'au besoin il corrige ses perceptions (par exemple reconnaître le fait qu'il est atteint d'un cancer).
- Que le client reconnaisse la signification qu'il accorde sur les plans cognitif et affectif à l'expérience en cours (comme l'impression que sa vie n'a plus de sens ou sa peur de mourir).
- Que le client reconnaisse la place que cette expérience prend dans sa vie au regard de ses valeurs et de la satisfaction de ses besoins (par exemple reconnaître que cette maladie l'empêche de se réaliser dans son travail).
- Que le client reconnaisse en lui les caractéristiques physiques, intellectuelles, affectives, sociales et spirituelles qu'il possède pour assumer l'expérience en cours et qu'au besoin il acquière les connaissances, les habiletés et les attitudes pour utiliser ses ressources internes ou pour puiser dans l'environnement celles dont il a besoin pour composer avec cette expérience (par exemple apprendre à s'accorder plus de repos ou à trouver des sources de gratification).
- Que le client fasse un choix quant à la façon d'assumer sa vie en tenant compte de l'expérience qu'il traverse (par exemple changer ses habitudes de vie ou quitter un emploi).

4.4.2 La description d'une stratégie d'intervention

En nous appuyant sur les définitions précédentes de la crise, sur ses manifestations, sur ses buts et sur les objectifs poursuivis par le client et l'intervenant, nous décrirons une stratégie d'intervention qui s'inspire de la démarche de solution de problème ainsi que des facteurs de stabilisation décrits par Aguilera (1995), Rapoport (1974) et Roberts (1990) qui en facilitent la réalisation. Nous avons regroupé sous cette stratégie neuf activités qui apparaissent au tableau 4.1.

TABLEAU 4.1
Les principales activités à assumer au cours d'une intervention en situation de crise

- Établir et maintenir un lien significatif et positif avec le client
- Recueillir des informations sur le client afin d'évaluer son fonctionnement général et de déterminer l'urgence d'une intervention
- Rechercher avec le client les événements significatifs récents qui sont à l'origine de cette crise
- Aider le client à prendre conscience de la signification qu'il accorde à cet événement
- Corriger au besoin les distorsions cognitives qu'il accorde à cet événement et à ses effets sur sa vie et sur celle de ses proches
- Inciter le client à exprimer ses émotions
- Explorer les capacités de maîtrise du client et celles de son réseau de soutien par rapport à cette expérience
- Offrir au client le soutien dont il a besoin, et ce de façon intensive
- Évaluer les résultats des interventions

Dans une perspective existentielle-humaniste, l'intervention proposée ne doit pas être considérée comme une suite d'étapes à franchir de façon linéaire, mais plutôt comme des aspects à considérer tout au long de l'intervention, certains étant davantage présents à des moments particuliers du processus. Cette stratégie d'intervention circulaire s'inspire d'une démarche évolutive de solution de problème et de soutien à une personne aux prises avec une difficulté circonscrite. Elle fait donc appel aux dimensions cognitive, affective et comportementale du client et du thérapeute.

Dans cette perspective, Aguilera (1995, p. 78) mentionne :

> Entre le moment où l'on perçoit les effets d'une situation stressante et la résolution du problème, trois facteurs de stabilisation reconnus peuvent intervenir et influencer l'équilibre. La faiblesse ou la force de chaque facteur peuvent être directement liées à l'éclosion ou à la résolution de la crise. Il s'agit de la perception de l'événement, des soutiens disponibles, des mécanismes de maîtrise.

La figure 4.3 représente sous forme de paradigme l'influence de ces trois facteurs de stabilisation en mettant en parallèle deux situations. Dans l'une des situations, les facteurs de stabilisation sont présents et dans l'autre, un ou plusieurs facteurs de stabilisation sont absents.

FIGURE 4.3
L'influence des facteurs de stabilisation au cours d'un événement stressant

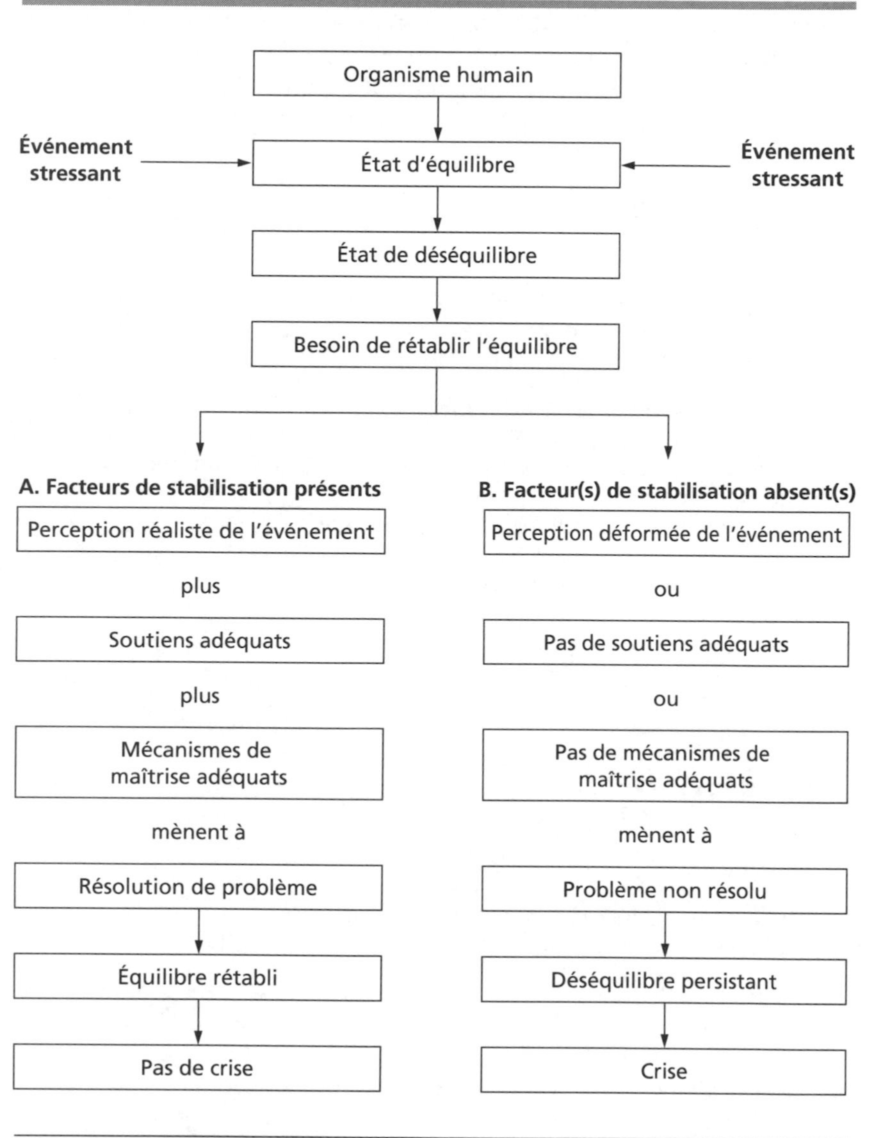

Source : Aguilera (1995, p. 79).

Reprenons plus en détail chacune des neuf activités de la stratégie d'intervention que l'on peut appliquer quand un ou plusieurs facteurs de stabilisation n'ont pas été utilisés avec efficacité par la personne et qu'il en a résulté une situation de crise.

Établir et maintenir un lien significatif et positif avec le client

Les premiers moments de l'entretien initial doivent permettre d'entrer en relation avec le client et de créer un lien de confiance avec lui. Pour ce faire, il est important de lui accorder un soutien affectif, de le recevoir dans un lieu où il pourra s'exprimer librement et de l'assurer de la confidentialité de ses propos. Dans certains cas, la priorité ira à la prestation de soins et de traitements physiques. Cependant, cela ne devrait pas se faire au détriment des autres aspects de l'intervention que nous décrirons.

Nous avons vu au chapitre 1 que, dans la psychothérapie expressive visant avant tout la prise de conscience de soi et la croissance, la relation qui se noue entre le thérapeute et le client est au cœur du travail thérapeutique. D'après Chanel (1992, p. 94) :

> Dans une situation de crise, plutôt que de laisser le client nouer avec [le thérapeute] une relation complexe et multiforme, [ce dernier] peut s'efforcer d'apparaître aux yeux du client comme une personne présente, compréhensive, fiable et compétente, et travailler à maintenir cette seule polarité relationnelle en figure. Le client qui vit une situation de crise doit pouvoir croire à l'engagement du thérapeute et à sa capacité de l'aider. En d'autres termes, le thérapeute gestaltiste intervenant en situation de crise favorise d'emblée et activement l'établissement d'une alliance positive et coopérative avec le client.

En créant ce contexte d'accueil, le thérapeute invite le client à laisser tomber rapidement ses défenses, à partager avec lui ses émotions et à établir un lien de partenariat dans la recherche des causes du trouble qui l'afflige et des moyens de mieux les maîtriser.

Recueillir des informations sur le client

Au chapitre 2, nous avons décrit les règles générales à respecter lors d'un entretien initial. Ces règles s'appliquent entièrement ici. Au cours d'un premier entretien, le thérapeute devrait pouvoir poser un diagnostic sur le fonctionnement général du client afin de déterminer à quel point le trouble qu'il subit affecte sa vie. À cette fin, ses observations devraient toucher les aspects physique, cognitif, affectif, social et spirituel. Dans le chapitre 3 portant sur la démarche de solution de problème, nous avons présenté un exemple des différents aspects à considérer. De ces observations générales, le thérapeute devrait pouvoir préciser le type de soutien que requiert cette personne et juger de l'urgence de l'intervention. Il sera alors plus à même d'intervenir ou de s'assurer que la personne recevra les services que nécessite son état.

Par rapport à la crise, le thérapeute invitera le client à dire de quelle façon sa vie est affectée depuis le début de cette expérience en fonction des aspects suivants :

- ses habitudes de sommeil ;
- son alimentation ;
- la présence de problèmes physiques ;
- ses relations interpersonnelles ;
- son travail ou ses études ;
- ses loisirs ;
- son humeur ;
- ses cognitions.

Il est également important d'évaluer si la personne a des idées de suicide ou de meurtre. Si tel est le cas, il faut la protéger. À ce propos, les questions doivent être directes et spécifiques. En voici quelques exemples :

- « Peut-on comprendre dans ce que vous dites que vous vous proposez de vous tuer ou de tuer quelqu'un ? »
- « De quelle façon ? »
- « Quand avez-vous l'intention de le faire ? »

Rechercher avec le client les événements significatifs récents qui sont à l'origine de cette crise

L'entretien est orienté vers la découverte du problème du client, des événements qui ont provoqué la crise et des facteurs qui nuisent à sa capacité de la résoudre. Selon Rapoport (1974), les facteurs conduisant à cette difficulté de fonctionnement sont souvent préconscients et non intégrés. La découverte et la mise en évidence de ces facteurs, afin d'en arriver à la formulation du problème et d'en faciliter une compréhension cognitive, s'avèrent souvent suffisantes en elles-mêmes pour aider la personne à retrouver son équilibre.

Dans les pages précédentes, nous avons exposé différents facteurs susceptibles d'être à l'origine d'une crise. L'intervenant doit être attentif à la présence de l'un d'eux dans la vie du client. En nous inspirant notamment d'Aguilera (1995), nous donnerons quelques exemples de questions qu'il faut se poser pour déterminer non seulement la source de la difficulté vécue par la personne, mais aussi l'importance qu'elle accorde à cette source. En effet, comme nous l'avons souligné précédemment, seul le client est en mesure de porter un tel jugement.

- Qu'est-ce qui amène le client à demander de l'aide aujourd'hui ?

  À ce propos, il est important d'insister auprès du client pour qu'il donne une réponse claire. Certains clients ont tendance à parler de leur état général. Souvent, la réponse à cette question procure des indices sur l'évolution de la crise ou sur la présence d'événements nouveaux qui s'insèrent dans le processus de crise. Voici quelques exemples de réponses à cette question :

- « Je n'ai pas dormi de la nuit et j'ai pensé sérieusement mettre fin à mes jours. J'ai eu peur de moi et je me suis dit qu'il était temps que je consulte. »
- « Hier, je n'en pouvais plus. Pendant que mon mari était au travail, j'ai quitté précipitamment la maison pour aller habiter chez une amie. Nous avons parlé presque toute la nuit. Elle m'a convaincue de consulter. »
- « Ce matin, mon patron m'a fait venir dans son bureau. Il m'a dit qu'il était désolé mais qu'il ne pouvait plus accepter mes retards au travail et mon faible rendement. Il m'a mis à la porte. Pour moi, ce travail était vraiment important, mais il avait raison. Je ne fonctionne plus. »

– Qu'est-il arrivé de différent dans sa vie ?

Comme nous l'avons souligné précédemment, les principales caractéristiques du facteur déclenchant sont la menace qu'il représente pour la personne et son caractère de nouveauté, voire d'imprévisibilité. Parfois, la personne qui consulte a tendance à négliger de parler de certains événements en pensant : « Ils n'étaient pas si graves que ça » ; « D'autres aussi ont vécu de tels événements, et ils n'en font pas un drame » ; « Je préfère ne plus en parler et oublier ». Comme l'événement représente une menace pour la personne, il est tout à fait normal que dans certains cas celle-ci tente de l'occulter. Ces exemples soulignent l'importance du soutien à apporter à la personne dans l'expression de l'expérience traumatisante. Très souvent, la personne peut reconnaître facilement l'événement déclenchant, sans pour autant comprendre les raisons pour lesquelles il l'affecte à ce point.

– Quand cela s'est-il passé ?

Habituellement, l'événement précipitant a eu lieu durant les deux semaines qui ont précédé.

– Que signifie cet événement pour la personne ?

Ce que signifie l'événement pour la personne est beaucoup plus important que l'événement lui-même. En effet, la réaction de crise n'est pas en premier lieu associée à l'événement lui-même ; elle est beaucoup plus liée à ce qu'il signifie pour la personne. Par exemple, la perte d'un emploi peut représenter une foule de choses selon les personnes ; elle peut correspondre pour une personne à une perte de revenu et, conséquemment, à la renonciation à des projets qui lui tenaient à cœur, à une perte de confiance en ses capacités d'assumer son rôle de travailleur et de soutien de famille, à une perte d'une source importante de gratification, etc.

– Quels effets, selon le client, cet événement a-t-il sur sa vie actuelle et peut-il avoir sur sa vie future ?

  Ici, le thérapeute peut chercher à découvrir si la personne a une perception réaliste de l'événement et de ses effets possibles. De plus, la réponse à cette question informe le thérapeute de ce qui est important dans la vie de cette personne et de ce qui est tout particulièrement menacé par cette expérience.

En plus de fournir des informations pertinentes sur le client et sur l'expérience qui l'affecte, la réponse à ces questions doit être aussi utilisée à d'autres fins qui ont un rapport avec les deux activités suivantes.

Aider le client à prendre conscience de la signification qu'il accorde à cet événement

Nous avons souligné au chapitre 1 que chaque personne a une vision particulière de la réalité en fonction de la perception qu'elle a d'elle-même et de la signification qu'elle accorde aux expériences vécues. En effet, la reconnaissance d'un événement stressant qui a amené une personne à vivre une expérience de crise n'est pas suffisante à elle seule pour mesurer toute sa portée. Si l'on veut comprendre pourquoi plusieurs personnes soumises à un même événement peuvent avoir des réactions différentes, il faut non seulement considérer l'événement en soi et la menace qu'il comporte, mais aussi les significations, à la fois cognitives et affectives, que les personnes lui accordent et le contexte dans lequel il a lieu. C'est donc dans la signification attribuée à l'événement que se trouve le caractère dramatique de l'expérience. Aussi le thérapeute doit-il, pour comprendre la place qu'occupe cette expérience dans la vie de la personne, s'intéresser à celle-ci en tant que personne qui a des caractéristiques particulières, qui vit (éprouve des sensations et des émotions, adopte un point de vue) face à un événement qui se produit (lequel occupe une place plus ou moins importante à un moment donné de sa vie) et dans un environnement physique et humain donné.

Fontes (1991, p. 59), qui s'appuie sur une vision constructiviste de la crise, va beaucoup plus loin, accordant une part importante de la responsabilité au thérapeute : « [...] au moment où le clinicien se joint à l'échange, il aide le client non seulement à construire une intervention, mais aussi à donner un sens à l'événement lui-même ». Cette attention portée à l'exploration et à l'expression des significations cognitives et affectives accordées à l'événement permettra entre autres au client d'acquérir un sentiment de maîtrise en distinguant la source de la menace de ses propres réactions. Dans le cas où cet événement était gardé secret, il aura l'impression de s'en libérer et d'être moins seul. De plus, le fait de parler de son expérience et de se sentir accueilli par le thérapeute l'aidera à se libérer de cette expérience et des nombreuses émotions douloureuses qui l'accompagnent. Conséquemment, l'expérience perdra de son intensité dramatique. En encourageant le client à décrire en détail l'événement, le thérapeute lui permet de le revivre et l'aide à rendre plus réelle l'expérience vécue et, par le fait même, à se l'approprier. Enfin, lorsque le thérapeute connaît la signification que la personne accorde à l'événement perturbateur, il devient plus en mesure de déterminer les compétences de maîtrise que cela nécessite et celles que se reconnaît ou non le client.

Corriger au besoin les distorsions cognitives

Tout en écoutant le client et en lui accordant du soutien, le thérapeute doit s'interroger quant au réalisme de la signification que le client attribue à l'expérience qu'il vit, et tout particulièrement quant à la justesse des prévisions du client concernant les effets immédiats et futurs de cette expérience dans sa vie. Si le client a une perception déformée de la réalité, le thérapeute doit l'aider à apporter les corrections qui s'imposent. Pour ce faire, il peut, par exemple, refléter au client ce qu'il dit et inviter celui-ci à réagir à ses propres paroles. Il peut aussi interroger plus directement la pertinence d'affirmations qui prennent souvent la forme de généralisations comme « toujours » ou « jamais plus ».

Ce soutien peut également consister dans la transmission d'informations concrètes fondées sur des connaissances du thérapeute au sujet des conséquences prévisibles d'un événement, qu'il s'agisse d'une mort intra-utérine, de la possibilité ou non d'avoir d'autres enfants ou, dans le cas d'un traumatisme physique, des possibilités de récupération de compétences physiques. Ce soutien cognitif aide souvent à réduire l'anxiété du client, lui donnant le sentiment de reprendre une certaine maîtrise de sa vie même si les conséquences de l'événement qui lui arrive sont dramatiques. En effet, qui d'entre nous n'a pas entendu un jour ou l'autre un client dire que ce qui lui était le plus pénible, c'était de ne pas savoir ? Notre travail auprès de personnes en phase terminale nous a permis de constater combien il était réconfortant pour certains clients de parler, par exemple, du déroulement des derniers moments de leur vie, de leur crainte d'éprouver des douleurs atroces ou encore de mourir étouffés.

Roberts (1990) confirme l'importance de restaurer les fonctions cognitives du client. À ce propos, il donne des indications sur la façon de le faire :

- Le client a besoin de comprendre ce qui s'est passé et ce qui l'a conduit à la crise.
- Il est utile pour le client de comprendre le sens précis que cet événement a pour lui, comment il entre en conflit avec ses attentes, les buts de sa vie et son système de valeurs. L'intervenant doit l'écouter

attentivement et noter les distorsions cognitives (les généralisations à outrance, les prédictions catastrophiques) et les croyances irrationnelles. Il doit cependant éviter de les dénoncer prématurément. Il doit plutôt aider le client à découvrir lui-même ces distorsions cognitives et ces croyances irrationnelles.

- Pour atteindre la maîtrise cognitive, le client doit remplacer ses croyances irrationnelles et ses cognitions erronées par des croyances rationnelles et de nouvelles cognitions. Les groupes d'entraide sont utiles à ce propos.

Inciter le client à exprimer ses émotions

On trouve une abondante documentation en psychothérapie sur l'effet bénéfique et cathartique de l'expression des émotions dans un contexte où elles sont entendues et reçues. Il n'est toutefois pas toujours aisé d'exprimer ses émotions. En effet, dans une situation de crise, tous les clients sont susceptibles d'éprouver une foule d'émotions. Cependant, certains d'entre eux ont développé au cours de leur vie différents mécanismes pour se couper de leurs émotions et les nier.

Dans certains cas, les personnes significatives qui les entourent encouragent l'adoption d'un tel comportement. Elles peuvent, par exemple, nier la gravité de l'expérience que vit la personne en question, inviter celle-ci à s'efforcer d'oublier cette expérience ou lui souligner leur admiration pour son stoïcisme devant l'épreuve. Par conséquent, le client peut reproduire ce comportement avec l'intervenant en début de thérapie. Aussi le thérapeute doit-il non seulement éviter de reprocher au client de garder à distance ses émotions, mais aussi être attentif aux signes de malaise que manifeste le client. Il doit l'interroger sur la manifestation d'émotions qu'il observe et l'inciter à les ressentir et à les exprimer tout en mettant en place un climat de chaleur, de respect et d'accueil.

Voici quelques points de repère permettant de distinguer plus clairement les émotions présentes dans les manifestations de mal-être du client. Comme nous l'avons vu précédemment, certains problèmes qu'éprouve une personne au cours de sa vie peuvent être perçus comme une menace, une perte, une frustration ou un défi. Chacune de ces expériences peut s'accompagner d'un grand nombre d'émotions et de sentiments.

À titre indicatif, voici quelques exemples d'émotions qui vont généralement de pair avec chacune de ces quatre expériences. Si une personne a le sentiment que la situation stressante constitue pour elle une **menace** par rapport à ses besoins fondamentaux, à son intégrité physique ou à des valeurs qu'elle juge essentielles, elle manifestera des signes d'anxiété si la menace demeure diffuse, et des signes de **peur** si l'objet de cette menace est connu. La **perte**, quant à elle, peut être vécue comme une expérience aiguë de privation accompagnée d'un sentiment de tristesse. La **frustration** entraîne souvent un sentiment d'impuissance et de la colère. Enfin, si le problème est perçu comme un **défi**, il stimulera l'énergie de la personne et suscitera chez elle un sentiment de confiance et de l'espoir dans les résultats.

Une autre difficulté éprouvée par l'intervenant qui travaille auprès de personnes en situation de crise consiste à demeurer attentif et disponible au client même si celui-ci lui manifeste de l'agressivité. Quand cette situation se produit, certains thérapeutes ont tendance à oublier que le client peut vivre une expérience de crise et à réagir parfois aussi fortement que celui-ci, en se justifiant ou en le blâmant pour ses revendications, ses plaintes ou ses menaces qui semblent à première vue injustifiées. De plus, ils sont portés à minimiser des émotions exprimées avec vigueur ou à reconnaître un caractère théâtral à certains clients. Dans les faits, il n'est pas toujours facile, dans certains contextes relationnels, de distinguer la souffrance qui s'exprime à travers des plaintes de revendications carrément outrancières de clients qui, comme ils le font dans leur vie de tous les jours, manquent de respect et de considération et abusent par leurs demandes injustifiées des professionnels qui sont à leur service.

En outre, compte tenu d'un contexte de travail pénible, il est possible que ces manifestations de colère s'adressent à un professionnel lui-même très stressé ou en état de crise et dont les revendications professionnelles sont peu écoutées. Dans ces cas, il est difficile pour ces intervenants de demeurer attentifs à des clients dont le comportement et le discours sont agressifs et blessants, même s'il s'agit de manifestations de leur souffrance.

Pour illustrer cette situation, voici un exemple vécu par une infirmière aux urgences d'un centre hospitalier. Une infirmière qui travaille en soirée avec une équipe réduite d'intervenants reçoit un jeune homme qui a tenté de mettre fin à ses jours par pendaison. L'équipe essaie en vain pendant trente minutes de le réanimer. Le personnel est déçu du résultat. De plus, les personnes présentes sont émues de la mort de ce jeune homme qui a l'âge des enfants de certaines d'entre elles. D'autres clients attendent dans la salle. La soirée doit se poursuivre. L'infirmière en question se dirige vers la salle d'attente pour s'occuper d'un autre client. Ce dernier a une foulure à la cheville. En voyant l'infirmière, il lui dit : « Enfin quelqu'un pour s'occuper de nous autres. J'imagine que vous étiez encore en train de prendre un café et de vous raconter des histoires. Vous êtes payées pour travailler. J'ai mal à la cheville. » Toujours remuée par la situation qu'elle vient de vivre, l'infirmière tente tant bien que mal de contenir ses émotions et de s'occuper de ce client. Fâchée d'avoir ainsi été agressée, elle aurait envie de répondre à ce client en le conduisant dans la salle où repose le jeune homme qui vient de mourir.

Explorer les capacités de maîtrise du client et celles de son réseau de soutien

En situation de crise, vu la brièveté de l'intervention, le clinicien doit, dès le premier contact, veiller à favoriser le maintien du réseau de soutien naturel de la personne. De plus, il doit aider celle-ci à reconnaître ses ressources et, au besoin, à en acquérir de nouvelles afin de maîtriser l'expérience en cours. À cette fin, voici quelques questions sur lesquelles peut porter l'échange :

- Quelles personnes dans son entourage peuvent la soutenir sur les plans cognitif, affectif et instrumental (ami, conjoint, enfant, collègues de travail, prêtre ou toute autre personne en qui elle a confiance)?
- Avec qui vit-elle ?

En explorant les capacités de maîtrise de la personne, le thérapeute travaille sur plusieurs plans. D'abord, il évite qu'elle ne devienne dépendante de lui. De plus, il contribue à lui redonner l'estime d'elle-même, qui est souvent menacée dans ce type d'expérience. Enfin, il lui permet d'affiner certaines habiletés qu'elle possède déjà ou d'en acquérir de nouvelles, l'aidant ainsi à sortir grandie de l'expérience de crise. Voici certaines questions qui devraient être abordées à ce propos :

- Que fait habituellement cette personne quand elle fait face à un problème ?
- Qu'a-t-elle tenté de faire pour résoudre ce problème ?
- Comment explique-t-elle le fait que ses tentatives n'aient pas réussi ?
- Une situation semblable lui est-elle déjà arrivée ?
- Qu'est-ce qu'elle pourrait faire d'autre qu'elle n'a pas essayé jusqu'à maintenant ?
- Que pensent les autres de son problème ?
- Qu'est-ce que les autres lui suggèrent de faire ?

Selon Roberts (1990), il est important de connaître non seulement les mécanismes comportementaux de maîtrise utilisés, mais aussi les mécanismes de maîtrise utilisés à un niveau préconscient pour gérer certaines émotions intenses comme la rage, la perte, la déception et le sentiment d'échec. Les questions qui suivent peuvent faciliter cette exploration :

- Comment la personne réussit-elle habituellement à diminuer la tension, l'anxiété ou la dépression ?
- Dans cette situation-ci, qu'a-t-elle fait ?
- A-t-elle eu recours à ces moyens ? Sinon, pourquoi ?

- Si elle a utilisé ces moyens, mais sans succès, comment explique-t-elle cela ?
- Qu'est-ce qui, selon elle, pourrait l'aider à réduire cet état de tension ?

Offrir au client le soutien dont il a besoin

Dans une perspective humaniste, nous savons que, dans un contexte relationnel, l'aide débute dès que le client et le thérapeute sont en présence l'un de l'autre. Cela est d'autant plus vrai dans un contexte de crise, où la personne aidée se sent démunie et où le simple fait de côtoyer un intervenant accueillant qui cherche à l'aider peut faire naître un sentiment d'espoir, briser la solitude et libérer des tensions et de l'anxiété. Plus le problème sera clairement défini et les attentes valorisées, à la fois par le thérapeute et le client, plus la recherche de solutions sera facilitée et leurs applications, efficaces.

En situation de crise, le client semble parfois tellement démuni qu'il arrive que le clinicien ait tendance à intervenir sans avoir communiqué au client sa perception du problème ni précisé ses attentes. Dans certains cas, nous avons pu observer que certains intervenants, au regard de leurs critères personnels de « normalité », avaient, face aux clients, des attentes beaucoup plus élevées que ceux-ci envers eux-mêmes et envers les intervenants. Il est important de se rappeler ici que le but premier de cette intervention thérapeutique est d'aider le client à retrouver le niveau de fonctionnement précédant la crise.

Dans certains cas cependant, on vise le contraire. En effet, ce qui maintient le client dans un état de crise est le fait qu'il entretient des attentes irréalistes par rapport à la thérapie, comme l'espoir de retourner avec la personne qui l'a quitté et de voir la vie reprendre comme avant, de retrouver l'emploi perdu, d'entendre le médecin lui dire qu'il y a eu une erreur de diagnostic et que sa situation est sans gravité. Dans ces cas, il faut plutôt que le thérapeute et le client travaillent conjointement à reconnaître la réalité de la perte ou toute autre forme d'expérience qui a conduit à la situation de crise actuelle.

Afin de garder espoir, il est important de se fixer des objectifs réalistes. À cette fin, comme nous l'avons vu au chapitre 3, portant sur la démarche de solution de problème, on devrait inviter le client à se fixer des objectifs minimaux qui lui permettront d'obtenir rapidement des résultats positifs. Enfin, il est indispensable que le client et le thérapeute concourent à la réalisation des mêmes objectifs et que ce travail se fasse en collaboration. En nous inspirant d'Aguilera (1995) et de Rapoport (1974), nous pouvons dire que ces objectifs devraient être les suivants :

- aider le client à acquérir une **perception réaliste** de l'événement en l'invitant à replacer la situation vécue dans une perspective plus réaliste ;
- lui accorder un **soutien situationnel** approprié en favorisant l'expression des émotions et les échanges avec des personnes significatives ;
- l'aider à trouver des **mécanismes d'adaptation appropriés** en privilégiant l'utilisation des moyens que la personne connaît bien, et au besoin en trouver de nouveaux qui l'aideront à composer avec la situation ; dans certains cas, il faut suppléer à ses mécanismes d'adaptation déficients en proposant l'hospitalisation ou la prise d'une médication adéquate.

Il est important de retenir ceci :

> [...] un peu d'aide dirigée rationnellement et bien ciblée au bon moment est plus efficace qu'une aide plus importante offerte durant une période où la personne est moins accessible émotivement. De plus, la personne aidante doit se percevoir comme un intervenant dans un système social – comme étant une partie d'un réseau de relations –, et non comme une ressource unique. (Rapoport, 1974, p. 30.)

Évaluer les résultats des interventions

Il faut s'assurer que la personne quitte l'entretien en disposant de moyens concrets à appliquer et qu'elle peut communiquer au besoin avec un intervenant. En somme, à la fin de l'entretien, la personne doit avoir l'impression d'avoir été comprise et doit nourrir de l'espoir. Les activités que nous venons de décrire se poursuivront au cours des entretiens subséquents. Des changements et des ajustements seront apportés aux interventions en fonction des nouvelles données recueillies et des résultats obtenus. Lors de la dernière rencontre, le client doit être informé du fait que s'il désire rencontrer de nouveau l'intervenant, la porte de ce dernier est ouverte. Les dates anniversaires de l'événement traumatisant (un mois après, un an après, etc.) sont souvent des moments où les clients se sentent vulnérables et ont besoin de consulter de nouveau (Roberts, 1990, p. 14-15).

Les entretiens devraient se terminer au moment où la personne est parvenue à assumer l'expérience en cours, c'est-à-dire au moment où :

- elle possède des moyens concrets de composer avec la situation ;
- elle peut vivre de façon plus tolérable et moins souffrante les émotions reliées à l'événement stressant ;
- elle a, sur le plan cognitif, une bonne compréhension de ce qui s'est passé, où elle accorde une signification réaliste à l'expérience qu'elle a vécue et où elle a appris sur elle-même dans cette expérience ;

- elle peut de nouveau, sans trop de difficulté, vaquer à ses occupations journalières ou réorganiser sa vie en tenant compte des limites temporaires ou permanentes engendrées par l'événement stresseur ;
- compte tenu des limites temporaires ou permanentes engendrées par l'événement stresseur, elle a repris en charge ses propres soins (hygiène, alimentation, repos, exercice, loisirs, etc.) et vu ses processus physiologiques, tels l'élimination ou le sommeil, redevenir normaux ;
- elle est parvenue à intégrer cette expérience et à trouver un certain sens à sa vie.

Résumé

En nous inspirant des principes de base de la relation d'aide et des étapes de la démarche de solution de problème, nous avons décrit l'intervention de crise, ses buts et les étapes de son évolution. Étant donné le caractère subjectif de cette expérience, que ce soit par rapport aux capacités de la personne pour y faire face ou par rapport à la signification qu'elle y accorde, il est parfois difficile de reconnaître l'origine du trouble qui l'afflige. Pour faciliter cette reconnaissance des causes externes, nous avons dressé une liste de situations susceptibles de provoquer ce type d'expérience. Nous avons décrit une stratégie générale d'intervention qui indique au thérapeute comment intervenir en respectant le caractère personnel de cette expérience.

Cette stratégie thérapeutique peut être utilisée seule ou en même temps que les autres approches psychothérapeutiques décrites dans ce livre, que ce soit à des fins préventives ou curatives. Comme toutes les autres approches psychothérapeutiques, elle aura les effets désirés pour autant que la personne qui l'utilise le fasse avec compétence, auprès de clients susceptibles d'en bénéficier en fonction des difficultés qu'ils présentent, de leurs attentes et de leurs habiletés personnelles.

Bibliographie

AGUILERA, D.A. (1995). *Intervention en situation de crise, théorie et méthodologie* (trad. : M. Zeghouani), Montréal, Éditions du Renouveau Pédagogique.

BANCROFT, J. et GRAHAM, C. (1996). « Crisis intervention », dans S. Bloch (sous la dir. de), *An Introduction to Psychotherapies*, New York, Oxford University Press, p. 116-136.

BARD, M. et ELLISON, K. (1974). « Crisis intervention and investigation of forcible rape », *The Police Chief*, vol. 41, p. 68-73.

CAPLAN, G. (1961). *An Approach to Community Mental Health*, New York, Grune and Stratton.

CHALIFOUR, J. (1999). *L'intervention thérapeutique*, vol. 1 : *Les fondements existentiels-humanistes de la relation d'aide*, Boucherville, Gaëtan Morin Éditeur.

CHANEL, F. (1992). « Crise, Gestalt et paradoxe », *Revue québécoise de Gestalt*, vol. 1, n° 1, p. 91-101.

CUSSON Y. (1996). « La psychanalyse et l'urgence », dans P. Doucet et W. Reid, *La psychothérapie psychanalytique. Une diversité de champs cliniques*, Boucherville, Gaëtan Morin Éditeur, p. 543-556.

ERICKSON, E.H. (1974). *Enfance et société*, Neuchâtel, Delachaux et Niestlé.

FAIRCHILD, T.N. (1986). *Crisis Intervention Strategies for School-Based Helpers*, Springfield, Ill., Charles C. Thomas.

FONTES, L.A. (1991). « Constructing crisis and crisis intervention theory », *Journal of Strategic and Systemic Therapies*, vol. 10, n° 2, été, p. 59-68.

GOLAN, N. (1978). *Treatment in Crisis Situations*, New York, Free Press.

HILL, R. (1974). « Generic features of families under stress », dans H.J. Parad, *Crisis Intervention : Selected Readings*, New York, Family Service Association of America, p. 32-52.

HOROWITZ, M. (1976). *Stress Response Syndrome*, New York, Jason Aronson.

LEVINSON, D.J. (1978). *The Seasons of a Man's Life*, New York, Alfred H. Knopp.

ONIS, L. (1990). « A systemic approach to the concept of crisis », *Journal of Strategic and Systemic Therapies*, vol. 9, n° 2, été, p. 43-54.

PARAD, H.J. (1971). « Crisis intervention », dans R. Morris (sous la dir. de), *Encyclopedia of Social Work*, vol. 1, New York, National Association of Social Workers, p. 196-202.

PARAD, H.J. (1974). *Crisis Intervention : Selected Readings*, New York, Family Service Association of America.

PARAD, H.J. et RESNICK, H.P. (1975). « The practice of crisis intervention in emergency care », dans H.P. Resnick, H.L. Rubben et D.D. Rubben (sous la dir. de), *Emergency Psychiatric Care : The Management of Mental Health Crisis*, Bowie, Charles Press Publishers.

RAPOPORT, L. (1974). « The state of crisis : some theoretical considerations », dans H.J. Parad, *Crisis Intervention : Selected Readings*, New York, Family Service Association of America, p. 22-31.

ROBERTS, A.R. (1990). « An overview of crisis theory and crisis intervention », dans A.R. Roberts (sous la dir. de), *Crisis Intervention Handbook Assessment, Treatment, and Research*, Belmont, Wadsworth.

SHEEHY, G. (1979). *Les passages de la vie : les crises possibles de l'âge adulte*, Montréal, Presses Sélect.

VINEY, L.L. (1976). « The concept of crisis : a tool for clinical psychologists », *Bulletin of British Psychological Society*, vol. 29, p. 387-395.

CHAPITRE

5

L'accompagnement des personnes endeuillées

Chaque être humain vit tout au long de son existence de nombreuses pertes de toute nature, comme des ruptures affectives, la mort d'êtres chers, la renonciation à des idéaux sur les plans personnel ou professionnel, la perte de capacités physiques et mentales et la perte de sa propre vie. En reconnaissant cette réalité, il est possible de l'envisager avec courage et d'assumer les deuils que ces pertes nécessitent. Cependant, comme nous le verrons dans ce chapitre, face à une perte ou à plusieurs pertes consécutives, nombre de personnes se sentent démunies lorsqu'il s'agit d'affronter la souffrance qu'elles engendrent. Elles font le choix plus ou moins conscient de nier la perte afin de ne pas la ressentir, devenant ainsi plus vulnérables aux autres pertes qui ne manqueront pas de survenir au cours de leur vie. D'autres, cependant, vont chercher une aide professionnelle pour les soutenir dans cette expérience.

Tous les intervenants des professions d'aide rencontrent dans leur travail des clients qui vivent ou ont vécu des pertes significatives marquant leur vie. Ils doivent donc prêter attention à la place qu'elles occupent dans la vie du client et dans la demande d'aide. Pour ce faire, ils doivent être en mesure d'en reconnaître les manifestations. Compte tenu de leur contexte de travail, ils devraient aussi être en mesure d'offrir soit une aide ponctuelle, et dans ce cas adresser les clients à d'autres intervenants ayant plus de disponibilité qu'eux, soit une aide sur une plus longue période afin de permettre aux personnes endeuillées de faire le travail de deuil nécessaire.

Même si la demande de consultation ne porte pas directement sur une difficulté reliée à une perte, l'intervenant devrait être à même de déceler si certains deuils actuels ou passés ne sont pas à l'origine de la présence de certains comportements et de certains symptômes chez le client. Par exemple, si un client présente certains symptômes physiques ou certaines émotions exacerbées comme de la colère ou de la tristesse, sans que rien d'apparent n'explique ces réactions, le thérapeute devrait envisager la possibilité de la présence d'un deuil passé non résolu rappelé à la conscience par l'expérience en cours ou d'un deuil face aux limites et aux pertes engendrées par la maladie actuelle.

Le but de ce chapitre est de familiariser les lecteurs avec le deuil, ses principales manifestations ainsi que certaines stratégies générales d'intervention applicables d'une façon ponctuelle ou au cours de l'accompagnement d'une personne ou d'une famille endeuillée, que cette expérience de deuil soit occasionnée par la mort prochaine de la personne elle-même, d'une personne significative ou par toute autre perte importante. Pour ce faire, après avoir présenté quelques définitions du deuil et les principales étapes que doit franchir la personne endeuillée, nous décrirons les tâches à réaliser pour assumer ce travail. Par rapport à celui-ci, nous soulignerons les conditions qui peuvent faciliter le travail de deuil ou lui nuire et les manifestations de cette difficulté chez l'endeuillé. La suite du chapitre porte sur le *counseling* de deuil. À cette fin, nous définirons sa nature, ses buts et les principes à respecter. Nous décrirons ensuite certaines stratégies d'intervention et certaines techniques qui facilitent le travail de deuil. Pour conclure ce chapitre, nous parlerons de la santé mentale des intervenants qui travaillent auprès des endeuillés.

5.1 DÉFINITIONS DU DEUIL

Le deuil est une expérience complexe et, comme le dit Thomas (1988, p. 92-93), il recouvre plusieurs sens. À ce propos, il mentionne :

> [...] dans l'expression être en deuil, il s'agit de la situation, du statut de quelqu'un qui vient de perdre un être cher. Dans faire son deuil, la formule désigne l'ensemble des états affectifs que vit l'endeuillé ; c'est ce que les psychanalystes nomment le « travail de deuil » au cours duquel le sujet finit par passer progressivement de la dépression qui l'accable pour retrouver le goût de vivre. Enfin, porter le deuil, c'est signaler son état par des marques extérieures socialement imposées et reconnues. Les termes anglais *bereavement*, *grief* et *mourning* rendent compte de ces trois formes.

Une revue des écrits sur ce sujet permet de reconnaître quatre composantes du deuil qui sont intimement liées les unes aux autres. Ce sont l'expérience de la perte, la souffrance que cette expérience engendre, l'occasion de changement ou de croissance qu'elle représente et le processus qui peut en résulter. Voyons ce qui caractérise chacune de ces composantes.

5.1.1 Le deuil, une expérience de perte

Retenons au départ ceci :

> [...] toute perte, toute séparation importante entraîne un travail de deuil. [...] La mort a donc encore un certain droit de préemption sur le deuil même si son sens a tendance à évoluer, à s'élargir jusqu'au vécu de toute perte importante. (Hanus, 1994, p. 25.)

À ce propos, Tessier (1990, p. 42) mentionne :

> À y regarder de plus près, [...] le deuil comme état affectif ne correspond pas à la mort strictement, mais plutôt à la perte. Bien sûr, la mort d'une personne à laquelle on s'était attaché constitue une forme radicale de perte. Il existe cependant de multiples situations impliquant la perte d'un objet investi (au sens psychanalytique) et susceptible d'engendrer du deuil : on perd un être cher s'il décède, mais on perd également son emploi, son voisinage, un membre amputé, un ami qui s'exile, une idéologie politique qui s'affadit, etc., et maints autres objets, réels ou symboliques.

Il est donc important de comprendre que, pour qu'il y ait deuil, il faut qu'il y ait reconnaissance de la perte et que, de plus, l'endeuillé est la personne la plus en mesure de saisir toute l'importance de cette perte à la lumière de la signification subjective qu'elle accorde à « l'objet de la perte ». Par exemple, pour quelqu'un qui perd son emploi, le fait qu'il aimait ou non son travail, que ce travail était une source plus ou moins grande de gratification déterminera l'importance subjective de la perte. Malheureusement, le droit de l'endeuillé de déterminer l'importance qu'il accorde à sa perte lui est souvent refusé par ses proches et même par certains professionnels.

Un autre exemple qui illustre bien ce refus est celui que vivent bon nombre de personnes âgées qui, à la suite de certaines incapacités physiques, doivent quitter leur maison pour être placées dans un foyer. Elles manifestent de différentes façons l'importance de cette perte. Certaines le font de manière discrète en présentant dès leur entrée en institution des signes de confusion, de retrait, d'isolement, alors que d'autres le font sous un mode plus agressif en critiquant la nourriture, le comportement des intervenants à leur égard, etc. Cette façon indirecte de parler de leur perte n'est pas toujours entendue. Si elles le manifestent plus directement aux intervenants ou aux membres de la famille en disant à quel point leur maison leur manque, à quel point elles aimaient leur autonomie, de même que certains objets personnels, etc., on niera souvent l'importance que ces personnes accordent à ces pertes. On vantera les mérites de la vie en institution, insistant sur les bénéfices d'un repos bien mérité, sur les avantages de loisirs organisés sur les lieux. On soulignera les comportements qui, à ses yeux, justifient leur entrée en institution, comme leur manque d'hygiène, leur incapacité de tenir maison ou leur mauvaise alimentation. Quand un tel manque d'écoute se produit, l'importance de la perte n'est pas reconnue ou elle est banalisée. L'endeuillé reste seul avec sa souffrance.

5.1.2 Le deuil, une expérience de souffrance

Il est généralement reconnu que la perte d'un être aimé ou toute autre perte importante engendre une souffrance considérable, souffrance ressentie ou non à laquelle la personne endeuillée ne peut se soustraire sans risque de séquelles importantes. C'est dans ce sens qu'Eakes (1984, p. 17) mentionne que « le deuil peut se définir comme une souffrance émotionnelle en réponse à une perte et tout particulièrement celle qui est vécue au moment de la mort ». Hanus (1994, p. 29) confirme ce propos :

> Le deuil est toujours pénible et douloureux. À cette souffrance du deuil, il est possible d'assigner un versant négatif dans toutes les inhibitions et restrictions que l'endeuillé s'impose ou qui lui sont imposées et un versant plus direct, la douleur psychologique, le chagrin, l'affliction.

Dans le même ordre d'idées, Wordon (1991, p. 9-10), reprenant la thèse d'Engel (1961), compare la souffrance à la douleur physique en disant qu'au même titre que le fait d'être frappé ou brûlé est un traumatisme physique qui nécessite une guérison physiologique afin d'aider l'organisme à retrouver son équilibre homéostatique, une période est aussi nécessaire pour permettre à l'endeuillé de retrouver un équilibre similaire.

Hanus (1994, p. 30) explicite cette vision du deuil en soulignant :

> Le deuil est traumatique mais c'est un traumatisme particulier. Il semble d'abord essentiellement réactionnel : nous subissons une perte, ce à quoi il va falloir s'adapter. Mais il apparaît bien vite que cette perte n'est pas vraiment dans la personne perdue mais dans ce qu'elle représente pour nous, dans nos liens, notre relation avec elle, et dans les capacités que nous avons d'intégrer cette rupture.

En somme, non seulement la souffrance est liée au travail de deuil, mais elle est aussi une expérience que l'endeuillé doit intégrer. Comme nous le verrons plus loin, le refus de l'endeuillé de vivre cette souffrance est souvent une des raisons pour lesquelles certains deuils ne sont pas vécus et deviennent parfois pathologiques. En effet, il n'est pas rare, au cours du travail thérapeutique avec une personne qui présente un trouble dépressif depuis plusieurs années ou encore un trouble de somatisation inexpliqué, d'entrer en contact avec une zone de souffrance associée à une ou à plusieurs pertes enfouies à un niveau plus ou moins conscient de la personne.

Par exemple, une cliente est venue consulter pour un trouble dépressif récurrent qui, selon elle, l'habitait depuis toujours. Au cours de nos échanges, elle s'est souvenue d'une expérience de son enfance. Vivant dans une ferme, elle s'était attachée à un jeune veau qu'elle nourrissait au biberon et qu'elle cajolait. Malheureusement, pour des raisons économiques, ses parents ont vendu ce veau comme animal de boucherie. Ils ont demandé à leur fille d'être raisonnable, lui disant que la vie était ainsi faite, qu'elle était une grande fille et qu'au printemps suivant elle pourrait, si elle le désirait, prendre soin de nouveau d'un veau naissant. À ce moment, elle s'était résignée. Elle a raconté qu'un peu plus tard, sous la pression de ses parents, elle avait renoncé à une carrière artistique pour devenir infirmière, ce qui, au dire de ces derniers, était une « vraie profession ». Récemment, elle s'est laissé convaincre par des amis que le fait que son mari l'avait quittée était au fond une bonne chose pour elle, et qu'étant encore jeune elle n'aurait pas de difficulté à trouver un autre homme. La prise de conscience de ces différentes expériences de pertes non résolues et d'autres expériences similaires lui a permis, au cours des mois qui ont suivi, d'amorcer un travail de deuil et ainsi de se libérer progressivement de son état dépressif.

5.1.3 Le deuil, une occasion de changement, voire de croissance

Certains auteurs croient que le deuil peut être vu non seulement comme une expérience souffrante, qui semble avant tout liée à la reconnaissance de la réalité de la perte et au « laisser-partir », au fait de se détacher physiquement, cognitivement et émotivement de l'objet investi, mais aussi comme une expérience de croissance. C'est dans ce sens, par exemple, que Monbourquette présente la dernière étape du deuil :

> L'héritage peut se définir comme l'ultime étape du deuil, où s'effectue la récupération des projections de la personne aimée. C'est en quelque sorte se réapproprier l'amour, l'énergie, les qualités, les talents qu'on avait déposés dans l'autre. [...] l'héritage [...] c'est le véritable élément de croissance, il signe l'actualisation du potentiel de la personne. (Bernard, 1990, p. 11.)

Gendron et Carrier (1997, p. 159) mentionnent à ce propos ceci :

> [...] la résolution du deuil débouche souvent, en effet, sur un plan de conscience supérieur, sur une ouverture aux autres et à la vie jamais connue auparavant, sur de nouveaux modes d'expression de la créativité et, parfois, sur un cheminement spirituel inédit.

Pour Hennezel (1993, p. 330), cette occasion de croissance peut être présente non seulement pour l'endeuillé, mais aussi pour la personne mourante. En effet, pour elle, « la mort est posée comme un "événement psychique" et le "trépas", le temps qui précède la mort, est, comme son nom l'indique, un passage au cours duquel va s'accomplir un dernier travail ». Elle ajoute un peu plus loin (p. 331) :

> Pourquoi ne pas considérer l'approche de la mort comme un temps où « l'homme intérieur » peut se développer et s'accomplir, un temps de maturation, d'élaboration, un temps où il va se passer des choses importantes, même si ces choses sont discrètes et subtiles, un temps d'intense activité psychique et de grande demande relationnelle [...], alors qu'on a tendance à croire que ce temps ne peut être qu'un temps d'attente vide, inutile, pénible, un temps où il ne peut rien se passer. C'est en effet le moment des dernières paroles, des dernières pensées sur soi et sur la vie, le moment des derniers échanges.

Notre expérience de travail avec des endeuillés nous a permis de constater que certains d'entre eux, à la suite d'une perte, entraient en contact avec des ressources personnelles insoupçonnées qu'ils avaient mis en veilleuse jusqu'au moment de la perte. Par exemple, conséquemment à la perte de son conjoint, une femme qui, jusque-là, se sentait incompétente lorsqu'il s'agissait de gérer les finances familiales et de prendre des décisions concernant l'entretien de la maison, après avoir demandé conseil à des personnes significatives de son réseau de soutien, s'est reconnu un certain intérêt et une habileté réelle pour ce travail, au point qu'elle a décidé de reprendre ses études en vue d'un retour éventuel dans le milieu du travail et d'orienter sa carrière vers le monde de l'immobilier. D'autres clients, à la suite d'un deuil, ont manifesté une plus grande spiritualité et une plus grande ouverture devant les occasions qui s'offraient à eux. D'ailleurs, plusieurs autobiographies de personnes célèbres soulignent que c'est à la suite d'une perte importante qu'elles ont développé un talent, que ce soit dans les arts, les affaires ou la littérature.

5.1.4 *Le deuil, un processus*

Les étapes du processus de deuil sont sûrement la caractéristique mentionnée le plus souvent pour décrire cette expérience. Voyons à ce propos ce qu'en disent quelques auteurs. Selon Hanus (1994, p. 26) : « Le deuil désigne maintenant le travail psychique nécessaire pour accepter la réalité de la perte et y faire face, c'est le travail de deuil. [...] Le travail de deuil se fonde sur la mise en exercice de certains processus psychiques. » De façon explicite, il ajoute un peu plus loin que « le deuil est séparation, plus précisément un travail sur la séparation » (p. 31). Dans le même ordre d'idées, Wordon (1991, p. 34) utilise deux termes distincts afin de décrire le deuil, soit *mourning* (travail de deuil), pour indiquer le processus qui se produit après la perte, et *grief* (deuil), qui concerne l'expérience personnelle de perte. Il ajoute à ce propos que si le travail de deuil est un processus, il est approprié d'en reconnaître les étapes.

À la suite des études de Lindemann (1944) sur les réactions de deuil, plusieurs auteurs (spécialement Bowlby, 1984 ; Burgess et Holmstrom, 1974 ; Hanus, 1994 ; Horowitz, 1976 ; Kübler-Ross, 1975 ; Monbourquette,

1994; Parkes, 1978; Tessier, 1990; Wallerstein et Kelly, 1980) ont précisé des étapes ou phases observables au cours du travail psychique de deuil. Les étapes décrites par ces différents auteurs présentent plusieurs caractéristiques communes, auxquelles s'ajoutent des particularités qui donnent une certaine originalité à chacune de ces descriptions. Ces dernières semblent venir notamment du fait que certains auteurs ne font pas une distinction nette entre les étapes du processus naturel de deuil et certaines tâches que le thérapeute propose à l'endeuillé afin de faire de cette expérience douloureuse une expérience de croissance. Par exemple, Monbourquette inclut dans sa description des étapes certaines tâches portant sur la recherche du sens de la perte, sur le pardon et sur l'héritage.

Une autre raison expliquant cette distinction est le fait que certains auteurs, même s'ils reconnaissent que le deuil peut être lié à différentes pertes, semblent avoir décrit ses étapes en se référant à un groupe précis de sujets. D'ailleurs, leur description des étapes le confirme. Par exemple, les travaux de Kübler-Ross (1975, p. 45) paraissent davantage porter sur la personne mourante. Elle parle de « mécanismes qui entrent en jeu au cours d'une maladie dont l'issue est fatale ». Monbourquette (1994) décrit des étapes qui semblent s'appliquer surtout à l'endeuillé si l'on considère un stade comme celui de l'héritage. Tessier (1990), qui s'inspire des travaux de Parkes (1978), tout en reconnaissant que les étapes qu'il présente s'appliquent à différents contextes de perte, mentionne que ce sont celles qu'il a observées dans ses recherches sur l'expérience vécue par des personnes à la suite d'un divorce. Le tableau 5.1 indique les étapes proposées par ces trois auteurs.

Rappelons-nous pour l'instant qu'il est important de distinguer sur le plan clinique les étapes psychiques que l'on peut reconnaître chez un endeuillé et les tâches qu'il doit réaliser pour compléter le travail de deuil. Les caractéristiques du deuil que nous venons de décrire permettent de souligner la complexité de cette expérience. Gendron et Carrier (1997, p. 137) en résument les différents aspects dans la définition suivante :

> En essayant de rassembler tous les aspects du deuil en une seule définition, on peut dire que le deuil humain est le processus de guérison d'une souffrance occasionnée par une perte (personnes, biens, situations), qui se manifeste par un ensemble d'états physiologiques, psychologiques et sociaux, variables selon l'importance et les circonstances de la perte, les antécédents et les ressources de la personne qui la vit, ainsi que le soutien sur lequel elle peut compter. « À l'image de la cicatrisation d'une blessure du corps, le deuil est la cicatrisation de la blessure du cœur. » (Fauré, 1995, p. 26.)

En somme, cette description des caractéristiques du deuil permet de constater que, pour pouvoir aider efficacement l'endeuillé à réaliser ce travail de deuil, l'intervenant doit prêter attention à la façon unique dont se manifestent, dans les comportements, les affects et les pensées

TABLEAU 5.1
Les étapes du deuil selon Kübler-Ross, Monbourquette et Parkes

KÜBLER-ROSS (1975)	MONBOURQUETTE (1996)	TESSIER (1990) INSPIRÉ DES ÉTAPES DU DEUIL DE PARKES (1978)
– **La dénégation ou le choc initial** « Non, pas moi, ce n'est pas vrai ! » « [...] état temporaire de choc dont il se relève progressivement. » (p. 47)	– **Le choc du début** « [...] il y a le choc. » (p. 7)	– **Les réactions initiales** Il y a souvent présence d'un choc qui se manifeste par une forte anxiété, un sentiment de dépersonnalisation. Chez certains apparaît un mécanisme paradoxal, l'engourdissement émotif (*numbness*).
– **L'irritation, la rage et la colère** « Quand la première étape, celle du refus, ne peut être entretenue, elle est remplacée par des sentiments d'irritation, de rage, d'envie, de ressentiment. « Pourquoi moi ? » (p. 59)	– **Le déni** « [...] relève soit de l'ordre de la connaissance ou de l'affectivité [...]» (p. 7)	– **L'évitement compulsif** Certains individus, plutôt que de rechercher l'autre, tentent par tous les moyens de l'oublier.
– **Le marchandage** « Le marchandage est en réalité une tentative pour retarder les événements [...] » (p. 93)	– **L'expression des émotions** « [...] le deuilleur se sent submergé par tout un flot d'émotions [...] » (p. 8)	– **La recherche compensatoire** L'autre n'étant plus, l'endeuillé n'accepte pas cette expérience. C'est ce qui explique la présence d'images hallucinatoires ; il le voit dans les lieux publics ou bien il est présent dans ses rêves.
– **La dépression** « Lorsque le malade arrive près du terme de sa maladie et qu'il ne peut plus prétendre qu'elle n'existe pas. [....] Il a perdu quelque chose d'essentiel [...] » (p. 97)	– **La prise en charge des tâches liées au deuil** « Il faut accomplir les promesses faites au défunt ; exécuter certains rites prescrits par les coutumes [...] » (p. 10)	– **La dépression** La personne vit un sentiment de tristesse en reconnaissant la perte et le fait que rien ne peut changer la situation.
– **L'acceptation** « Il ne faut pas croire que l'acceptation puisse être confondue avec une étape heureuse. Elle est presque vide de sentiments. » (p. 121-122)	– **La recherche de sens** « Le deuilleur doit encore découvrir quel sens il pourra donner à sa perte et comment se poursuivra sa vie à la suite du décès. » (p. 9)	– **La construction d'une nouvelle identité** Le travail de deuil s'accomplit, la vie continue. L'endeuillé apprend à vivre sans la présence de l'autre.
	– **Le pardon au disparu** « L'échange de pardon qu'il effectuera avec le disparu lui apportera la paix. » (p. 9)	
	– **L'héritage** « [...] s'approprier l'amour et les rêves dont on a entouré l'être aimé. » (p. 9)	

de chaque endeuillé, ces quatre caractéristiques du deuil. Autrement dit, il doit répondre aux questions suivantes :

- Que représente cette perte pour l'endeuillé ?
- Quelle place l'endeuillé laisse-t-il à l'expression de sa souffrance et sous quelles formes se manifeste-t-elle ?
- Comment progresse chez l'endeuillé le travail de deuil et comment assume-t-il les tâches qui y sont associées ?
- Qu'apprend-il de lui dans cette expérience et qu'en retire-t-il ?

5.2 LES ÉTAPES DU DEUIL

Afin d'en savoir davantage sur le processus de deuil, nous verrons plus en détail les principales réactions susceptibles d'être observées chez l'endeuillé au cours de ces étapes. Pour ce faire, nous nous attarderons à trois grandes étapes du déroulement chronologique du deuil. Suivant ce qu'indiquent plusieurs auteurs consultés, nous pouvons dire que différentes réactions sont observables tout au long du travail de deuil et que certaines d'entre elles le sont davantage à des étapes données et sont préalables à la présence des suivantes. Par exemple, une certaine reconnaissance cognitive et émotive de la réalité de la perte est nécessaire à l'expression de différentes émotions. La colère, la tristesse, l'expression d'autres émotions de même que l'expérience de la dépression sont nécessaires au désinvestissement affectif de l'objet perdu et à l'investissement de cette énergie sur un nouvel objet.

Les écrits de Hanus (1994), qui vont dans ce sens, sont particulièrement éclairants pour comprendre les étapes du deuil. Il en est de même pour les travaux de Wordon (1991), qui font une bonne synthèse des principales tâches que l'endeuillé doit assumer au cours du travail de deuil. Aussi, pour décrire ces deux aspects du vécu du deuil, nous puiserons spécialement dans les écrits de ces deux auteurs et commenterons leurs propos à la lumière de ceux d'autres auteurs qui se sont intéressés à ces sujets.

Pour Hanus (1994), le déroulement clinique du deuil passe toujours par les mêmes chemins, qui constituent trois grandes étapes : le début, qui est marqué par un état de choc plus ou moins intense, le cœur même du deuil, qui réalise un authentique état dépressif, et la phase de terminaison. Dans le même ordre d'idées, Thomas (1988, p. 95-96) écrit :

> Après le décès, le deuil proprement dit parcourt dans son déroulement normal trois étapes capitales. La première coïncide avec l'installation plus ou moins difficile dans le deuil dès l'annonce de l'événement ; la seconde est le vécu douloureux lié au fait que l'on n'abandonne pas facilement une position libidinale lorsque nous l'avons investie, surtout s'il s'agit d'un être cher ; la dernière met fin au deuil et consacre le retour à la vie normale.

Hanus (1994), comme plusieurs auteurs déjà cités, souligne le caractère chronologique du déroulement de ces étapes, leur chevauchement ainsi que leur durée très variable. À ce propos, Kübler-Ross (1975, p. 145) écrit :

> [...] nous avons abordé les différentes étapes que traversent ceux qui sont confrontés à de nouvelles tragédies – mécanismes de défense, en termes psychiatriques, mécanismes de lutte pour faire face à des situations extrêmement difficiles. Ces moyens persisteront plus ou moins durablement, ils se substitueront les uns aux autres ou ils existeront pendant un certain temps côte à côte.

5.2.1 Les premiers moments

Selon Hanus (1994, p. 95) :

> [Les premiers moments] sont marqués par un choc à l'annonce de la perte qui nous arrive, qui nous frappe. [...] La brutalité de la perte, son caractère inattendu, inopiné et encore plus si elle se réalise par la mort brusque de l'être aimé, entraîne un choc particulièrement intense. À l'annonce de la survenue brutale de la mort d'une personne chère, la première réaction est le refus. La première pensée est toujours : « Non, ça n'est pas possible ; non, ce n'est pas vrai ! » [...] Si nous n'abandonnons pas la retenue de l'expression de nos émotions intenses dans cette circonstance, c'est que nous n'avons pas encore vraiment réalisé.

Pour Monbourquette, cette réaction s'explique de la façon suivante :

> La première étape est la résistance à la souffrance : il faut dire qu'il existe une sagesse dans cette résistance-là puisqu'elle permet à la personne de continuer à vivre, de ne pas décompenser et s'effondrer totalement. [...] C'est un blocage au niveau des perceptions de la réalité. » (Bernard, 1990, p. 9.)

Kübler-Ross (1975, p. 48) qualifie cette réaction d'« amortisseur après le choc de nouvelles inattendues ».

Revenons aux propos d'Hanus (1994, p. 97) :

> Il semble exister deux temps durant cette période inaugurale de choc : d'abord la sidération, l'abattement, la stupéfaction, l'engourdissement et le refus, puis la décharge émotionnelle qui accompagne la recherche de la personne disparue. Ces deux moments se chevauchent, la personne en deuil vivant à la fois l'un et l'autre.

Là-dessus, Tessier (1990, p. 43) mentionne que l'organisme se protège de l'anxiété et de la souffrance par un mécanisme de déni ou d'engourdissement émotif (*numbness*) ; dans ce cas, la personne se comporte comme si elle était sans contact avec cette expérience ou comme si elle était rapidement consciente et entièrement habitée par la réalité de la perte et de la douleur qui s'y rattache.

Selon Monbourquette :

> Deux types de négation peuvent se manifester. Dans la négation de type intellectuel, on oublie que la personne est décédée ou que l'on a eu un coup dur et on fuit les rappels possibles du malheur. Par exemple, on évite les hôpitaux, les cimetières, les salons funéraires, etc. Quant à la négation de type émotif, elle amène la personne à bloquer l'émergence consciente des émotions. Par exemple, on peut savoir que son mari est décédé ou que l'on a perdu son emploi, mais on n'éprouve aucune réaction émotive. La vie émotive est figée, gelée. (Bernard, 1990, p. 9.)

Cependant, la personne endeuillée prend progressivement conscience de la réalité de la perte. Cette prise de conscience s'accompagne de différentes manifestations et réactions de son organisme, qui auront lieu tout au long du deuil avec plus ou moins d'intensité. Progressivement, au cours du deuil, certaines de ces manifestations disparaîtront et feront place à d'autres. À la fin du deuil, la plupart d'entre elles auront disparu, comme la présence d'hallucinations, ou s'estomperont, comme la colère ou la tristesse. Au début des années quarante, Lindemann (1944) a fait une description de ces réactions que nous avons pu observer dans notre travail auprès des endeuillés et que l'on retrouve dans plusieurs écrits plus récents sur ce sujet (Gendron et Carrier, 1997 ; Kübler-Ross, 1975 ; Parkes, 1978 ; Tessier, 1990 ; Wordon, 1991). Voici un résumé des principales réactions physiques, cognitives, comportementales et émotives que l'on peut rencontrer chez plusieurs endeuillés.

Les réactions physiques

Selon Lindemann (1944), les sensations de détresse somatique se manifestent sous forme de vagues d'une durée de trente minutes à une heure chaque fois, et par une sensation de serrement dans la gorge, des difficultés respiratoires, la présence d'un souffle court, un besoin fréquent de pleurer, une sensation de vide dans l'abdomen et un manque de force musculaire. Tessier (1990) y ajoute d'autres réactions comme la perte d'appétit, la sécheresse de la bouche, des migraines, des troubles gastriques, une hypersensibilité aux bruits, des troubles du sommeil et un manque d'énergie. Comme nous pouvons le constater, plusieurs de ces manifestations correspondent à celles qui sont présentes chez les personnes aux prises avec une anxiété élevée.

Les réactions cognitives

À ces manifestations physiques s'ajoutent des réactions cognitives qui, pour Lindemann, se présentent de la façon suivante. La conscience générale est altérée. Il y a habituellement un léger sentiment d'irréalité, une sensation d'être éloigné des personnes (comme si elles se trouvaient dans un brouillard ou étaient plus petites qu'elles le sont en réalité), un sentiment de dépersonnalisation (« Je marche dans la rue et rien ne semble réel, y compris moi-même »), une préoccupation intense de l'image du disparu, qui se manifeste par exemple à travers le sentiment de sa présence au point de le reconnaître dans la rue ou de lui parler au téléphone. Dans certains cas, la préoccupation de l'image du disparu peut prendre la forme d'une certaine identification, comme le fait de marcher de la même façon que lui ou de se regarder dans le miroir et d'y voir son visage. Cette identification peut être telle que certains endeuillés vont faire des démarches pour occuper le même emploi que le disparu, même s'ils ne s'intéressent aucunement à un tel travail. À ces réactions, Wordon (1991) ajoute la difficulté à se concentrer et à ordonner ses pensées, la présence de troubles de la mémoire et le refus de croire à la perte. La présence de ces symptômes indique que le travail de deuil est en cours. Leur réduction graduelle marque la progression dans ce travail.

Les réactions comportementales

Les endeuillés apprennent rapidement que cette vague de détresse peut être précipitée par les visites, par le fait de parler de la personne décédée et par le fait de recevoir des témoignages de sympathie. Ils ont tendance à éviter ce syndrome à n'importe quel prix. À cette fin, certains d'entre eux refusent les visites qui les plongeront dans cette détresse et évitent de faire référence au disparu.

Les comportements de la personne en deuil présentent des changements très importants. Par exemple, elle a de la difficulté à se reposer, à demeurer assise, elle cherche continuellement à faire quelque chose tout en étant incapable de réaliser un travail structuré et en étant peu stimulée pour le faire. Chaque activité demande un grand effort. L'endeuillé constate avec surprise le grand nombre d'activités qu'il réalisait avec le disparu, comme la rencontre d'amis, les conversations quotidiennes, la pratique de certains loisirs ou la réalisation de projets communs (Lindemann, 1944). S'il s'agit de la perte d'un emploi, la personne constate tout le temps qu'elle y consacrait et comment sa vie était en grande partie planifiée en fonction de cette activité : l'heure du lever, le lieu des repas, le choix des vêtements, etc. À ces comportements, Wordon (1991) ajoute qu'à son insu la personne endeuillée manifeste certains comportements et fait certains gestes. Par exemple, elle a tendance à marquer un certain retrait social, il lui arrive souvent de rêver de la personne décédée, elle évite les endroits qui lui rappellent cette personne ou, au contraire, elle recherche les endroits qui la lui rappellent. À cette fin, elle peut porter des vêtements ou des objets qui appartenaient à la personne décédée. Enfin, elle pleure fréquemment en pensant à elle ou en parlant d'elle.

Les réactions émotives

Selon Monbourquette (1996, p. 8) : « Quand les résistances au deuil commencent à céder, le deuilleur se sent submergé par tout un flot d'émotions et de sentiments tels que la peur, la tristesse, la solitude, l'abandon, la colère et la culpabilité. » En effet, tout au long du travail de deuil, l'endeuillé éprouvera une foule d'émotions qui sont en grande partie des manifestations de sa souffrance face à la perte qui l'afflige et du détachement qu'il doit opérer pour se libérer émotivement de la personne ou de tout autre objet investi et ainsi pouvoir réinvestir de nouveau. Bien sûr, les sentiments de tristesse et de confusion sont omniprésents dans les premiers moments du deuil. Viendront ensuite ceux d'impuissance à changer quelque chose, de solitude, de colère, de culpabilité et d'auto-accusation. À ce propos, Lindemann (1944) mentionne que la personne a tendance à s'accuser de négligence et à exagérer des omissions mineures. L'endeuillé présente aussi de l'anxiété. Cette émotion peut provenir de deux sources : d'une part, de la crainte de ne pas être capable de prendre soin de soi sans la présence de l'autre et, d'autre part, de la conscience plus aiguë de sa propre mort. À ces quelques émotions, Wordon (1991) ajoute la solitude, la fatigue, le choc, la libération, la détente et la confusion.

On peut joindre à cette longue liste le marchandage dont parle Kübler-Ross (1975, p. 93), lequel est particulièrement présent dans les deuils anticipés :

> Le marchandage est en réalité une tentative de retarder les événements ; il doit inclure une prime offerte pour « bonne conduite », il impose aussi une limite irrévocable (par exemple : monter encore une fois sur scène – assister au mariage du fils) et comporte la promesse implicite que le malade ne demandera rien de plus si le délai requis est accordé.

Gendron et Carrier (1997, p. 149) associent à la notion de marchandage celle d'espoir. Elles soulignent à ce propos :

> Le marchandage traduit l'espoir de survivre envers et contre tout, de renverser le cours des choses. Il nous donne un répit qui permet de vivre le moment présent. Cet espoir fait partie du deuil et il importe de l'accueillir sans toutefois l'alimenter de façon irréaliste comme le fait parfois la famille d'une personne agonisante, en niant ou en atténuant la gravité de son état, en réclamant un remède miracle ou en guettant chez elle les signes d'une improbable guérison.

La reconnaissance et l'expression de la colère sont souvent sources de confusion et d'ambivalence aussi bien pour l'endeuillé que pour les personnes significatives qui le côtoient. Sachant la place importante que la colère occupe dans le travail de deuil et le malaise qu'elle suscite, nous verrons ce qu'en disent quelques auteurs. Selon Hanus (1994, p. 101) :

> Un des premiers sentiments éprouvés dans ces pénibles circonstances est la colère. Elle est éventuellement accompagnée de ressentiment et tourne parfois à une sorte de rage. [...] Ces affects de colère sont en réalité et dans leur fond dirigés contre la personne perdue et c'est ce qui les rend particulièrement pénibles.

En effet, comme le souligne Kübler-Ross (1975, p. 59) :

> Quand la première étape, celle du refus, ne peut être entretenue, elle est remplacée par des sentiments d'irritation, de rage, d'envie, de ressentiment. La question logique qui suit va se formuler ainsi : « Pourquoi moi ? » [....] « Pourquoi pas le vieux Georges au lieu de moi ? »

Wordon (1991) ajoute que la colère peut provenir de deux sources : 1) de la frustration due au fait qu'il n'y avait rien à faire pour prévenir la mort et 2) d'une sorte d'expérience régressive qui apparaît après la perte de quelqu'un d'intime. À la suite de la perte d'une personne importante, l'endeuillé a tendance à régresser, à se sentir impuissant et incapable d'exister sans la personne décédée. Ce sentiment est accompagné d'anxiété et de colère à l'égard de la personne décédée.

Il y a alors deux possibilités de décharge de cette colère, qui ne s'excluent nullement. L'endeuillé peut retourner cette colère contre lui ou encore la diriger dans toutes les directions, et tout particulièrement vers les proches et les intervenants (Hanus, 1994 ; Kübler-Ross, 1975 ; Wordon, 1991). À ce propos, Gendron et Carrier (1997, p. 148) mentionnent :

> La colère d'une personne malade ou en deuil peut s'avérer une expérience très éprouvante pour ses proches s'ils prennent la chose sur le plan personnel. Ils tentent alors de contenir cette colère et, partant, augmentent la culpabilité de la personne qui l'éprouve.

De plus, comme le souligne Lindemann (1944, p. 9), elle peut souvent se manifester par une absence de chaleur dans les liens que l'endeuillé établit avec les autres personnes et par un désir de ne pas être dérangé par les amis qui font un effort pour maintenir une relation amicale. Ce sentiment d'hostilité surprend et paraît souvent inexplicable à l'endeuillé, qui le prend lui-même comme un signe précurseur de folie. Il peut alors être porté à faire un effort pour se maîtriser, ce qui se traduit chez lui par un comportement rigide et formalisé dans ses interactions sociales. Comme nous le verrons plus loin, le recadrage de cette colère sur le disparu est important dans le travail de deuil.

Ces différentes réactions vécues par l'endeuillé varient en nombre et en intensité en fonction de chaque personne. Chaque endeuillé a sa façon bien à lui de vivre son deuil. Le clinicien et les personnes significatives doivent, malgré la charge émotive à laquelle ils sont exposés, faciliter la reconnaissance et l'expression de ce deuil. Cette condition est aussi essentielle au travail de deuil. De plus, l'observation de ces manifestations et de leur évolution ou de leur stagnation au cours de l'intervention thérapeutique permet à l'endeuillé et au clinicien de juger du travail thérapeutique en cours.

5.2.2 L'étape centrale : l'état dépressif

Quotidiennement, la perte devient de plus en plus réelle pour l'endeuillé, à moins qu'il n'en fasse un déni important, voire pathologique, pour se protéger de la souffrance. Comme l'indiquent Gendron et Carrier (1997, p. 150) :

> Quand il n'est plus possible de se promener en périphérie de la douleur et de la réalité, l'unique issue reste d'y faire face. La personne morte ou divorcée ne reviendra pas, ou mourra bientôt de cette maladie fatale. [...] On sombre dans un état de prostration ponctué de brèves échappées sur l'espoir et de retours épisodiques à la colère et à la négation. [...] On traverse un état dépressif.

En fait, ces auteures soulignent que, dans plusieurs situations, l'endeuillé, malgré les mécanismes mis en place pour se protéger de la souffrance, ne peut se soustraire à la réalité de la perte. Pour Hanus (1994, p. 104) :

> Cette étape centrale est constituée par une authentique dépression qui s'installe plus ou moins rapidement après la survenue du décès ou de la perte et qui va durer des mois et même parfois davantage, des années dans les deuils compliqués et pathologiques. Ce travail intérieur de détachement et les manifestations cliniques de dépression où il s'exprime ne commencent pas immédiatement après la perte consommée. Ils ne peuvent débuter qu'après la période tourmentée du choc et pour autant que la réalité de la perte ait déjà pu être réellement et en bonne partie acceptée. Cette reconnaissance ne porte pas uniquement sur la réalité matérielle de la disparition, mais plus encore sur celle des manifestations pénibles que cet événement a déclenchés en nous.

Cet auteur ajoute plus loin (p. 106) :

> La souffrance dépressive du deuil est l'expression de la conséquence du travail de désinvestissement qui s'opère nécessairement après la perte d'un être aimé. C'est là l'essence même du travail de deuil. Il s'effectue de la manière suivante. Chacun des souvenirs et des espoirs doit être remémoré puis confronté au décret de la réalité afin d'être désinvesti. [...] La remémoration seule n'est pas suffisante, elle ne vise qu'à faire revivre le passé, à rendre présent le disparu. Il est nécessaire que le souvenir, chaque souvenir, soit associé à l'idée de disparition (« il n'est plus »), ce qui entraîne à chaque fois désappointement, tristesse et nostalgie. [...] C'est un travail de détachement progressif.

Cette description donne d'excellentes indications sur les interventions cliniques à mettre en place pour aider l'endeuillé à assumer le travail de deuil. De plus, elle nous permet de comprendre le grand besoin que manifestent, par exemple, les personnes âgées lorsqu'elles parlent de leur passé. Certains intervenants en milieu gériatrique utilisent en effet des stratégies de réminiscence dans le but de favoriser le travail de deuil de certaines personnes âgées qui ont beaucoup de difficulté à assumer leur vieillesse et les nombreuses limites qui l'accompagnent. Il en est de même pour les personnes qui ont perdu leur emploi ou encore un objet significatif. Le clinicien doit être en mesure d'accorder une écoute attentive aux deux aspects de l'expérience, l'une touchant la description d'un événement passé qu'a vécu l'endeuillé et qui porte une charge émotive, et l'autre concernant l'impact que cette perte a sur la vie actuelle. Voici un exemple pour illustrer ce propos.

Pendant quelques semaines, quotidiennement, quand je dispensais des soins physiques à un homme âgé hospitalisé en milieu psychiatrique, il manifestait beaucoup de colère à mon endroit et refusait de collaborer à ses soins. Lorsque je parvenais à le calmer, il me parlait invariablement de sa jeunesse comme bûcheron et décrivait de façon très animée ses prouesses. Ses propos devenaient enjoués et amicaux. Ces deux temps de notre échange contrastaient étrangement. En écoutant cet homme, j'ai compris plus clairement son message. Quand il réagissait avec colère à mes tentatives pour lui donner des soins, il réagissait avant tout à ce que je lui rappelais, à savoir qu'il était alité, dépendant et mourant. Quand il me parlait de son passé, il évoquait l'importance de la perte en cours et le deuil qu'il refusait d'assumer. J'ai partagé avec cet homme ma compréhension de son expérience en l'invitant à me parler de ce qu'il éprouvait en se voyant ainsi dépendre des soignants pour répondre à ses besoins quotidiens, lui qui était si costaud. Avec beaucoup de tristesse, il m'a parlé de ses moments de révolte, du manque de sens de se trouver alité, d'être hospitalisé en milieu psychiatrique, de sa hâte de mourir, de sa solitude. Au fil des jours, nous avons poursuivi nos échanges et j'ai pu lui offrir des soins, mais cette fois en obtenant sa collaboration et en l'invitant à y exercer un rôle actif.

Gendron et Carrier (1997, p. 151) décrivent de la façon suivante ce mouvement de détachement progressif :

> L'état dépressif possède sa propre dynamique : il évolue par vagues successives qui diminuent en fréquence et en intensité au fur et à mesure que le deuil progresse, il connaît des pics et des creux mais il cicatrise toujours la blessure. Même si, au plus fort de la tempête, on a peine à croire, il faut sans cesse se répéter qu'un deuil se vit au jour le jour et que le processus de guérison est à l'œuvre.

Selon Wordon (1991, p. 30) :

> Les distinctions majeures à faire entre le deuil et la dépression sont les suivantes. Dans la dépression aussi bien que dans le deuil, on peut

> trouver les symptômes classiques des troubles du sommeil, des troubles de l'appétit et une profonde tristesse. Cependant, dans la réaction de deuil, il n'y a pas de perte d'estime de soi comme on la rencontre habituellement dans une dépression clinique. Si cela se produit, c'est pour une courte période. Et si le survivant de ce décès vit un sentiment de culpabilité, c'est habituellement un sentiment de culpabilité associé à des aspects spécifiques de la perte plus qu'un sentiment global de culpabilité comme celui que l'on observe dans la dépression.

Il ajoute plus loin (p. 32) : « Freud croyait que dans le deuil, le monde semble pauvre et vide, tandis que dans la dépression, la personne se sent pauvre et vide. »

5.2.3 La fin du deuil : la période de rétablissement

Dans les deux étapes précédentes, l'endeuillé, après avoir reconnu la réalité de la perte, doit en faire le deuil, lâcher prise et apprendre à vivre sans la présence de l'objet de la perte. Dans cette dernière étape du processus de deuil, l'endeuillé doit accepter avec courage la possibilité d'investir de nouveau, de faire des projets en l'absence de l'objet de la perte. Cet engagement prendra des formes différentes en fonction de l'objet de la perte. Ce pourra être, par exemple, selon le type de perte, en investissant dans une relation affective, en se mettant à la recherche d'un nouvel emploi ou encore en entreprenant de nouvelles activités qui tiennent compte de ses limites physiques. Cet investissement demande beaucoup de courage puisque l'endeuillé est particulièrement sensible à la possibilité de vivre une nouvelle perte.

Pour Hanus (1994, p. 111) :

> [Ce] troisième et dernier temps du deuil est celui du rétablissement. Il débute lorsque le sujet se tourne vers l'avenir, s'intéresse à de nouveaux objets, est capable de ressentir de nouveaux désirs et de les exprimer. Ce retour vers le monde extérieur débute habituellement dans les rêves où l'endeuillé s'étonne de se tourner vers de nouvelles entreprises. Cette période d'adaptation se manifeste dans des changements du cadre d'existence et la mise en place de nouvelles relations sociales. L'endeuillé, en période dépressive, vivait dans les souvenirs du disparu ; maintenant, il change de résidence ou bien il en modifie l'aménagement ; il se sépare des objets personnels du défunt, gardant seulement ceux qu'il considère comme particulièrement évocateurs et significatifs.

Et il ajoute un peu plus loin (p. 112) : « La fin du deuil se manifeste essentiellement par la capacité d'aimer de nouveau et de créer de nouveaux liens objectaux. »

Gendron et Carrier (1997, p. 157-158) résument particulièrement bien cette étape en soulevant les questions auxquelles l'endeuillé doit répondre à cette étape :

> Il en va ainsi à la suite d'une perte, si on parvient à traverser la colère, le refus et la dépression. Le questionnement passe alors du pourquoi au comment (Deits, 1988). Comment réorganiser sa vie sans la personne ou l'objet disparu ? Comment tirer profit de son épreuve et se préparer aux pertes futures ? Comment faire bénéficier les autres de ce que nous avons appris de l'expérience de perte ? Comment devenir une personne meilleure et plus heureuse ? Quand on se sent capable de se poser franchement ces questions, on a franchi une bonne partie du chemin.

Cependant, dans le cas où l'objet de la perte est sa propre mort, cette étape prend une forme différente. Kübler-Ross (1975, p. 121-122) qualifie cette étape comme étant une étape d'acceptation, et plus concrètement d'acceptation de sa propre mort. Elle mentionne à ce propos :

> Il ne faut pas croire que l'acceptation puisse être confondue avec une étape heureuse. Elle est presque vide de sentiments. C'est comme si la douleur avait fui, la lutte est derrière nous et un temps commence, celui « du repos final avant le long voyage » comme le définissait un malade.

Comme nous pouvons le constater dans la description de ces étapes, le deuil est un travail psychique qui comporte certaines expériences internes que l'on peut accompagner, reconnaître et stimuler, mais dont on ne peut forcer la présence. Plusieurs auteurs qui se sont intéressés aux étapes du deuil ont apporté de nombreux commentaires sur celles-ci, soulignant notamment qu'elles ne sont pas toujours vécues de façon linéaire, qu'elles ne sont pas mutuellement exclusives et qu'elles sont vécues et revécues à des degrés d'intensité très variables dans les mois et parfois même les années qui suivent la perte. Enfin, certains d'entre eux indiquent que la majorité des personnes en phase terminale décèdent sans nécessairement avoir franchi toutes ces étapes.

Aussi le travail de deuil requiert-il une participation active de la part de l'endeuillé. On ne peut franchir à sa place ces étapes. Il doit accomplir certaines tâches grâce auxquelles son deuil pourra se compléter. Ce n'est qu'à cette condition qu'il pourra de nouveau réinvestir pleinement dans la vie et être de nouveau en mesure d'assumer sainement d'autres pertes qu'il vivra (Meagher, 1989 ; Parkes et Weiss, 1983 ; Stroebe et Stroebe, 1987 ; Wordon, 1991).

5.3 LES TÂCHES À ASSUMER AU COURS DU TRAVAIL DE DEUIL

Wordon (1991) a décrit quatre tâches qui permettront de réaliser le travail de deuil. Elles consistent à accepter la réalité de la perte, à vivre la douleur du deuil, à s'ajuster à un environnement dans lequel la personne décédée est absente, à donner une nouvelle place affective à la personne disparue et à poursuivre sa vie. Comme on le voit, ces tâches sont directement reliées aux étapes du deuil que nous avons décrites. Aussi visent-elles l'actualisation de ces étapes. Même si ces tâches occupent une place particulièrement importante à certaines étapes du travail de deuil, elles devront être assumées à toutes les étapes. Le fait de présenter séparément les étapes du deuil avait pour but de réduire la confusion qui existe souvent entre le processus psychique présent chez l'endeuillé et les tâches qui en favorisent le cheminement. Voyons en quoi consiste chacune de ces tâches.

5.3.1 *Accepter la réalité de la perte*

Selon Wordon (1991, p. 10-11) :

> Quand quelqu'un meurt, même si la mort est attendue, il y a toujours le sentiment que ce n'est pas arrivé. La première tâche de l'endeuillé est de prendre pleinement conscience de la réalité selon laquelle la personne est morte, la personne est partie et ne reviendra pas. Une part de l'acceptation de cette réalité est d'en venir à croire que le contact est impossible, du moins dans cette vie.

Cela s'applique aussi aux autres types de pertes importantes. Comme nous l'avons vu précédemment, le fait d'accepter la réalité de la perte prend du temps, puisque cette démarche implique non seulement une acceptation intellectuelle, mais aussi une acceptation émotionnelle. La croyance en cette réalité est intermittente. À certains moments, l'endeuillé en prend conscience ; à d'autres moments, il se comporte comme si la personne n'était pas décédée, comme si la maladie dont il est atteint n'existait pas, comme si la perte de l'emploi n'avait pas eu lieu. À d'autres moments encore, il minimise l'importance de la perte en se disant, par exemple, qu'au fond cette personne n'était pas un si bon père, que cet emploi n'était pas vraiment pour lui.

Dans le cas d'un deuil lié à la perte d'une personne, le fait de voir la personne décédée, de participer de façon active aux rituels entourant les funérailles ou à toute autre cérémonie, de recevoir les condoléances de personnes proches, de parler du disparu et de disposer de ses objets permet de reconnaître la réalité de la perte. Dans le cas des autres pertes importantes, qu'elles soient reliées à un emploi, à un divorce ou à tout autre projet, il est important que l'endeuillé utilise différents moyens pour rendre concrète cette réalité, comme parler de cette perte, participer à un groupe de soutien, participer aux arrangements légaux, se trouver un nouvel appartement ou acheter de nouveaux meubles. Les rêves récurrents sur l'objet de la perte sont un bon indice du fait que le travail de deuil est en cours. Le fait de passer à la deuxième tâche, qui consiste à vivre la douleur du deuil en exprimant différentes émotions associées à ce vécu, constitue un moyen approprié pour l'endeuillé de reconnaître cette réalité. De plus, il est également un bon indice du fait que le travail de deuil suit son cours.

5.3.2 *Vivre la douleur du deuil*

La douleur est une réponse nécessaire à la perte d'une personne aimée et à toute autre perte importante (Meagher, 1989 ; Parkes, 1978 ; Wordon, 1991). L'intensité de la douleur vécue est directement reliée à l'investissement affectif dans l'objet qui n'est plus. Elle doit donc être reconnue et affrontée. Pour que cette condition se réalise, il doit y avoir des contacts répétés avec tous les éléments de la perte jusqu'à ce que l'intensité de la détresse diminue au point qu'elle devienne tolérable, au point que le plaisir de se souvenir contrebalance la douleur de la perte (Meagher, 1989, p. 317). Aussi, tout ce qui invite continuellement la personne à supprimer cette peine peut avoir pour effet de prolonger le cours du travail de deuil (Parkes, 1978, p. 173). Si cette perte n'est pas exprimée concrètement, elle se manifestera à travers des symptômes ou d'autres formes de comportements aberrants (Wordon, 1991).

C'est pourquoi les personnes significatives qui entourent la personne endeuillée ont un rôle important à jouer dans la réalisation de cette tâche. Il y a cependant de fortes chances qu'elles réagissent à la douleur de l'endeuillé de la même façon qu'elles le font face à leurs propres pertes. Ainsi, certaines personnes auront tendance à accueillir les émotions de l'endeuillé avec une présence soutenante et compatissante, alors que d'autres l'inviteront de différentes façons à réprimer cette douleur, que ce soit en vantant sa force de caractère, en minimisant la perte, en lui disant de ne pas s'en faire, de penser à autre chose, etc. L'endeuillé, tout en étant sensible aux marques d'attention qu'il reçoit, doit donc éviter ces écueils qui peuvent l'empêcher de réaliser cette tâche.

5.3.3 *S'adapter à un environnement dans lequel la personne décédée est absente*

L'adaptation peut prendre des formes très différentes selon la relation que la personne entretenait avec la personne décédée et selon les rôles que cette dernière exerçait dans la relation. La personne endeuillée prendra progressivement conscience du fait que l'absence de l'autre la prive de plusieurs façons des rôles que le disparu jouait auprès d'elle. Par exemple, c'est lui qui voyait à l'entretien et aux réparations de la maison, qui tondait la pelouse, qui nettoyait la piscine, qui animait les repas, qui proposait les sorties, qui répondait à ses besoins sexuels, qui payait l'hypothèque, etc.

Nos relations interpersonnelles forment un tout, semblable à un casse-tête. La perte d'une ou de plusieurs pièces laisse des espaces, qui sont irremplaçables à cause de ce qu'elles ont d'unique. La personne vivant cette perte doit cependant travailler à s'adapter aux pièces manquantes. Elle doit acquérir de nouvelles habiletés à cette fin. Elle réalisera en partie cette exigence en apprenant à exercer certains rôles qui étaient assumés par la personne décédée, en se créant une nouvelle identité et en reprenant la maîtrise de sa vie (Meagher, 1989, p. 318). Dans le cas d'autres pertes, comme une perte importante d'argent ou une perte de capacité physique, elle devra adapter ses activités en fonction de ces limites ainsi que des nouvelles exigences que crée cette perte. Quand cela se produit, la personne est sur le point de compléter avec succès cette troisième tâche.

5.3.4 *Donner une nouvelle place affective à la personne disparue et poursuivre sa vie*

La résolution du deuil comprend un processus de désinvestissement, processus par lequel quelqu'un retire son investissement initial dans un objet et réinvestit dans un autre. La conclusion du désinvestissement est la terminaison du travail de deuil. Le deuil prend fin quand la personne endeuillée est capable de dire : « Je l'ai aimé quand il était vivant, mais je ne peux continuer à l'aimer, même si j'essaie fortement. J'ai appris une chose importante sur moi. Je peux aimer et j'aimerai encore. » (Meagher, 1989, p. 318.)

Quand la personne peut parler sans douleur de la personne disparue ou de toute autre perte, cela constitue un indice du fait que le deuil est complété. Elle peut cependant conserver une certaine tristesse, sans pour autant ressentir de manifestations physiques ou éclater en sanglots. L'endeuillé gardera toujours en mémoire le disparu ou tout autre objet de perte. Il doit lui trouver une place dans sa vie affective qui lui permettra de poursuivre sa vie efficacement (Wordon, 1991). « Le travail de deuil est en quelque sorte terminé quand la personne reprend goût à la vie, retrouve l'espoir, éprouve certains plaisirs et s'adapte à de nouveaux rôles. » (Wordon, 1991, p. 19.) Cependant, ce travail n'est jamais réellement complété.

Différents facteurs peuvent faciliter la réalisation de ces tâches ou leur nuire. Certains d'entre eux échappent entièrement à la maîtrise de l'endeuillé, alors que d'autres font partie des compétences personnelles auxquelles il choisit ou non de faire appel au cours du travail de deuil. Une bonne connaissance de ces facteurs peut aider le clinicien à mieux comprendre les réactions de l'endeuillé à la suite d'une perte.

5.4 LES CONDITIONS POUVANT FACILITER LE TRAVAIL DE DEUIL OU LUI NUIRE

Divers déterminants intrapersonnels et environnementaux ont une influence directe sur les réactions de l'endeuillé. Nous en décrirons six qui ont une importance toute particulière.

5.4.1 L'état de la réflexion sur la mort et la perte

Un déterminant qui influe sur la façon d'aborder la mort et la perte est la réflexion que l'endeuillé a faite sur ce sujet. En effet, de prime abord, la mort et la perte ne semblent pas pouvoir se concilier avec la vie, d'où l'absence de sens qu'on leur attribue souvent. Voici quelques pistes de réflexion qui permettent de lier ces expériences.

La vie est constituée de nombreux cycles auxquels nous sommes soumis ; par exemple, l'état de veille précède le sommeil ; l'alimentation, l'élimination ; l'inspiration, l'expiration ; la naissance, la mort. Quoique fragiles, ces cycles se déroulent harmonieusement lorsque certaines conditions minimales favorables sont réunies. Malgré cette réalité qui s'impose à nous à chaque instant de notre vie et dont nous sommes à la fois les acteurs et les témoins, nous persistons à conserver deux grandes illusions. La première consiste à croire en la permanence des personnes et des choses. La seconde se manifeste dans le sentiment de maîtrise de soi et de l'environnement. En fait, comme nous le savons tous, la vie se caractérise avant tout par sa non-permanence et son renouvellement constant.

Le cycle de satisfaction de nos besoins en est un très bon exemple. En effet, en répondant à un besoin, que ce soit d'oxygénation, d'alimentation, d'élimination, de sécurité ou d'amour, nous savons pertinemment que cette réponse n'est pas définitive et devra être renouvelée jusqu'à notre mort. En ce qui a trait à la maîtrise, la meilleure façon de l'exercer se trouve dans le « lâcher-prise », dans la reconnaissance des manifestations de la vie et des lois internes qui la régissent, et enfin dans l'accueil et le choix de moyens qui en facilitent l'expression. En procédant ainsi, nous laissons notre organisme nous indiquer le chemin de notre vie.

Selon Miron, Mongeau et Savard (1990, p. 26) :

> La fréquentation de la mort fait découvrir davantage « le caractère précieux de la vie » et l'urgence de ne pas la gaspiller. Plus explicitement, les intervenants observent souvent qu'une partie de l'anxiété face à la mort vient du fait qu'on a l'impression d'avoir raté quelque chose d'important dans sa vie [...] la fréquentation de la mort nous invite donc à donner à nos vies le plus de qualité, de vérité et de congruence possible ; elle nous invite à nous mentir le moins possible

à nous-mêmes, à ne pas laisser s'éterniser les situations fausses et à régler celles que nous pouvons régler.

Aussi, la façon dont l'endeuillé aura vécu ses pertes passées influencera sa façon de réagir à la perte actuelle.

5.4.2 *La nature de l'attachement*

Afin de nous aider à mieux saisir les effets de la perte, il est important de bien comprendre la place qu'occupe l'attachement dans les rapports humains. En effet, la façon dont nous nous relions aux personnes et aux choses ainsi que ce qu'elles représentent pour nous détermineront notre façon de réagir à leur perte. Selon Bowlby (1984), l'attachement vient des besoins de sécurité et de protection, lesquels se manifestent tout au long de notre vie. Le fait de s'attacher à des personnes significatives est considéré comme un comportement normal non seulement chez l'enfant, mais aussi chez l'adulte. Il est associé à la survie. On l'observe chez l'enfant et chez l'animal, qui explorent leur territoire et qui reviennent constamment à la figure significative pour obtenir sécurité et soutien. Quand on est menacé de perdre cette figure significative ou qu'elle n'est plus, apparaissent l'anxiété et de fortes réactions émotives pour restaurer ce lien. Si le lien n'est pas restauré, il y a présence de retrait, d'apathie et de désespoir. Si cette expérience est vécue difficilement dans l'enfance, elle déterminera chez l'adulte une façon pathologique de vivre d'autres attachements pendant toute sa vie ; ou bien il refusera de s'attacher ou vivra des attachements très ténus, ou bien il vivra des attachements sur la base d'une grande anxiété.

Aussi est-il important de savoir non seulement qui était la personne décédée, mais aussi quelle était la nature du lien que l'endeuillé entretenait avec cette personne. À ce propos, Wordon (1991) souligne quatre aspects à considérer :

- **La force du lien.** Il est pour le moins axiomatique de dire que l'intensité du deuil est déterminée par l'intensité de l'amour.
- **La sécurité de l'attachement.** Il est important de déterminer à quel point la personne décédée était nécessaire au bien-être de la personne survivante. Une personne très dépendante pourra vivre un grand sentiment d'impuissance. Une relation narcissique dans laquelle la personne décédée représente une extension de la personne endeuillée place cette dernière devant la perte d'une partie de soi.
- **L'ambivalence de la relation.** Si l'amour et la haine se côtoient de façon égale dans la relation qu'a l'endeuillé avec le disparu, le travail de deuil sera compliqué par la présence à la fois de la colère et de la culpabilité.

– **Les conflits avec la personne décédée.** Le décès d'un proche peut aussi faire revivre à l'endeuillé certaines expériences non résolues avec cette personne, comme des abus, ou encore l'absence d'espoir que la personne décédée lui dira enfin qu'elle l'aime.

En somme, la qualité des liens que nous avons vécus dans notre enfance ainsi que ceux que nous avons vécus avec la personne ou l'objet disparu influencent notre façon d'accomplir le travail de deuil.

5.4.3 *La personnalité*

La personnalité peut aussi modifier la façon de composer avec une détresse émotionnelle. En effet, si une personne est très dépendante ou qu'elle présente certains troubles de la personnalité, comme une personnalité limite ou une personnalité narcissique, elle aura plus de difficulté à composer avec la perte. Certaines de ces personnes sont incapables de vivre une détresse émotionnelle intense ; aussi s'en défendent-elles. Pour ce faire, elles court-circuitent le processus. Il peut en être de même si la personne présente ou a déjà présenté d'autres problèmes de santé mentale, notamment des troubles dépressifs. Dans ce dernier cas, il est possible que le deuil soit vécu avec plus de difficulté. À ces facteurs intrapersonnels s'ajoutent des facteurs externes qui influeront directement sur le travail de deuil.

5.4.4 *Les stress concomitants*

En plus des stress liés à la perte, certaines personnes doivent assumer d'autres stress qui proviennent des effets de la perte, comme une baisse importante de revenus, une augmentation des tâches ménagères ou l'ajout de nouveaux rôles.

5.4.5 *Les circonstances*

Les circonstances entourant la perte auront des effets à la fois sur la force du sentiment vécu et sur la résolution du deuil. Ces circonstances peuvent être très variées, par exemple quand la perte est incertaine, comme dans le cas d'une personne disparue dont on n'a pas retrouvé le corps, quand on perd plusieurs personnes dans une catastrophe telle qu'un incendie ou un accident d'automobile, ou quand on subit plusieurs pertes sur une courte période. La façon dont la personne est décédée influencera aussi la réaction à la perte. En effet, les réactions de l'endeuillé peuvent être différentes s'il s'agit d'une mort naturelle ou d'un décès dans un accident, par suicide ou par homicide.

5.4.6 *Les facteurs sociaux*

Le deuil revêt un caractère social. Aussi sera-t-il plus facile à vivre dans un environnement social dans lequel les personnes peuvent s'apporter un soutien mutuel et se donner le droit de vivre certaines réactions de deuil. Le réseau de soutien de l'endeuillé est donc une dimension importante à considérer. À ce propos, Lazare (1979) souligne trois conditions sociales qui peuvent être de nature à compliquer le deuil :

- quand la perte ne peut être socialement dite, ce qui arrive souvent dans le cas du suicide ;
- quand la perte est socialement niée, c'est-à-dire quand l'endeuillé et les personnes qui l'entourent agissent comme si la perte n'existait pas, par exemple dans le cas de l'avortement ;
- quand il y a absence de réseau de soutien.

Ces trois conditions auront pour effet de priver l'endeuillé de conditions sociales qui faciliteraient le travail de deuil en reconnaissant de façon tangible la réalité de la perte et en permettant un soutien affectif. Comme le souligne Meagher (1989, p. 315-316), il est important que l'endeuillé puisse partager ses sentiments de perte et de douleur, ce qui donne une certaine validité au deuil ressenti et la permission sociale de faire ce deuil. Vu le nombre de facteurs qui peuvent interférer dans le déroulement normal du travail de deuil, il est à prévoir que certains endeuillés ne parviendront pas à réaliser les tâches que cela requiert et qu'ils présenteront des symptômes pathologiques ou des réactions masquées nécessitant une aide professionnelle.

5.5 LE COUNSELING *DE DEUIL*

Le travail de deuil est favorisé par la présence d'un réseau de soutien significatif. Malheureusement, bon nombre d'endeuillés ne comptent pas dans leur environnement immédiat des personnes ayant une telle disponibilité physique et affective. À ce manque de personnes accueillantes, comme nous l'avons vu précédemment, s'ajoutent plusieurs raisons pouvant rendre le travail de deuil difficile. Dans ces circonstances, l'endeuillé peut avoir recours à l'aide d'un professionnel, qui tentera de l'accompagner dans cette expérience de souffrance tout à fait humaine. En nous appuyant sur l'intervention psychothérapeutique dans un contexte existentiel-humaniste que nous avons décrite au chapitre 1, et en considérant ce qui a été dit jusqu'ici sur le deuil et sur l'endeuillé, nous énumérerons les buts poursuivis au cours du *counseling* de deuil, puis nous présenterons quelques stratégies d'intervention et, enfin, nous indiquerons quelques techniques susceptibles de faciliter cette intervention professionnelle.

5.5.1 *Les buts du* counseling *de deuil*

Le *counseling* de deuil s'adresse à des personnes qui ont de la difficulté à assumer le processus de deuil et qui ont besoin d'une aide professionnelle pour le faire. Il faut distinguer cette intervention de celle de la thérapie de deuil, qui, elle, concerne les deuils pathologiques qui nécessitent des stratégies particulières, notamment celles que nous avons décrites au chapitre 1. Le but général du *counseling* de deuil est d'aider le survivant à compléter les tâches inachevées avec la personne décédée et de le rendre capable de dire adieu à celle-ci. À cette fin, l'intervenant aidera l'endeuillé à réaliser les buts liés aux quatre tâches déjà décrites qui sont, selon Wordon (1991, p. 38) :

- rendre plus vraie la réalité de la perte ;
- aider le client à composer avec les affects exprimés et latents ;
- aider le client à gérer les différents obstacles à son adaptation après la perte ;
- encourager le client à dire un adieu approprié et à se sentir prêt à réinvestir de nouveau dans la vie.

Afin d'atteindre ces buts, le conseiller doit exercer certains rôles qui peuvent se résumer ainsi, d'après Meagher (1989, p. 322) :

- soutenir la personne endeuillée dans son cheminement à travers le processus de deuil ;
- mettre en place des stratégies d'intervention qui compenseront l'absence du soutien nécessaire et des habiletés de maîtrise déficientes ;
- assister la personne en deuil à préciser ce qu'un deuil résolu signifie pour elle, en fonction de son changement de style de vie, des nouveaux rôles sociaux qu'elle désire assumer et des possibilités de recherche d'une nouvelle identité ;
- examiner les façons appropriées à la personne de conserver un souvenir réaliste du disparu ;
- assister l'endeuillé dans la création d'une vie adaptée et l'aider à déterminer comment il peut survivre et croître dans la vie sans la personne décédée.

Pour la personne qui va mourir, ces buts pourraient se résumer de la façon suivante, selon Thomas (1988, p. 77) :

> Accompagner le mourant, c'est accomplir avec lui le plus long parcours possible jusqu'à la mort ; marcher à ses côtés selon son rythme propre et dans le sens qu'il a choisi ; savoir se taire et l'écouter mais aussi lui tenir la main et répondre à ses attentes : l'être là a encore plus d'importance, dans la réalité humaine, plus d'efficacité que le faire-ceci pourtant indispensable.

5.5.2 Les interventions

Le travail auprès d'une personne endeuillée doit se faire en prenant appui sur les assises que nous avons décrites dans le volume 1 et dans le chapitre 1 du présent livre. La mort, la souffrance et le sentiment de perte des personnes qui en sont témoins sont des expériences profondément humaines. Aussi les personnes qui manifestent le besoin d'être aidées dans cette expérience ont avant tout besoin d'être entendues et soutenues. C'est dans de telles conditions que les tâches que nécessite le travail de deuil pourront se réaliser.

De plus, afin de personnaliser l'intervention psychothérapeutique auprès de l'endeuillé, il est important que l'intervenant possède des informations sur les questions concernant l'expérience de deuil de l'endeuillé. À cet égard, nous ferons une synthèse des principales questions sur lesquelles portent les premiers échanges. Par la suite, en ce qui a trait aux buts poursuivis par le *counseling* de deuil, nous présenterons et commenterons dix procédures et principes qui, selon Wordon (1991), devraient guider l'intervenant au cours de ses interventions. Enfin, à titre indicatif, nous énumérerons quelques techniques qui favorisent l'application de ces procédures.

Les informations à recueillir

Comme nous l'avons vu dans la section 2.4, portant sur l'entretien initial, l'intervenant doit, au cours des premières rencontres, recueillir certaines données générales et spécifiques à propos de l'objet de la consultation. Dans le contexte d'un deuil, et suivant les facteurs que nous venons de décrire susceptibles d'en influencer le déroulement ainsi que les questions proposées par Meagher (1989), voici quelques exemples de questions qui peuvent être abordées pendant les premiers échanges. Si l'intervenant les utilise avec pertinence, il pourra, tout en acquérant une meilleure connaissance de l'endeuillé, l'aider à assumer certaines tâches reliées au travail de deuil. Bien entendu, ces questions doivent être ajustées au contexte de l'intervention et au type de perte vécue par l'endeuillé. Le tableau 5.2 regroupe certaines de ces questions associées à la perte d'une personne significative.

Les procédures et principes de counseling

Afin d'aider l'endeuillé à assumer les tâches liées au travail de deuil, Wordon (1991, p. 42-52) a proposé dix procédures et principes que l'intervenant peut utiliser au cours du *counseling* de deuil. Nous en ferons la synthèse, puis apporterons des commentaires sur chacun d'eux.

TABLEAU 5.2
Exemples de questions visant à amener l'endeuillé à décrire son expérience

1. La nature de la relation – Qui était la personne décédée ? – Que représentait cette personne pour l'endeuillé ? – Depuis combien de temps cette relation existait-elle ? – Quels liens existait-il entre eux ? – Quelles sont les autres personnes qui peuvent être affectées par ce décès ? **2. L'événement de la mort** – Quand, où et comment la mort est-elle survenue ? – Comment l'endeuillé a-t-il appris le décès ? – Qui l'en a informé ? – Quelles ont été ses premières réactions ? **3. Les styles de maîtrise** – Comment l'endeuillé a-t-il tenté de composer avec la perte ? – Quels ont été les résultats de ses actions ? – Comment explique-t-il ces résultats ?	**4. Le soutien possible** – Y a-t-il quelqu'un avec qui l'endeuillé partage ses pensées et ses émotions au sujet de cette mort ? – Quel était le réseau de soutien de l'endeuillé avant la mort de la personne ? – Quel est son réseau de soutien actuel ? **5. L'endeuillé** – Prend-il de l'alcool, des drogues ou des médicaments comme moyen de gérer cette situation ? – Y a-t-il déjà eu dans sa vie des épisodes de troubles mentaux ? – A-t-il déjà vécu des pertes ? Si oui, comment les a-t-il assumées ? – En quoi cette expérience est-elle différente des précédentes ? – Quelles sont les répercussions de ce deuil sur son fonctionnement quotidien, sur sa santé, sur son travail, sur ses relations interpersonnelles, etc. ? **6. Ses attentes** – Qu'espère l'endeuillé de ces rencontres ?

Aider le survivant à actualiser la perte

Comme nous l'avons indiqué précédemment, quand une personne perd un être cher ou tout autre objet significatif, même dans une situation de deuil anticipé, elle éprouve durant les premiers moments une impression d'irréalité, le sentiment que la perte ne s'est pas produite. Aussi, la première tâche qu'elle doit réaliser consiste à acquérir une plus grande conscience que la perte s'est produite et que la personne est décédée et ne reviendra pas. Ce n'est qu'à cette condition qu'elle pourra composer avec l'impact émotionnel de la perte.

Une des meilleures façons d'aider la personne à actualiser la perte est de lui demander d'en parler en posant les questions suivantes :

– Où le décès a-t-il eu lieu ?
– Comment cela s'est-il produit ?

- Qui l'en a informée ?
- Où était-elle quand on l'a informé du décès ?
- Comment se sont déroulées les funérailles ?
- Qu'est-ce qui s'est dit à l'occasion des funérailles ?

En périnatalité, différents moyens sont mis en œuvre pour favoriser l'actualisation de la perte lors d'une fausse couche ou de la naissance d'un bébé mort-né. À ce propos, De Montigny et Beaudet (1997, p. 385) mentionnent :

> Il semble que les parents qui ont eu la possibilité de voir leur bébé, de le toucher et de le prendre dans leurs bras ont pu par la suite conserver une image de lui et le pleurer, car il était bien réel dans leur mémoire. La confirmation perceptuelle et sensorielle de la perte du bébé jouerait aussi un rôle essentiel dans la résolution du travail de deuil.

Ces auteures de même que plusieurs autres telles que Davis, Stewart et Harmon (1988), Gagnon de Launière et Boudreault (1995) et Hopkins Hutti (1988) suggèrent d'autres interventions, comme inviter les parents à donner un nom à leur bébé, leur remettre une photo du bébé et certains souvenirs du bébé, tels une mèche de cheveux, les empreintes de ses pieds ou son bracelet d'identification. De plus, elles invitent les parents qui le désirent à s'entourer de quelques personnes significatives et de s'entendre avec le service de la pastorale pour la tenue d'un office religieux.

La visite au cimetière et le recueillement sur la tombe aident à reconnaître la réalité de la perte. L'intervenant peut demander à l'endeuillé de lui parler de cette visite et lui faire décrire la pierre tombale. S'il n'a pas fait cette visite, l'intervenant peut lui demander d'imaginer une telle visite en disant ce qui s'y passerait.

Comme nous l'avons souligné précédemment, le conseiller doit faire parler l'endeuillé de l'objet de la perte, que ce soit une personne, un objet ou une expérience. Ce faisant, il sera plus en mesure de reconnaître avec l'endeuillé tous les aspects dont il est privé par cette perte.

Aider le survivant à reconnaître ses émotions et à les exprimer

Le deuil a été décrit comme un processus émotionnel en réponse à une perte. Les sentiments associés à la perte sont innés, nécessaires et universels. Ce sont leurs manifestations qui sont spécifiques socialement. Étant donné que les émotions sont innées, il est préférable de les manifester, de les partager et de les « ventiler ». Le déni de ces émotions ou leur suppression ne les font pas disparaître. L'endeuillé doit apprendre à communiquer ses émotions. Cette communication nécessite la reconnaissance de leur nature et de leur source, et l'utilisation de stratégies pour atténuer leur intensité.

Pour le survivant, l'expression des émotions nécessite que les autres manifestent un certain désir de l'écouter, ce qui lui confirmera son droit au deuil (Meagher, 1989, p. 319). Cependant, plusieurs endeuillés viennent consulter afin qu'on les libère rapidement de leur tristesse. Aussi hésiteront-ils à partager leurs émotions. Les aider à accepter et à explorer leur peine est une partie majeure de l'intervention. Selon Wordon (1991, p. 43), certaines émotions comme la colère, la culpabilité, l'anxiété et l'impuissance sont plus problématiques pour les survivants. Dans le volume 1 (Chalifour, 1999), nous avons décrit certaines attitudes et techniques qui favorisent la reconnaissance et l'expression des émotions. En effet, c'est au moyen de la considération positive, de la compréhension empathique de ce que vit l'endeuillé et de la reformulation de cette compréhension que l'endeuillé sera invité à reconnaître et à exprimer ses émotions.

Wordon (1991) propose deux questions indirectes particulièrement utiles pour faciliter l'expression de la colère :

- Qu'est-ce qui vous manque le plus de lui ?
- Qu'est-ce qui vous manque le moins ?

En répondant à ces questions, l'endeuillé pourra davantage ressentir la privation.

Meagher (1989, p. 320) invite l'intervenant à porter une attention toute particulière à la résolution du sentiment de culpabilité. Le sentiment de culpabilité relié à la mort est une réponse émotionnelle faite d'autoaccusation et d'autoblâme concernant les événements qui ont conduit à la mort. Ce sentiment peut être légitime, illégitime ou être lié au fait de survivre. Il peut être exagéré ou simplement minimisé. L'expérience de la culpabilité semble une réponse universelle à la perte d'une personne aimée.

Il est impérieux que le sentiment de culpabilité soit examiné, éliminé ou accommodé. Lorsqu'il n'est pas résolu, il peut se traduire par une tentative d'autopunition de la part du survivant en détresse. À ce propos, Wordon (1991) suggère d'utiliser la stratégie suivante. Plusieurs sources de culpabilité sont irrationnelles et liées aux circonstances de la mort. Aussi le thérapeute doit-il demander à l'endeuillé de décrire toutes les actions qu'il a réellement faites pour aider la personne décédée et le laisser conclure sur la pertinence de ce qu'il a fait. Par exemple : « Quand vous me dites que vous n'en avez pas fait suffisamment, qu'est-ce que vous avez fait ? Ensuite, qu'avez-vous fait d'autre ? » Cette façon de procéder permet souvent à l'endeuillé de comprendre que les manques qu'il s'attribue n'étaient pas fondés.

Aider l'endeuillé à vivre sans la personne décédée

La relation entre le survivant et le disparu était bien réelle ; elle permettait de répondre à certains besoins perçus. Le survivant doit reconnaître la nature de cette relation. Pour ce faire, le conseiller peut utiliser une démarche de solution de problème. Ainsi, il explorera les problèmes auxquels le survivant fait face de même que la façon de les résoudre. Si la personne décédée assumait certains rôles qui doivent toujours être assumés, la personne survivante doit parfois apprendre à les assumer. Cela est tout particulièrement présent dans un couple dont l'un des conjoints décède.

Faciliter la relocalisation émotive de la personne décédée

Pour plusieurs endeuillés, la démarche la plus difficile à réaliser est une démarche qui semble à première vue contradictoire. Ils doivent apprendre à créer et à intérioriser une image réaliste de la personne aimée, à désinvestir en établissant une nouvelle relation avec la personne décédée et à investir émotivement dans une nouvelle relation (Meagher, 1989, p. 321). En facilitant la relocalisation émotive, le conseiller peut aider le survivant à trouver une nouvelle place dans sa vie à la personne aimée qui est disparue, une place lui permettant de continuer à vivre et à établir de nouvelles relations. Le conseiller doit aider la personne à reconnaître que nul ne remplacera la personne disparue et qu'il n'est pas nécessaire de l'oublier pour investir dans de nouvelles relations. Dans le cas contraire, certains endeuillés, pour ne pas sentir la perte, investissent rapidement dans une autre relation. Le conseiller peut les aider à découvrir le sens que recouvre l'urgence de cet investissement affectif.

Donner à l'endeuillé le temps de vivre le deuil

Le deuil de personnes significatives prend du temps et ce processus est graduel. Certains moments sont reconnus comme étant particulièrement difficiles, par exemple trois mois après le décès, le premier anniversaire de la mort, les vacances ou le congé des Fêtes. Dans certains contextes de travail, il est suggéré que l'intervenant, s'il a conclu une entente préalable à la fin de la thérapie, téléphone à l'endeuillé afin de prendre de ses nouvelles et, au besoin, lui accorde un court moment de soutien.

Interpréter les comportements « normaux »

Souvent, après un décès, des personnes ont le sentiment de devenir folles. Certaines ont l'impression que le disparu est présent dans leur environnement, qu'elles le reconnaissent dans la rue, qu'elles sont anormalement distraites, etc. Certains endeuillés qui ont pris une retraite prématurée ou qui ont perdu leur emploi vivent aussi ce type d'expérience ; par exemple, ils préparent leurs vêtements avant de se coucher comme s'ils allaient travailler le lendemain, ils mettent le réveille-matin à l'heure habituelle où ils se levaient quand ils travaillaient ou font des rêves récurrents où ils se voient au travail. Le conseiller, à partir de ses connaissances sur le processus de deuil, peut rassurer l'endeuillé au sujet de la normalité de certaines expériences en précisant, par exemple, qu'elles sont simplement des indications selon lesquelles la personne disparue ou leur travail leur manque encore beaucoup et une partie de lui-même se refuse encore à reconnaître cette perte.

Reconnaître les différences individuelles

Dans ce livre, nous avons parlé à plusieurs reprises de l'unicité de la personne. Cette façon unique d'être devant la perte et le deuil doit être reconnue et acceptée par l'intervenant. Parfois, l'endeuillé peut s'interroger sur la normalité de ses réactions en se comparant à des personnes de son entourage qui réagissent différemment devant la perte. L'intervenant doit valoriser et soutenir cette façon particulière qu'a l'endeuillé de vivre la perte et d'y réagir. Ensemble ils peuvent tenter de trouver un sens à cette manière particulière de manifester la souffrance ou de la refuser.

Procurer un soutien continu

Le conseiller doit se rendre disponible aussi longtemps que l'endeuillé a besoin de lui. Une fois les rencontres terminées, il doit informer clairement la personne que, sur demande, il reste disponible pour répondre à ses attentes. Dans certains contextes de travail où cette disponibilité n'est pas garantie, le milieu devrait au moins s'assurer qu'il existe des ressources auxquelles la personne pourra avoir accès au besoin, que ce soit des groupes de soutien, des associations, etc.

Examiner les défenses et les styles d'adaptation

Au cours des entretiens, il est important d'explorer les différents moyens que l'endeuillé utilise pour composer avec l'expérience du deuil. En explorant ces moyens, l'intervenant et l'endeuillé seront à même de constater dans quelle mesure les tâches reliées au travail de deuil sont assumées. Par exemple, il y a quelques années, plusieurs médecins prescrivaient une forte médication au moment du deuil afin d'aider la personne à vivre cette expérience. Aujourd'hui, on reconnaît davantage que cette façon de faire a pour effet d'accroître de beaucoup les problèmes liés au travail de deuil, comme les réactions chroniques de deuil ou les réactions retardées de deuil. Aussi l'intervenant doit-il prêter attention à la manière dont la personne maîtrise son anxiété et ses insomnies au moyen d'une médication, d'alcool ou de drogues, et l'aider à trouver d'autres solutions qui ne l'isoleront pas de l'expérience en cours. L'endeuillé qui refuse de regarder les photos du disparu et qui veut à tout prix oublier celui-ci présente un mécanisme d'adaptation peu pertinent. Il en est de même pour les personnes qui, dans les semaines qui suivent un divorce, investissent dans une nouvelle relation.

Reconnaître la présence de comportements pathologiques

Le conseiller doit être capable de reconnaître à quel moment le client a besoin d'une psychothérapie expressive et, en accord avec le client, changer ses stratégies d'intervention. S'il ne possède pas les compétences pour le faire, il doit adresser l'endeuillé à un psychothérapeute. Par exemple, à la suite d'un décès, certaines personnes peuvent présenter une dépression clinique majeure, des attaques de panique, des comportements phobiques, de l'alcoolisme, un syndrome post-traumatique ou un état maniaque.

5.6 *QUELQUES MOYENS DE FACILITER LE TRAVAIL DE DEUIL*

La meilleure façon d'aider une personne en deuil est sans aucun doute de manifester une écoute active qui s'inspire d'une vision existentielle-humaniste de l'accompagnement d'une personne en besoin d'aide. Cette stratégie d'écoute peut être enrichie des techniques que nous avons décrites au chapitre 1 portant sur les assises de l'intervention psychothérapeutique de même que des stratégies de solution de problème et de gestion de crise présentées aux chapitres 3 et 4. Dans le contexte de cette écoute, il est parfois utile d'employer certaines techniques qui facilitent la démarche en cours. Cependant, nous invitons les intervenants à le faire avec une certaine réserve et à être particulièrement attentifs aux raisons pour lesquelles ils les emploient. Voici quelques stratégies éprouvées dans le contexte du travail de deuil, qui s'inspirent surtout de celles que propose Wordon (1991, p. 52-54), les trois dernières provenant de Monbourquette (1996).

Les stratégies d'intervention sont très variées. Il importe de s'assurer qu'elles sont adaptées à la personnalité du client et qu'elles sont utilisées dans un but déterminé en tenant compte du travail de deuil en cours et des tâches à assumer pour en faciliter la résolution.

Utiliser un langage évocateur qui invite à ressentir l'émotion

Il s'agit pour l'intervenant d'évoquer la perte au cours de la conversation. Par exemple, remplacer l'expression « Votre fils est mort » par « Vous avez perdu votre fils » ; cette seconde formulation aidera la personne à ressentir la perte.

Il s'agit aussi de parler au passé. Dire, par exemple : « Votre mari était... » Cette façon de faire permettra à la personne de mieux reconnaître que la personne n'est plus.

Inviter l'endeuillé à apporter des symboles lors des entretiens

Les symboles consistent en des bijoux, des photos, des lettres, une vidéocassette, etc. Ils ont pour effet de rendre concrète l'expérience de la perte.

Inciter l'endeuillé à écrire à la personne décédée

Pour boucler la boucle, l'endeuillé peut écrire un poème, rédiger un journal quotidien sur l'expérience en cours, et ainsi de suite.

Dessiner

Cette technique est particulièrement utile pour exprimer les émotions vécues. Elle est surtout utilisée avec des enfants. L'endeuillé est invité à commenter son dessin en demeurant en contact avec les émotions qui l'habitent.

Faire un jeu de rôle

Cette technique est particulièrement utile quand la personne se sent incompétente à assumer de nouveaux rôles.

Utiliser la restructuration cognitive

Nos pensées et surtout notre langage intérieur influent sur nos émotions. Le thérapeute aide à reconnaître les pensées erronées, comme celles qui portent sur des généralisations, et invite l'endeuillé à les reformuler dans des mots qui correspondent davantage à sa réalité.

Monter un document sur le disparu

Tous les membres de la famille écrivent des textes dans lesquels ils relatent leurs souvenirs au sujet de la personne disparue et y incluent des photos.

Utiliser la chaise vide

Une chaise vide est placée devant l'endeuillé, qui ferme les yeux, imagine la présence du disparu sur cette chaise et lui parle.

La recherche du sens

« En regard de la recherche de sens, l'endeuillé est invité à découvrir le versant positif de la perte. À quoi cette perte conduit-elle ? À quoi as-tu été initié ? Quelles sont les nouvelles ressources que tu découvres ? » (Bernard, 1990, p. 10.)

L'étape du pardon et du laisser-partir

« L'étape du pardon se situe au niveau du cœur, alors que celle du "laisser-partir" se situe au niveau de l'imaginaire. Dans l'étape du pardon, le thérapeute invite la personne à accorder et à demander pardon à celui ou celle qui l'a quitté. [...] Quant à l'étape du "laisser-partir", le thérapeute guide l'endeuillé dans une fantaisie où il laisse la personne aimée disparaître. » (Bernard, 1990, p. 11.)

L'héritage

« L'héritage peut se définir comme l'ultime étape du deuil où s'effectue la récupération des projections de la personne aimée. C'est en quelque sorte se réapproprier l'amour, l'énergie, les qualités, les talents qu'on avait déposés dans l'autre. » (Bernard, 1990 p. 11.) Monbourquette (1994) a décrit un rituel pour aider l'endeuillé à assumer cette étape ultime du deuil.

5.7 LA SANTÉ MENTALE DES INTERVENANTS[1]

Il est important de retenir, comme le soulignent Miron, Mongeau et Savard (1990, p. 27), que la mort est un événement pouvant laisser de nombreuses séquelles :

> Il faut ici le redire. La mort, comme le soleil, peut brûler ceux qui la fréquentent de trop près, sans se protéger suffisamment. [...] Cauchemars, épuisement, stress, incapacité de faire face à la maladie, sentiment que la mort nous « colle à la peau », qu'elle envahit nos vies, peur d'être malade, peur de mourir, peur de perdre un enfant ou son conjoint, voilà quelques-unes des réactions que peut provoquer une fréquentation assidue des personnes confrontées à la mort.

Malheureusement, plusieurs intervenants ont tendance à banaliser ou à refuser de reconnaître l'importance de ce qu'ils vivent à ce propos. La présence de troubles physiques ou psychiques ressentis à la suite de ces expériences intenses sont parfois un rappel de deuils passés sous silence. Dans les deux cas, il faut des soins et du temps pour restaurer l'équilibre perdu. Quand nous nous blessons physiquement, nous prêtons attention à cette blessure en nous soignant pour prévenir l'infection et favoriser le processus de guérison. Mais qu'en est-il de nos deuils quasi quotidiens ? Comment se manifestent-ils ? Quels soins leur accordons-nous ?

Dans leur travail, les intervenants des professions d'aide sont susceptibles de vivre de nombreuses pertes pouvant prendre différentes formes : décès de clients avec qui ils ont créé un lien significatif ; mise en

1. Cette section est une adaptation de deux articles parus dans la revue *Soins* (Chalifour, 1998a, 1998b).

veilleuse de certains idéaux professionnels occasionnés parfois par le manque de temps pour écouter les clients et prendre soin d'eux ; impuissance à guérir et à soulager la souffrance de certains d'entre eux qui, malgré leurs efforts, vont mourir ; solitude face à leurs chagrins ; manque de compréhension et de soutien des collègues de travail et de certains administrateurs face à des projets qui leur tiennent à cœur ; etc. Comment arrivent-ils à vivre d'aussi fréquentes ruptures et d'aussi grandes déceptions sans en être profondément affectés ?

Le but de cette section est d'inviter les intervenants à faire une réflexion sur les deuils qu'ils vivent dans leur travail et à déterminer des moyens de mieux les assumer. Pour ce faire, nous indiquerons certaines causes de ces réactions de deuil et proposerons des moyens qui peuvent être utilisés sur les plans personnel, professionnel et organisationnel afin d'assumer ces deuils et d'aider leurs collègues à le faire de telle sorte qu'ils soient moins douloureux et deviennent des occasions d'apprentissage et de croissance. En plus de nous intéresser aux deuils reliés à l'exercice même de la pratique professionnelle auprès des clients, nous établirons certains liens avec les deuils associés aux idéaux professionnels.

5.7.1 Les causes possibles des réactions de deuil

Les réactions de deuil, à la suite d'une perte, peuvent être vécues avec plus ou moins d'intensité, de conscience et d'harmonie. La grande variété de celles-ci peut s'expliquer par la qualité de la présence de certains déterminants professionnels, personnels et situationnels que nous allons décrire.

Les déterminants professionnels

Certains déterminants liés au contexte professionnel peuvent influencer les réactions de l'intervenant face à une perte. Parmi eux, on trouve l'exposition à la souffrance, l'attachement au client et l'environnement de travail.

L'exposition à la souffrance

Selon Bowlby (1984, p. 20) :

> La perte de l'être aimé est l'une des expériences les plus intensément douloureuses qu'un être humain puisse subir. Or, non seulement elle est douloureuse à ressentir, mais elle est également douloureuse à observer, ne serait-ce qu'à cause de notre impuissance à aider l'autre.

Dans le même ordre d'idées, certaines recherches soulignent que les soignants vivent fréquemment un deuil lors du décès d'un patient et, de plusieurs façons, réagissent comme des endeuillés (survivants) (Fulton, 1987).

À titre d'exemple, Vachon (1986, p. 68) souligne que, dans une des nombreuses études qu'elle a consultées au cours de ses travaux portant sur le stress, on y indiquait que plus de la moitié du personnel travaillant dans des unités de soins palliatifs avait un niveau de stress souvent aussi élevé que celui que vivaient des veuves ou des veufs dont le conjoint était récemment décédé, et plus élevé que celui qui était obtenu par des femmes ayant reçu récemment un diagnostic de cancer du sein. Selon Plante, Dumas et Houle (1993, p. 47), ces réactions s'expliqueraient par le fait que « les infirmières ont reçu une formation axée sur l'approche curative et interventionniste. La mort qui demande une approche palliative et d'accompagnement exige une grande capacité d'adaptation de leur part. »

L'attachement au client

Fulton (1987) a aussi observé que certaines infirmières très engagées dans la vie des clients dont les membres de la famille étaient peu présents ou indifférents à ce qui arrivait à leur parent mourant jouaient le rôle d'endeuillées substituts. Dans des situations relationnelles intenses, il se produit chez certaines infirmières un attachement très fort qui ressemble étrangement au « syndrome de Stockholm ». Celui-ci fait référence à une expérience vécue il y a quelques années à Stockholm, où deux femmes, employées de banque, ont été prises en otage. Les cambrioleurs ont par la suite été arrêtés et incarcérés. À sa sortie de prison, l'un d'eux a épousé une des otages.

Dans des moments très intenses, comme celui où les enjeux sont la vie et la mort, il se crée souvent un attachement émotif profond dans lequel une grande identification s'établit entre l'agresseur et la victime. L'intensité relationnelle entre l'intervenant et le client peut aussi atteindre cette ampleur, ce qui expliquerait certaines réactions intenses de deuil qu'ils vivent parfois. En effet, plus le lien avec la personne qui décède est porteur d'amour, d'amitié ou de sécurité, ou plus les idéaux professionnels au regard de certains aspects de notre travail sont élevés, plus l'intensité du deuil sera grande au moment de la perte.

L'environnement de travail

Les résultats d'une vaste étude de Vachon (1986, p. 71-72) portant sur le stress vécu par les soignants travaillant auprès de personnes en phase terminale indiquent ceci :

> Près de la moitié des stresseurs (48 %) mentionnés par les personnes travaillant en soins palliatifs proviennent de problèmes liés à leur environnement de travail et 29 % proviennent de leurs rôles professionnels. Seulement 17 % des stresseurs associés aux

rôles professionnels proviennent de variables liées à la famille et au patient, et 7 % aux maladies dont les clients sont affligés.

Les principaux stresseurs liés à l'environnement et à l'exercice des rôles sont les suivants : les problèmes de communication avec les autres départements, les problèmes de communication avec l'administration, les conflits de rôles, la nature du système, les attentes irréalistes de l'organisation et les ressources inadéquates. Cette étude souligne clairement que l'environnement exerce une influence majeure sur le vécu des soignants aux prises avec des deuils multiples.

En somme, même si la relation entre l'intervenant et le client se situe dans un contexte professionnel, elle est avant tout régie par les caractéristiques propres à toute relation humaine. De plus, au moment du décès du client, les réactions émotives de l'intervenant seront influencées par sa capacité à se comporter de façon thérapeutique dans cette expérience avec son client et par la qualité de son milieu de travail.

Les déterminants personnels

Outre les déterminants professionnels, divers déterminants personnels peuvent influencer notre façon de réagir à la perte. Ces déterminants, qui sont très nombreux, sont souvent reliés entre eux. Par exemple, la facilité à exprimer ses émotions, à maîtriser son anxiété et son stress, à créer des liens interpersonnels de même que les croyances religieuses sont autant de facteurs qui influenceront les réactions des intervenants à la perte. Dans la section 5.4, concernant les conditions qui peuvent faciliter le travail de deuil ou lui nuire, nous avons présenté l'état de la réflexion de l'endeuillé au sujet de la perte, la nature de son attachement et la personnalité. Ces facteurs peuvent aussi expliquer certaines réactions de l'intervenant face à ses pertes et à ses deuils.

Les déterminants situationnels

À ces déterminants s'en ajoutent quelques autres qui peuvent également influencer notre façon de réagir à la mort et à la perte d'idéaux. Par exemple, les réactions de l'endeuillé risquent d'être différentes selon que la cause du décès est naturelle, accidentelle, occasionnée par un suicide ou un homicide. Il en sera de même pour la perte d'un emploi ou pour un échec dans la réalisation d'un projet si ceux-ci étaient prévisibles, justifiés ou subits et sans raison valable.

Enfin, certaines variables à caractère social peuvent influencer la façon de réagir à une perte. Parmi ces variables, on compte la qualité du réseau de soutien personnel et la qualité du réseau de soutien professionnel.

5.7.2 Les attitudes que l'intervenant doit adopter pour vivre sainement ses deuils

Il existe plusieurs stratégies qui permettent de rendre les pertes et les deuils qu'elles engendrent plus supportables. Nous en décrirons quelques-unes qui portent sur le plan personnel et sur le plan professionnel et organisationnel.

Les stratégies personnelles

À la suite de certaines pertes et de la souffrance qui les accompagne, certains intervenants deviennent craintifs et ont tendance à s'isoler ou à rechercher des moyens d'évitement, espérant se protéger ainsi de telles expériences. Ils adoptent différentes stratégies, comme choisir de travailler uniquement auprès de clientèles présentant des problèmes de santé mineurs, exécuter leur travail de façon routinière et maintenir des rapports superficiels et fonctionnels avec les clients et les collègues. Conséquemment, ils s'ennuient et trouvent peu d'intérêt à leur travail. Une partie importante de la souffrance ressentie au moment de la perte est liée aux incapacités et aux interdits entourant la libre expression des émotions. Nous devons donc apprendre à avoir une plus grande présence à soi et à compléter les situations inachevées passées et actuelles.

Prêter attention à soi

Comme le souligne Frappier (1989, p. 29) :

> La capacité et même la détermination de prendre les moyens appropriés pour prendre soin de soi ou faire prendre soin de soi s'avèrent déterminantes pour ces intervenantes si elles tiennent à être authentiques et à parer ainsi à l'épuisement professionnel.

Une première façon d'y parvenir est de répondre aux questions suivantes et d'agir en conséquence :

- Quelles sont les émotions et les pensées qui m'habitent face à ce type de perte (peine, colère, culpabilité, impuissance, reproches, soulagement, etc.) ?
- Qu'est-ce qui rend souffrante cette expérience particulière ?
- En quoi cette expérience est-elle différente de toutes les autres expériences que j'ai vécues avec les clients qui sont décédés, ou des échecs que j'ai connus au cours de ma vie ? En quoi leur est-elle semblable ?
- Quelles objections ai-je à vivre et à partager les émotions qui m'habitent ?
- Avec qui, où et quand puis-je partager cette expérience ?

Dans le même ordre d'idées, Pronovost-Tremblay (1989, p. 24) souligne, dans un excellent texte portant sur le soutien des intervenants, que : « Pour mieux soigner, il faut nous soigner, et ce non seulement au plan physique, mais aussi aux plans affectif et spirituel. » Elle ajoute (p. 23) :

> Lorsqu'on assiste des grands malades, des mourants et leur famille, la santé peut être mise à rude épreuve. Le contact régulier avec des situations chargées d'émotions exigeant des interventions rapides, soutenues et habiles exerce une pression sur l'organisme. Pour être maintenu en santé, il doit être soumis à un régime de vie équilibré.

En somme, la vie se nourrit de la vie. Il est important de créer une disponibilité intérieure pour accueillir ses multiples manifestations. La chaleur du soleil sur sa peau, le chant des oiseaux, la présence de personnes agréables, l'odeur d'un bon parfum, la chaleur et le réconfort d'un toucher, un bon repas, le son d'une voix agréable, le souvenir d'un bon moment, le sourire d'une amie, l'écoute de la musique, la lecture d'un bon livre, un massage, voilà autant d'occasions de refaire le plein d'énergie pourvu qu'on y prête attention et qu'on prenne le temps de les apprécier.

D'autres façons d'être présent à soi consistent à apprendre à respirer, à bien s'alimenter, à faire de l'exercice, à se centrer et à méditer. Ces pratiques simples, accomplies sur une base régulière, donnent des résultats étonnants. Si nous avons acquis de telles habitudes de vie, il sera facile de les utiliser comme soutien dans des moments plus intenses de notre travail.

Boucler certaines boucles d'expériences

Il y a de fortes chances que, par suite du décès de clients pour qui nous avions un grand attachement, nous nous comportions de la même façon que lorsque nous avons vécu d'autres pertes importantes dans notre vie. Nous devons donc reconnaître les pertes importantes que nous avons vécues depuis notre naissance ainsi que la manière dont nous les avons assumées. Si certaines d'entre elles n'ont pas été vécues ou ont été mal vécues, il est important de se donner les moyens de compléter ces expériences (par exemple par l'écriture, une aide psychologique, une conversation avec un ami ou la réalisation d'un rituel de fermeture).

Il est aussi important de reconnaître les autres expériences que nous avons laissées inachevées. Les besoins et les colères non exprimés, les chagrins réprimés, les déceptions, les gestes et les paroles retenus mobilisent une part importante de nos énergies. Nous devons boucler ces boucles d'expériences de façon réelle ou symbolique si nous désirons avoir accès à ces énergies contenues.

Les stratégies professionnelles et organisationnelles

À ces stratégies personnelles s'ajoutent certains moyens, sur les plans professionnel et organisationnel, de nous soutenir dans les moments de perte et de deuil.

Clarifier ce que signifie aider une personne sur le point de mourir ou atteinte d'une maladie chronique

Devant la souffrance et la mort dont le traitement médical ne peut changer le cours, nous avons de la difficulté comme intervenants à reconnaître que la seule façon d'accompagner cette vie, c'est de la reconnaître comme elle est, c'est-à-dire souffrante et mourante, et non comme nous la voudrions, c'est-à-dire en voie de guérison, en bonne santé et heureuse. Lorsque nous reconnaissons que nous sommes impuissants à changer le cours des choses, cela nous aide à devenir les témoins de cette expression de la vie et nous rend disponibles pour l'accompagner. Dans un tel contexte, l'un des buts de notre présence est de prendre soin de cette vie et de nous amener à répondre aux attentes du client en nous assurant de sa participation, si limitée soit-elle. Malgré le fait que de nombreux témoignages de personnes souffrantes et mourantes confirment la très grande valeur d'une présence faite d'accueil, d'écoute et de compassion, il existe encore beaucoup d'intervenants qui se sentent inutiles et mal à l'aise à l'idée de « seulement écouter ». Aussi, certains d'entre eux, à la suite du décès de leurs clients, se reprochent de n'avoir pu ou su accomplir des gestes « plus utiles ».

Se donner le temps de vivre les étapes de la perte

La mort et la souffrance soulèvent des questions et nous troublent. Il en est de même pour nos deuils reliés à certains idéaux. Nous devons trouver des moyens de faire face à ce questionnement et aux émotions qui l'accompagnent. Il est important que l'intervenant complète toute « tâche inachevée » avec la personne décédée ou toute expérience reliée à la perte d'un idéal. Les étapes qu'il doit franchir ont pour but :

- de l'amener à accepter la réalité de la perte ;
- de l'aider à composer avec les émotions présentes et avec celles qui sont latentes ;
- de l'aider à surmonter les obstacles pour se réajuster après la perte ;
- de l'encourager à dire adieu et à investir de nouveau dans la vie.

Voici ce que propose Grenier (citée par Pronovost-Tremblay, 1989, p. 24) pour faire face aux deuils multiples :

> - [...] d'abord reconnaître la peine et l'accepter ;
> - lorsque l'on sait que la fin est proche, voir chaque rencontre comme étant la dernière et faire intérieurement ses adieux à la personne mourante ;

- se donner du temps de vivre sa peine, de l'exprimer en s'assurant d'un contexte où on trouvera respect et compréhension ;
- suite au décès, s'accorder un peu de temps et, si possible, demeurer quelques instants avec le corps du défunt ;
- respecter ses besoins de rituels religieux en respectant ceux des autres ;
- prendre le temps de reconstituer les moments marquants de la relation en s'aidant par exemple des notes du dossier ;
- prendre note de ce que l'on retient de cette relation, de ce qu'on y a découvert sur soi-même, sur la personne défunte, sur ce que cette expérience nous a permis de développer ;
- finalement, accepter le fait que toutes les expériences n'auront pas toutes la même intensité, qu'à certains moments, les pertes seront plus lourdes et qu'à d'autres, elles pourront faire vivre du soulagement.

Dans certaines situations où l'intervenant est très engagé émotivement auprès du client et de sa famille, Kuhn (1989) suggère quelques moyens à utiliser lors d'un décès afin de s'aider à assumer son deuil :

- Soyez présent au moment du décès du client. Votre présence peut aider la famille. Si vous êtes en congé, demandez à être informé si le client est sur le point de décéder. Venez vivre ce moment auprès de lui et de sa famille.
- Parlez de ce décès au moment des échanges quotidiens avec vos collègues. Profitez de ce moment pour partager vos questions, vos émotions, vos peines, vos colères, etc. Le but est de faire le travail de deuil.
- Assistez aux funérailles de certains clients avec qui vous avez eu un lien particulier. Cette façon de faire sera très appréciée de la famille et vous aidera à vivre votre deuil.
- Assurez un suivi par lettre ou par téléphone avec la famille. Cet échange avec la famille dans les semaines qui suivent le décès peut l'aider à assumer cette expérience.
- Commémorez l'anniversaire, par exemple en disant une prière, en gardant quelques moments de silence, en parlant à un collègue de cette expérience passée.

Échanger avec ses collègues

Comme le souligne Pronovost-Tremblay (citée par Blanchet, 1993, p. 23) :

> Plus nous résistons à la souffrance, plus celle-ci devient intense, se cristallise et s'enracine dans toutes les dimensions de notre être. [...] Pour être source de croissance, la souffrance doit être accueillie, reconnue et acceptée. Or, pour réussir à accueillir la souffrance, nous avons souvent besoin de l'autre, de sa compréhension et de sa tendresse. La personne qui souffre vit avec intensité et a besoin d'être reconnue comme souffrante et ayant le droit de l'être.

Les collègues de travail peuvent être d'un grand soutien dans ces moments. Afin de faciliter ces échanges, les administrateurs peuvent jouer un rôle très important. Ceux qui travaillent auprès de personnes qui vont décéder sont souvent divisés entre le fait de garder une distance professionnelle et celui de s'engager personnellement. Or, comme le souligne Charles Edwards (cité par Field, 1989, p. 48) :

> La valeur d'un soin intime dispensé dans une relation de confiance a été démontrée à maintes reprises. Il est important que cela soit compris de plus en plus par les administrateurs. Cependant, ils doivent aussi s'assurer de trouver des moyens de répondre aux besoins émotionnels des intervenants créés par ce type de relation.

En d'autres termes, le soin des soignants est essentiel. Pour ce faire, les administrateurs devraient encourager la création de groupes informels ou formels de soutien. Ces groupes seraient composés des membres de l'équipe. Des rencontres auraient lieu de façon statutaire et seraient ouvertes aux personnes qui le désirent. Voici quelques-uns des buts qui peuvent être poursuivis par les participants au cours de ces rencontres :

- trouver un lieu pour exprimer ses émotions (colère, peine, frustration, culpabilité, impuissance) à la suite d'un décès dans un climat de non-jugement, d'écoute et d'accueil ;
- briser la solitude en prenant conscience que plusieurs intervenants vivent des sentiments semblables ;
- prendre conscience qu'il n'y a pas de réponse définitive ni de réaction idéale devant la mort ;
- retrouver le courage d'investir de nouveau auprès d'autres clients ;
- clarifier le sens à donner à l'accompagnement d'une personne qui va mourir ;
- faire certains deuils concernant les limites de l'aide qui peut être apportée à la personne qui souffre et qui meurt ;
- augmenter la connaissance de soi ;
- augmenter ses connaissances sur l'accompagnement des mourants.

De plus, les administrateurs doivent avoir le souci de créer les conditions de travail qui suivent :

- favoriser la mise à jour de la compétence des intervenants dans leur travail auprès de personnes mourantes ou qui vivent d'autres pertes ;
- permettre à l'intervenant qui le désire de se retirer dans un endroit discret après un décès particulièrement troublant pour lui ;
- susciter les conversations sur ces sujets lors des réunions ;
- encourager au besoin une consultation professionnelle individuelle ou de groupe ;
- tenir compte, dans la répartition de la charge de travail et dans l'assignation des clients, des pertes récentes vécues par les intervenants afin

de leur laisser le temps de récupérer. À ce sujet, à la demande des intervenants, ceux-ci devraient avoir la possibilité d'exercer pendant quelques jours des activités moins chargées émotivement, afin de vivre leur deuil et de retrouver leurs énergies avant de retourner auprès de clients nécessitant un niveau de présence très élevé.

En somme, le travail auprès de personnes souffrantes et mourantes ainsi que de leur famille ne peut laisser indifférent. La perte engendrée par le décès d'une personne en qui nous avons investi émotivement peut être perçue par certains comme une expérience menaçante qui invite à la fuite et au repli sur soi. Il en est de même pour la perte de certains idéaux reliée à nos échecs sur les plans personnel et professionnel. Lorsqu'ils sont mal vécus, ces moments sont ponctués d'un stress intense, de souffrances, d'impuissance et de frustrations de toutes sortes. Les stratégies que nous avons décrites dans cette section peuvent aussi constituer des occasions de réflexion, de partage et de croissance personnelle et professionnelle. Nous croyons que l'intervenant pourra, tout en prenant soin de lui-même, continuer avec courage à innover dans sa façon d'offrir des services professionnels, sans crainte exagérée de l'échec. Il sera alors en mesure d'accompagner le client au cours de cette étape importante de sa vie dans une relation faite d'intimité, de compassion, de tendresse et de respect.

Résumé

Dans ce chapitre, nous avons défini le deuil en fonction de la perte qui l'engendre, de la souffrance et du changement qui l'accompagnent. Nous avons ensuite décrit ses étapes et les réactions générales de l'endeuillé. En fonction de chacune de ces étapes, nous avons exposé quatre tâches qu'il doit assumer en se rappelant certaines conditions qui facilitent ce travail de deuil. Nous avons ensuite présenté différentes stratégies d'intervention qui peuvent soutenir l'endeuillé dans son cheminement. Compte tenu de l'investissement personnel qu'exige du professionnel le travail auprès des endeuillés, nous avons rappelé certains moyens personnels, professionnels et organisationnels qui lui permettront de s'accorder du soutien et ainsi de conserver sa santé mentale. En somme, malgré le caractère normal du deuil et les multiples situations qui peuvent l'engendrer, l'intervenant doit être en mesure d'en reconnaître les manifestations. Il doit, au besoin, apporter au client l'aide appropriée en s'assurant que ce dernier y joue un rôle très actif, puisque cette condition est essentielle au travail de deuil.

Bibliographie

BERNARD, S. (1990). « Grandir à la suite d'un deuil. Une entrevue avec Jean Monbourquette », *Frontières*, hiver, p. 7-11.

BLANCHET, S. (1993). « Comprendre sa propre souffrance pour accompagner l'autre dans la sienne », *L'infirmière du Québec*, novembre-décembre, p. 22-23.

BOWLBY, J. (1984). *Attachement et perte*, vol. III : *La perte, tristesse et dépression*, Paris, Presses Universitaires de France.

BURGESS, A.W. et HOLMSTROM, L. (1974). « Rape trauma syndrome », *American Journal of Psychiatry*, vol. 131, p. 981-986.

CHALIFOUR, J. (1998a). « L'infirmière face à ses deuils. Quelques éléments de réflexion », *Soins*, n° 622, janvier-février.

CHALIFOUR, J. (1998b). « L'infirmière face à ses deuils. Quelques stratégies d'intervention », *Soins*, n° 623, mars-avril.

CHALIFOUR, J. (1999). *L'intervention thérapeutique*, vol. 1 : *Les fondements existentiels-humanistes de la relation d'aide*, Boucherville, Gaëtan Morin Éditeur.

DAVIS, D.L., STEWART, M. et HARMON, R. (1988). « Perinatal loss : providing emotional support for bereaved parents », *Birth*, vol. 15, n° 4, décembre, p. 242-246.

DE MONTIGNY, F. et BEAUDET, L. (1997). *Lorsque la vie éclate. L'impact de la mort d'un enfant sur la famille*, Montréal, Éditions du Renouveau Pédagogique.

DESLAURIERS, G. (1993). « Perdre dans une société de gagnants », *Frontières*, printemps, p. 31-33.

EAKES, G.G. (1984). « The nurse/patient relationship in terminal cases », *Home Health Care Nurse*, juillet-août, p. 17-18.

ENGEL, G. (1961). « Is grief a disease ? A challenge for medical research », *Psychosomatic Medicine*, vol. 23, p. 18-22.

FAURÉ, C. (1995). *Vivre le deuil au jour le jour. La perte d'une personne proche*, Paris, Albin Michel.

FIELD, D. (1989). « Emotional involvement with the dying in a coronary care unit », *Nursing Times*, vol. 85, n° 13, mars, p. 46-48.

FRAPPIER, P. (1989). « La sollicitude comme exorcisme », *Frontières*, hiver, p. 26-29.

FULTON, R. (1987). « The many faces of grief », *Death Studies*, vol. 11, p. 243-256.

GAGNON DE LAUNIÈRE, M. et BOUDREAULT, A. (1995). « Devant un deuil périnatal », *L'infirmière canadienne*, février, p. 41-46.

GENDRON, C. et CARRIER, M. (1997). *La mort, condition de la vie*, Sainte-Foy, Presses de l'Université du Québec.

HANUS, M. (1994). *Les deuils dans la vie. Deuils et séparations chez l'adulte, chez l'enfant*, Paris, Maloine.

HENNEZEL, M. (1993). « Travail psychique et transformation au seuil de la mort », dans L. Bessette (sous la dir. de), *Le processus de guérison : par-delà la souffrance ou la mort*, textes présentés lors du congrès international tenu à Montréal, du 20 au 23 juin.

HOLMAN, E.A. (1990). « Death and the health professional : organization and defense in health », *Death Studies*, vol. 14, p. 13-24.

HOPKINS HUTTI, M. (1988). « A quick reference table of interventions to assist families to cope with pregnancy loss or neonatal death », *Birth*, vol. 15, n° 1, mars, p. 33-35.

HOROWITZ, M. (1976). *Stress Response Syndrome*, New York, Jason Aronson.

KÜBLER-ROSS, E. (1969). *On Death and Dying*, New York, Macmillan.

KÜBLER-ROSS, E. (1975). *Les derniers instants de la vie*, Genève et Montréal, Labor et Fides.

KUHN, D. (1989). «A pastoral counselor looks at silence as a factor in disenfranchised grief», dans K.J. Doka (sous la dir. de), *Disenfranchised Grief. Recognizing Hidden Sorrow*, Lexington, Lexington Books.

LAZARE, A. (1979). « Unresolved grief», dans A. Lazare (sous la dir. de), *Outpatient Psychiatry : Diagnosis and Treatment*, Baltimore, Williams and Wilkens, p. 498-512.

LINDEMANN, E. (1944). « Symptomatology and management of acute grief », *American Journal of Psychiatry*, vol. 101, p. 141-148.

LINDEMANN, E. (1974). « Symptomatology and management of acute grief », dans H.J. Parad (sous la dir. de), *Crisis Intervention : Selected Readings*, New York, Family Service Association of America, p. 7-21.

MEAGHER, D.K. (1989). « The counselor and the disenfranchised grief », dans K.J. Doka (sous la dir. de), *Disenfranchised Grief. Recognizing Hidden Sorrow*, Lexington, Lexington Books.

MIRON, T., MONGEAU, S. et SAVARD, D. (1990). « Entre le déni et l'engouement : un espace à maintenir », *Frontières*, hiver, p. 25-28.

MONBOURQUETTE, J. (1994). *Aimer, perdre et grandir*, Montréal, Novalis.

MONBOURQUETTE, J. (1996). « Prendre le temps », *Revue Notre-Dame*, n° 10, novembre, p. 7-10.

PARKES, C.M. (1978). *Bereavement : Studies of Grief in Adult Life*, New York, International University Press.

PARKES, C.M. et WEISS, R.S. (1983). *Recovery from Bereavement*, New York, Basic Books.

PLANTE, A., DUMAS, J. et HOULE, M. (1993). « Les deuils à répétition », *Nursing Québec*, vol. 13, n° 2, mars-avril, p. 46-51.

PRONOVOST-TREMBLAY, L. (1989). « Le soutien des intervenants, une responsabilité partagée », *Frontières*, hiver, p. 22-25.

STROEBE, W. et STROEBE, M.S. (1987). *Bereavement and Health : The Psychological and Physical Consequences of Partner Loss*, Cambridge, Cambridge University Press.

TESSIER, R. (1990). « Un instrument de mesure de deuil », *Frontières*, hiver, p. 42-44.

THOMAS, L.C. (1988). *La mort*, Paris, Presses Universitaires de France, coll. « Que sais-je ? ».

VACHON, M. (1986). « Myths and realities in palliative/hospice care », dans B.M. Petrosino, *Nursing in Hospice and Terminal Care. Research and Practice*, New York, The Haworth Press, p. 63-79.

WALLERSTEIN, J. et KELLY, J.B. (1980). *Surviving the Beak-Up : How Children and Parents Cope with Divorce*, New York, Basic Books.

WORDON, J.W. (1991). *Grief Counseling and Grief Therapy*, New York, Springer.

CHAPITRE

6

La thérapie de soutien

De l'avis de plusieurs auteurs, la thérapie de soutien est, parmi les différentes approches psychothérapeutiques, celle qui est la plus utilisée par les professionnels de la santé, que ce soit dans le contexte d'une intervention ponctuelle ou dans celui d'une intervention de longue durée. À ce propos, Conte (1994, p. 494) mentionne que la thérapie de soutien est probablement la forme la plus commune de psychothérapie utilisée pour les personnes en situation de crise aiguë, pour celles qui présentent une psychopathologie chronique et pour celles qui manifestent un déficit de l'ego et des manques graves et persistants. Elle est employée, par exemple, avec des clients ayant reçu des diagnostics de désordres de personnalité narcissique et limite, de schizophrénie et présentant des désordres affectifs majeurs. Elle est largement utilisée comme adjuvant thérapeutique dans le traitement médical standard des troubles physiques.

Toutefois, paradoxalement, la thérapie de soutien est aussi l'approche psychothérapeutique la moins bien définie sur le plan théorique (Conte, 1994 ; Dewald, 1994 ; Pinsker, 1994). De plus, peu de recherches importantes ont été réalisées sur son efficacité (Rockland, 1995), et la plupart des thérapeutes qui l'utilisent n'ont pas reçu de formation particulière à cette fin (Bloch, 1996 ; Pinsker, 1994 ; Werman, 1992).

Au-delà de ces constatations, l'utilisation importante de cette approche se justifie notamment par le contexte général dans lequel les intervenants de la santé exercent et par le très grand nombre de clients qui ont besoin de ce type d'intervention thérapeutique. En effet, grâce aux progrès qui sont survenus dans le domaine de la santé au cours des dernières années, l'espérance de vie de la population a considérablement augmenté. Malheureusement, le fait de vivre plus longtemps signifie pour bon nombre de personnes qu'elles doivent vivre avec des limites physiques ou psychiques plus ou moins sérieuses, dont certaines sont occasionnées par les soins ou les traitements qu'elles ont reçus ou qu'elles reçoivent.

Par exemple, les psychotropes permettent de mieux maîtriser certains symptômes de plusieurs troubles mentaux. Cependant, ces mêmes médicaments produisent des effets secondaires parfois importants, qui, dans certains cas, laissent des séquelles permanentes. Il en est de même pour certaines interventions chirurgicales qui, tout en permettant de sauver la vie, laissent plusieurs personnes avec des limites physiques et psychiques importantes. Pour beaucoup de personnes, les limites liées à leur maladie ou encore consécutives aux traitements engendrent des difficultés majeures d'adaptation en ce qui concerne la prise en main de leur vie. Certaines d'entre elles ont besoin, de façon temporaire ou permanente, de différents types de soutien, que ce soit sur les plans instrumental, affectif ou cognitif, pour conserver ou acquérir une certaine autonomie résiduelle et accepter de vivre leur quotidien de façon sécuritaire et d'y trouver un certain sens.

De nombreux professionnels de la santé sont en contact quotidiennement avec ces personnes. Afin de pouvoir leur offrir l'aide efficace et adaptée qui leur convient, ils doivent être en mesure de distinguer le type de besoins psychosociaux que présentent ces personnes. À ce propos, plusieurs auteurs, dont Conte (1994) et Werman (1992), soulignent qu'il existe encore une certaine confusion chez de nombreux intervenants quant à ce choix. Par exemple, certains thérapeutes offrent une psychothérapie de type expressif (*insight* ou *awareness*) à des clients qui ont besoin d'une thérapie de soutien. L'inverse est aussi vrai. Cette confusion vient, d'une part, d'un manque de connaissance de cette approche et, d'autre part, d'une fausse croyance selon laquelle la thérapie de soutien est moins valable que la psychothérapie expressive.

Dans ce chapitre, nous apporterons certaines précisions qui devraient dissiper cette confusion en permettant aux lecteurs de mieux comprendre en quoi consiste cette approche psychothérapeutique. À cette fin, à l'aide de plusieurs sources consultées, nous définirons d'abord le soutien et la thérapie de soutien. Par la suite, nous décrirons les principales caractéristiques de la clientèle à laquelle s'adresse en premier lieu cette approche. Par rapport à ces caractéristiques, nous décrirons les buts poursuivis et les principes de l'utilisation de cette approche. Par la suite, nous présenterons les six principales stratégies utilisées dans cette thérapie en portant une attention particulière à deux d'entre elles, soit celles qui consistent à rassurer et à enseigner.

6.1 DÉFINITION DU SOUTIEN

6.1.1 Le soutien social

Tout au long de sa vie, l'être humain doit interagir de façon efficace avec son environnement afin d'y puiser les ressources nécessaires pour répondre à ses besoins. Sa capacité de le faire et la pertinence du soutien social obtenu à cette fin ont un impact direct sur sa qualité de vie et sa santé. S'appuyant sur les conclusions de nombreuses études menées sur les effets du soutien social, Buchanan (1995) souligne que les personnes qui ont accès à un soutien instrumental et émotionnel sont en meilleure santé que les personnes qui en sont privées. Elle ajoute que plusieurs études indiquent que le soutien social a un lien significatif direct avec le mieux-être physique et psychologique.

Dans le même ordre d'idées, Callaghan et Morrissey (1993) mentionnent que d'un éventail très large d'études réalisées sur plusieurs années se dégage un consensus selon lequel le soutien social peut jouer un rôle important dans le maintien de la santé et réduire sensiblement les effets délétères des stress sociaux et environnementaux. Ils ajoutent qu'un accroissement marqué du soutien social a une incidence directe sur le taux de mortalité et sur les maladies mentales et physiques. Ces constatations nous permettent de comprendre à quel point il est important de s'intéresser au soutien dans le soin des clients.

Cependant, pour que le soutien social puisse avoir ces effets bénéfiques, certaines conditions doivent être présentes. Là-dessus, Callaghan et Morrissey (1993) soulignent qu'il doit être perçu par le bénéficiaire comme rehaussant son estime de lui-même et lui apportant une aide en fonction d'une situation de stress, que cette aide soit de l'ordre du soutien émotionnel, de la restructuration cognitive ou du soutien instrumental.

Avant d'aller plus loin, voyons comment Shumaker et Brownell (1984) définissent le soutien social. Pour ces auteurs, le soutien social peut être défini comme un échange de ressources entre au moins deux individus, perçu par le dispensateur et le receveur comme ayant l'intention de procurer du bien-être à la personne qui les reçoit. Dans les écrits, en fonction des différentes formes que peut prendre l'aide apportée, plusieurs taxonomies du soutien social sont proposées. Par exemple, les textes de Krishnasamy (1996), qui a fait la synthèse de nombreux écrits sur les caractéristiques du soutien social, d'Anderson, Deshaies et Jobin (1996) ainsi que de King et autres (1993) font ressortir les dimensions du soutien social (voir le tableau 6.1).

TABLEAU 6.1
Les principales composantes du soutien social

- Le soutien informatif, qui consiste à procurer de l'information, à donner des avis, de la guidance et des habiletés de solution de problème
- Le soutien instrumental ou tangible, qui consiste à procurer une aide matérielle, de l'argent, de la nourriture et des services
- Le soutien émotionnel, qui se manifeste par l'expression de sentiments positifs, indiquant que nous nous sentons préoccupés par cette personne, que nous l'estimons et l'aimons, que nous respectons ses émotions et que nous encourageons l'expression de ses croyances et de ses sentiments
- Le rehaussement de l'estime de soi ou le soutien de l'estime, qui consiste à offrir du feed-back sur le fait que la personne est valable et respectée par les autres
- Le soutien lié à l'appartenance, qui favorise la solidarité sociale

Le soutien peut prendre différentes formes susceptibles d'être utilisées à plusieurs fins. Ses principales fonctions sont :

> 1) de soutenir l'estime de soi de la personne ou de lui montrer qu'elle est estimable, acceptée ou reconnue ; 2) d'accorder un soutien informatif ou d'offrir un avis sur la façon de composer avec une situation ; 3) d'accorder le soutien lié à l'appartenance désiré facilitant la présence de sentiments positifs ; 4) d'offrir un soutien instrumental ou encore une aide tangible ou intangible. (Buchanan, 1995, p. 69.)

La façon dont le soutien assure une fonction de protection et favorise une meilleure santé n'est pas clairement comprise et documentée. Selon Callaghan et Morrissey (1993), deux théories expliquant les effets du soutien social sont souvent citées dans les écrits. Ce sont la théorie du tampon (Antonovsky, 1974 ; Caplan, 1974 ; Cobb, 1976), selon laquelle le soutien social agit comme un tampon qui protège la personne contre les stress de la vie, et la théorie de l'attachement de Bowlby (1971), selon laquelle les liens de sécurité formés dans l'enfance sont à la base de la compétence que possède l'adulte pour se créer un réseau de soutien social.

Lorsque l'on connaît l'importance du soutien et des différentes formes qu'il peut prendre quotidiennement dans les échanges humains, il est plus facile de comprendre la pertinence de son utilisation dans le contexte d'une psychothérapie auprès de personnes qui, à cause de limites physiques ou psychiques, ne peuvent, sur une base temporaire ou permanente, s'accorder elles-mêmes un certain soutien ni se procurer celui dont elles ont besoin.

6.1.2 *La thérapie de soutien*

D'un point de vue conceptuel, la thérapie de soutien peut être comprise comme occupant une des extrémités d'un spectre continu d'intervention psychothérapeutique, dont la thérapie expressive occupe l'autre extrémité (Bloch, 1996; Dewald, 1994). Par thérapie expressive, ces auteurs entendent différentes approches thérapeutiques qui favorisent en premier lieu l'*insight* et l'*awareness*.

Si le thérapeute n'est pas conscient de ces différences conceptuelles, le processus thérapeutique peut devenir confus. Il risque d'utiliser une thérapie expressive alors que la thérapie de soutien est indiquée, ou bien il peut contaminer la thérapie de soutien avec des techniques qui sont appropriées seulement en thérapie expressive. Cela peut conduire à une impasse thérapeutique (Dewald, 1994; Pinsker, 1994). En effet, comme nous l'avons vu au chapitre 1, il est important que le thérapeute s'assure qu'il existe une certaine cohérence entre les caractéristiques du client, les raisons de la consultation, les attentes du client, les buts poursuivis et les moyens qu'il choisit d'utiliser pour les atteindre.

Tout en reconnaissant qu'il y a une distinction importante à faire entre la thérapie expressive et la thérapie de soutien, Bloch (1996), Dewald (1994) et Werman (1992) mentionnent que dans la pratique on ne trouve pas une forme pure de l'une ou l'autre de ces thérapies. Certains clients bénéficiant d'une thérapie de soutien peuvent faire aussi une prise de conscience sur leurs comportements; de façon similaire, il est difficile d'entreprendre une psychothérapie d'*insight* sans qu'il y ait présence de soutien.

Qu'est-ce qui caractérise la thérapie de soutien ? Plusieurs auteurs reconnaissent qu'il n'existe pas de définition satisfaisante de cette approche thérapeutique. Cependant, en comparant certaines descriptions de cette thérapie aux caractéristiques de la thérapie expressive, notamment celle qui s'inscrit dans le courant psychanalytique, il est possible d'en avoir une bonne compréhension. Retenons d'abord que cette approche thérapeutique tire son origine des différentes formes que peut prendre le soutien social dans la vie de tous les jours et dont tout être humain, dans certaines conditions de santé, est à la fois le dispensateur et le bénéficiaire.

Quand le réseau de soutien naturel n'arrive pas à offrir ce soutien, que ce soit à cause de la complexité du type d'aide requis ou des limites mêmes de la personne, et que celle-ci, à cause de limites physiques ou mentales graves, ne possède pas les ressources nécessaires pour puiser ailleurs les ressources qui répondraient de façon satisfaisante à ses besoins, elle peut faire appel aux professionnels de la santé pour obtenir un soutien professionnel. Comme nous le verrons dans ce chapitre, l'aide offerte tente de reproduire le plus possible, tout en s'ajustant aux caractéristiques du client, celle qui serait offerte dans un réseau naturel si les personnes possédaient les compétences requises. D'ailleurs, dans cette approche, le thérapeute et l'équipe interdisciplinaire tentent de préparer non seulement le client lui-même mais aussi son réseau de soutien à une prise en charge autonome, afin que ce dernier puisse acquérir les connaissances et les compétences nécessaires pour prendre la relève du thérapeute le plus tôt possible. Ce dernier agit alors comme une ressource ponctuelle.

Pour comprendre davantage en quoi consiste la thérapie de soutien, voyons comment quelques auteurs la définissent. Selon Bloch (1996, p. 295) :

> La thérapie de soutien peut être définie comme une forme de traitement psychologique offert à un patient sur une longue période, souvent des années, dans le but de le soutenir psychologiquement, parce qu'il est incapable de gérer sa vie adéquatement sans cette aide à long terme.

L'auteur met ici l'accent sur la durée de l'intervention et sur l'incompétence fonctionnelle du bénéficiaire de cette approche thérapeutique. Pinsker, Rosenthal et McCullough (1991), quant à eux, considèrent la thérapie de soutien comme un traitement dyadique caractérisé par l'utilisation de mesures directes pour réduire ou empêcher l'aggravation des symptômes, restaurer ou accroître l'estime de soi, les habiletés adaptatives et le fonctionnement psychologique. Pour atteindre ces objectifs, le traitement peut s'intéresser à la relation réelle ou à la relation transférentielle et aux modes passés ou habituels de réponses émotionnelles et comportementales. Cette définition décrit bien les différents objectifs poursuivis par cette thérapie.

Pinsker (1994) précise deux autres caractéristiques importantes de cette approche thérapeutique qui semblent faire consensus auprès de plusieurs auteurs. Premièrement, elle ne s'appuie pas sur une théorie particulière du fonctionnement psychique ou de la personnalité ou sur une conception donnée de la psychopathologie. Deuxièmement, dans ce sens, elle ne devrait pas être enseignée comme une modalité unique de traitement, mais comme un ensemble de techniques ou de tactiques qui s'appuient sur différentes orientations théoriques. À ce propos, nous croyons que cette stratégie psychothérapeutique s'applique d'une façon pertinente dans le contexte d'une intervention s'inspirant d'une vision existentielle-humaniste, notamment à cause de l'intérêt manifesté pour la relation réelle, de la contribution du client et du thérapeute à un projet commun et des questions existentielles qui sont au cœur de l'expérience subjective du client. Parmi ces questions, on trouve la présence de la souffrance sur une base chronique et la recherche du sens d'une vie marquée par des limites physiques ou mentales majeures et permanentes.

Comparant la thérapie de soutien à la thérapie expressive d'inspiration psychanalytique, Conte (1994) fait une description concrète de cette approche. Généralement, dit-il, la thérapie de soutien s'intéresse au soulagement des symptômes et aux modifications de comportements au moyen du soutien, des mécanismes d'adaptation du client et des ressources environnementales. L'établissement de la relation transférentielle est évité et l'accent n'est pas placé sur la modification de la personnalité ou sur la résolution de conflits inconscients. Contrairement à cela, la thérapie d'*insight*, par l'établissement du transfert, son interprétation et sa résolution, est destinée à résoudre le conflit intrapsychique qui, à son tour, devrait faciliter le changement du caractère.

La thérapie de soutien, en plus de comporter un effort majeur de la part du thérapeute pour soutenir le client dans la relation elle-même, s'intéresse au matériel conscient. Elle reconnaît et accepte le répertoire adaptatif du client, encourage les comportements positifs, favorise la ventilation, donne des avis, établit des limites, sert d'agent de réalité, rassure et sert de modèle d'identification. Cette dernière caractéristique, celle d'un clinicien réel, est particulièrement importante pour prévenir la distorsion transférentielle. Cela présuppose un style de communication amical, sans toutefois que le clinicien offre son amitié, comme c'est le cas dans une relation sociale. En cela, la communication du clinicien conserve sa visée thérapeutique (Conte, 1994 ; Werman, 1992).

6.2 LES CARACTÉRISTIQUES DE LA CLIENTÈLE À LAQUELLE S'ADRESSE CETTE APPROCHE

Les différentes formes que peut prendre le soutien dans un contexte thérapeutique permettent de comprendre que cette approche, tout en étant présente de façon secondaire dans toutes les formes de psychothérapie, s'adresse en premier lieu à des clients ayant certaines caractéristiques. Traditionnellement, cette approche, qui n'a pas de cadre théorique défini, vise une clientèle psychiatrique présentant des troubles sévères et persistants. Voici ce que dit Bloch (1996, p. 298) à ce propos :

> La psychothérapie de soutien est indiquée pour les patients psychiatriques qui sont gravement atteints, à la fois émotivement et dans leurs relations interpersonnelles, et pour lesquels il ne semble pas y avoir de possibilité d'amélioration. [...] À cause de leur condition, ils ne peuvent tout simplement pas vivre leur vie sans une aide extérieure. Ils sont relativement intolérants aux stress de la vie, et par le fait même aux demandes. Habituellement, ils éprouvent de la difficulté à rechercher de l'aide, qu'elle soit professionnelle ou d'un autre ordre, et à accepter l'aide offerte. Les amis et les parents qui peuvent être une source de soutien sont souvent absents, ou incapables de répondre d'une façon satisfaisante aux besoins du patient.

La conception de la thérapie de soutien décrite dans ce chapitre s'adresse aussi sur une base ponctuelle ou sur une plus longue durée à une clientèle qui présente un besoin de soutien psychologique à la suite d'une maladie physique, que ce soutien prenne ou non la forme, la structure et l'intensité d'une psychothérapie. Nous faisons ici référence à des clients atteints de certaines maladies physiques dégénératives dont la vie se prolonge sur plusieurs années ou d'autres maladies physiques qui engendrent des limites importantes sur une base plus ou moins permanente. C'est le cas pour certaines dermatites, pour certains troubles rénaux requérant des traitements de dialyse réguliers, pour la paralysie consécutive à une atteinte neurologique ou pour des suites de chirurgies majeures comme la laryngectomie.

Certaines personnes parmi celles qui souffrent de ces maladies ou des suites de ces interventions ont besoin d'une thérapie de soutien alors que d'autres ont besoin d'un soutien ponctuel sur une base plus ou moins permanente. Là-dessus, Conte (1994), qui a fait une revue des écrits portant sur les différentes applications de la thérapie de soutien, mentionne qu'il existe de nombreuses études de cas décrivant les bienfaits de la thérapie de soutien utilisée avec des clients présentant divers problèmes médicaux comme le diabète, les maladies cardiaques, la leucémie aiguë, la colite ulcéreuse, l'infection virale par l'herpès simplex de même que l'alexie et l'agraphie. La psychothérapie à court terme, combinée avec une médication antidépressive, est aussi recommandée pour un grand nombre de clients hospitalisés à la fois pour un cancer et une dépression majeure ou comme adjuvant dans les états dépressifs.

Un autre exemple rapporté par Lawrence (1995) illustre la pertinence de l'utilisation de la thérapie de soutien auprès de clients souffrant de troubles physiques. Cet auteur signale les résultats d'une recherche importante concernant l'utilisation de la thérapie de soutien auprès d'un groupe de clients ayant subi un pontage coronarien. La thérapie a été dispensée avant et après la chirurgie. Les clients ayant reçu cette psychothérapie ont utilisé avec plus de pertinence la médication antidouleur et, de plus, sont demeurés à l'hôpital en moyenne trois jours de moins que le groupe contrôle n'ayant pas bénéficié de cette forme de thérapie.

Aux indications générales de l'utilisation de la psychothérapie en fonction de certaines pathologies s'ajoutent d'autres conditions liées davantage aux caractéristiques des personnes auxquelles convient cette approche thérapeutique. À ce sujet, Werman (1992) mentionne que, globalement, le thérapeute doit s'assurer que la thérapie offerte correspond à la fois aux besoins et aux caractéristiques du client. Aussi, pour lui, il est important de faire une bonne évaluation de la personne en prêtant attention à ses forces, à ses limites et à ses besoins. Il précise en outre que certaines difficultés observées lors de cette évaluation fourniront les indications nécessaires pour décider du type de thérapie qui correspond le mieux au client. Par exemple, la thérapie de soutien convient davantage à des clients :

– qui ont de la difficulté à faire de l'introspection, par exemple à reconnaître et à exprimer les émotions qu'ils vivent à différents moments ;

- qui ont de la difficulté à reconnaître la réalité et qui le manifestent par la présence d'idées délirantes ou d'hallucinations qui durent depuis longtemps ;
- qui ont de la difficulté à retarder la gratification de leurs impulsions ;
- qui ont des problèmes cognitifs ;
- qui ont peu à dire sur eux-mêmes ;
- qui gardent le silence rencontre après rencontre ;
- qui ont beaucoup de difficulté à tolérer la présence d'une certaine souffrance psychique ;
- qui ont une grande difficulté dans leurs rapports sociaux et dans l'établissement de relations intimes ;
- qui utilisent de façon marquée les mécanismes de défense comme le déni, la projection et la dissociation ;
- qui ont un niveau de méfiance élevé ;
- qui ne peuvent exprimer leur souffrance morale autrement que par des symptômes physiques ;
- qui mobilisent difficilement leurs énergies en s'engageant peu dans la thérapie.

En plus de décrire les mêmes indications que celles de Werman (1992), Dewald (1994) en ajoute d'autres qui ont un lien avec les attentes des clients. À ce propos, il signale que la majorité des clients qui se présentent en thérapie veulent un soulagement rapide des symptômes et une modification de certains de leurs comportements ; à cette fin, ils désirent une thérapie de soutien et une psychothérapie orientée sur les symptômes. Certains n'ont pas l'habileté à l'introspection ou ne sont pas curieux au sujet d'eux-mêmes et de leur propre fonctionnement psychologique. Ces aspects doivent être considérés dans le choix de l'approche thérapeutique.

Afin de mettre encore plus en évidence les principales caractéristiques des clients qui peuvent bénéficier d'une thérapie de soutien, Dewald (1994) présente, dans un but comparatif, les principales caractéristiques des personnes pour qui la thérapie exploratoire ou expressive semble le traitement de choix. Voici un résumé de ces caractéristiques :

- Ces personnes sont conscientes que les difficultés proviennent en premier lieu d'elles-mêmes (au lieu de blâmer les autres).
- Elles sont curieuses à leur propre sujet et ont le désir de travailler à se connaître et à résoudre de façon définitive certaines de leurs difficultés.
- Elles ont une capacité de base à faire confiance aux personnes.
- Elles sont capables de tolérer l'anxiété, la dépression et d'autres affects déplaisants, et de poursuivre à long terme des buts difficiles.
- Elles ont une capacité d'introspection et de prise de conscience psychologique.

- Elles sont capables d'entrer dans une alliance thérapeutique et arrivent à tolérer les délais, de même que la détresse ou les prises de conscience pénibles que la thérapie exploratoire produit.
- Tout en étant en thérapie, elles peuvent fonctionner dans leurs rôles sociaux.
- Elles ont accès à leur expérience émotive et sont à la recherche de certains changements de leur personnalité.
- Leurs symptômes et leurs difficultés sont suffisamment graves pour qu'elles veuillent investir temps et argent.
- Leurs difficultés et leurs symptômes sont relativement stables.
- Généralement, elles ne nécessitent pas d'hospitalisation.

À la lecture de ces indications, on peut dire à propos d'un client en besoin d'aide que moins il possède ces caractéristiques, plus il est un bon candidat à la thérapie de soutien. Dewald (1994) ajoute que ces critères sont donnés à titre indicatif. De plus, comme le mentionnent aussi Bloch (1996) et Werman (1992), certains clients qui ont suivi pendant un certain temps l'une de ces deux formes de psychothérapie peuvent, après avoir obtenu des clarifications, opter pour l'autre forme de psychothérapie, qui correspond mieux à leurs attentes et à leurs habiletés.

D'ailleurs, notre expérience clinique nous a permis de constater que, pour certains clients qui présentent des difficultés importantes d'adaptation, la thérapie de soutien semble indiquée. Or, après un certain nombre de rencontres, cette thérapie peut, avec l'accord du client, se transformer en psychothérapie où l'accent est mis davantage sur l'ouverture à soi et sur le développement personnel.

6.3 *LES BUTS DU TRAITEMENT*

La thérapie de soutien, comme toute autre forme de thérapie, poursuit certains buts qui tiennent compte des clientèles à qui elle s'adresse et des difficultés que celles-ci présentent. De plus, dans le contexte de ce livre, ces buts s'inspirent d'une vision existentielle-humaniste du développement humain et de l'intervention psychothérapeutique que nous avons décrite dans le volume 1 (Chalifour, 1999) et au chapitre 1 de ce livre-ci. Aussi, cette vision devrait continuellement teinter le choix des buts poursuivis par le thérapeute. Dans ce sens, une attention particulière devrait être accordée à la reconnaissance des forces et des limites du client, de même qu'à celle de ses attentes face à ses difficultés.

À l'aide de quelques sources consultées, voyons les principaux buts poursuivis par la thérapie de soutien. Pour Werman (1992, p. 5), le but de la psychothérapie de soutien est de renforcer les fonctions mentales qui sont gravement ou chroniquement inadéquates, pour que le client puisse composer avec les demandes du monde extérieur et avec son monde psychologique interne. Il ajoute plus loin (p. 8) : « [...] cette approche est en quelque sorte une forme de traitement substitutif, dans le sens qu'elle fournit au patient les éléments psychologiques qu'il possède d'une façon insuffisante ou dont il est entièrement privé. »

Dans le même ordre d'idées, Dewald (1994, p. 506) mentionne :

> L'objet de la thérapie de soutien est d'atténuer ou d'éliminer certains symptômes, la détresse présente ou les incompétences, et de réduire l'étendue des comportements inappropriés causés par les troubles psychiques du client. Le but de cette thérapie est d'accroître l'adaptation du client à l'aide de différents moyens et de se préoccuper surtout des stress manifestes ou des difficultés. Dans certains cas, on espère apporter des améliorations significatives. Dans d'autres cas, il peut s'agir de prévenir les rechutes et de maintenir le statu quo ou d'aider le client à demeurer hors de l'hôpital.

De leur côté, Novalis, Rojcewicz et Peele (1993, p. 531) soulignent que les effets recherchés par la thérapie de soutien sont : 1) de réduire les dysfonctions comportementales ; 2) de réduire la détresse mentale ; 3) de soutenir et de renforcer les forces et les habiletés du client de même que ses capacités à utiliser les soutiens environnementaux ; 4) de maximiser l'autonomie ; 5) de favoriser le maximum d'indépendance au regard de la maladie psychiatrique.

Comme nous pouvons le constater, il s'agit de buts concrets souvent liés à la gestion de symptômes et des répercussions de ceux-ci sur la vie de la personne. À ce propos, Bloch (1996, p. 297-298) décrit avec encore plus de détails certains buts qui s'intéressent à la fois à la personne du client, à ses symptômes et aux limites qu'ils engendrent. Ces buts sont les suivants :

- favoriser le plus possible l'adaptation psychologique et sociale du client en restaurant et en renforçant ses habiletés à affronter les vicissitudes et les défis de la vie ;
- augmenter le plus possible son estime de lui-même et sa confiance en soulignant ses ressources et ses réalisations ;
- rendre le client conscient de la réalité de ses conditions de vie – c'est-à-dire de ses limites et de celles du traitement –, de ce qui peut être réalisé et de ce qui ne peut l'être ;
- stabiliser sa condition clinique et ainsi essayer de prévenir la détérioration de celle-ci ou une nouvelle hospitalisation ;
- rendre le client habile à recourir à l'aide professionnelle dont il a besoin pour assurer la meilleure adaptation possible et ainsi prévenir une dépendance indue ;
- transférer les sources de soutien (pas nécessairement toutes) des professionnels à la famille et aux amis, en s'assurant que ces derniers sont dans une position matérielle et psychologique pour assumer le rôle de soignant.

6.4 LES RÈGLES DU DÉROULEMENT DE LA THÉRAPIE

La thérapie de soutien, comme toute forme de psychothérapie, doit respecter certaines règles qui tiennent compte à la fois de la nature de cette approche, de la clientèle visée et des objectifs poursuivis. En nous inspirant particulièrement des écrits de Bloch (1996), de Dewald (1994) et de Werman (1992), nous ferons la synthèse de ces règles en nous attardant à la nature de la relation, au processus thérapeutique et au rôle du thérapeute.

6.4.1 *La nature de la relation*

Quatre aspects caractérisent la nature de la relation de soutien: l'accent mis sur le caractère positif de la relation, l'importance accordée à la relation réelle, la place attribuée à l'intimité affective et la valeur positive reconnue de l'identification au thérapeute.

Le caractère positif de la relation

La nature de la relation dans la thérapie de soutien est caractérisée par le fait que le thérapeute se préoccupe particulièrement de mettre en place et de conserver une relation positive avec le client. Aussi, dès le premier contact, il manifestera un accueil chaleureux, voire amical, et créera des conditions de thérapie favorisant la participation du client tout en évitant les frustrations et le stress liés aux conditions du déroulement de la thérapie. À cette fin, le thérapeute s'efforcera d'apporter sans tarder les précisions ou les clarifications qui s'imposent afin de maintenir cette relation positive, et il acceptera de faire certains compromis, que ce soit sur la durée ou sur la fréquence des rencontres, etc.

Le transfert négatif est découragé par une explication et une interprétation immédiates et par le souci d'éviter autant que possible les frustrations (Dewald, 1994). Sur ce point, cette thérapie se différencie grandement de la thérapie expressive (*awareness* ou *insight*) où le thérapeute, tout en étant accueillant et bienveillant, est beaucoup plus en retrait et manifeste avec réserve ses réactions et ses interventions. Cela permet au client de reproduire au cours de la thérapie les difficultés qu'il présente dans la vie de tous les jours, par exemple dans sa façon d'entrer en relation ou d'éviter celle-ci, ou encore de réagir à certaines frustrations inhérentes à toute rencontre thérapeutique. Ce faisant, le thérapeute et le client seront plus en mesure d'observer comment il réagit aux frustrations et comment se manifestent les symptômes qu'il présente, pour ensuite pouvoir « à chaud » mieux comprendre leur complexité, au regard de leur impact sur le thérapeute ou sur leur relation, ou des situations semblables vécues en dehors de la relation thérapeutique.

L'importance accordée à la relation réelle

Une autre caractéristique de la thérapie de soutien est qu'elle privilégie la relation « réelle ». À cette fin, les tactiques pour diluer le transfert et le niveau inconscient consistent à offrir promptement un feed-back, à corriger les distorsions transférentielles dès qu'elles se produisent, à offrir des informations et des opinions personnelles, à offrir des informations sur les causes des changements dans la structure des rencontres pour réduire les fantaisies et les interprétations du client, etc. (Dewald, 1994). Cependant, on utilise ce qui se passe dans la relation avec le thérapeute pour tenter de comprendre les interactions du client avec d'autres personnes. Voici un exemple que donne Pinsker (1994) à ce sujet : « Quand je vous demande de changer votre heure de rendez-vous, vous semblez mal à l'aise, mais vous ne le laissez pas savoir. Est-ce pour vous une façon connue de réagir quand vous n'êtes pas d'accord ? »

La place attribuée à l'intimité affective

Le client type, pour qui la thérapie de soutien est indiquée, éprouve de la difficulté à maintenir des liens à la fois intimes et généraux. Une relation intense qui implique de la proximité physique et affective constitue pour lui une menace. Cet aspect doit être présent à l'esprit du thérapeute dans l'établissement du lien avec le client (Bloch, 1996). Cet auteur fait ici référence à des clients qui souffrent de troubles mentaux sévères et persistants. Cependant, dans d'autres conditions d'utilisation de cette thérapie, compte tenu du ton de l'échange, de l'importance accordée à la relation réelle et du rôle exercé par le thérapeute qui, sous plusieurs aspects, ressemble à celui qu'exerce un ami, ces particularités donnent à la relation un caractère de cordialité où l'un des risques est que cette relation se transforme en un lien amical par lequel le thérapeute supplée en quelque sorte au réseau de soutien du client au lieu de l'aider à s'en créer un.

À ce propos, Werman (1992) souligne qu'une dépendance indue est sans contredit le problème le plus important auquel fait face le thérapeute qui recourt à cette approche thérapeutique. Cela requiert de lui une grande attention. À cette fin, il suggère l'utilisation d'un modèle d'alliance institutionnelle qui peut réduire au minimum le problème de la dépendance tout en procurant les soins désirés. Selon ce modèle, le client est davantage lié à un organisme ou à une institution qu'à un thérapeute unique qui lui offre des services. À notre avis, cette stratégie comporte plus de désavantages que d'avantages, notamment parce qu'elle a pour effet de déshumaniser le service et de priver le client de l'occasion de vivre une relation affective profonde, sachant la richesse et la complexité que contient cette expérience. Il est préférable que le thérapeute qui fait appel à cette approche soit conscient des enjeux qu'elle comporte et apprenne à les gérer avec son client. Cela permettra au client d'apprendre, à l'aide de ce lien, à créer d'autres liens significatifs.

L'identification positive au thérapeute

Dans la thérapie de soutien, l'identification au thérapeute est encouragée, au point que le thérapeute peut servir de modèle plus stable et plus mûr que ceux auxquels le client s'est identifié dans le passé. Dans ce but, le thérapeute peut donner des informations et des réponses personnelles, exprimer des avis, faire des suggestions sur la façon de résoudre des problèmes, encourager le client à imiter sa façon de porter un jugement dans certaines situations et lui proposer d'autres façons que la sienne de comprendre certaines situations. En somme, dans certains cas, le thérapeute peut représenter une figure parentale de qui le client apprend (Dewald, 1994).

Toutefois, la difficulté reliée à l'utilisation de cette thérapie réside notamment dans l'habileté du thérapeute à doser ses interventions en restant constamment à la frontière des capacités du client et de ses ressources résiduelles, en l'invitant constamment à utiliser ses ressources tandis qu'il reconnaît ses limites réelles. S'il omet de respecter cette règle et s'il sous-estime les capacités réelles du client, il provoquera, par exemple, une plus grande dépendance de celui-ci et une baisse d'estime de lui-même, car il considérera que le thérapeute l'infantilise. Dans le cas contraire, si le thérapeute surestime les capacités réelles du client, il nuira aux efforts de prise en charge déployés par le client et favorisera la présence de conditions indues de stress et de frustration qui le décourageront et augmenteront chez lui l'anxiété débilitante et paralysante.

6.4.2 *Le déroulement du processus thérapeutique*

Comme toute autre forme de psychothérapie, la thérapie de soutien doit, pour être efficace, tenir compte de certaines variables. Cette approche se caractérise par les buts poursuivis, la structure des rencontres et les sujets abordés.

Les buts poursuivis

L'efficacité de cette approche thérapeutique s'observe dans les changements qui se produisent chez le client. À ce propos, nous avons décrit dans les pages précédentes les principaux buts de cette intervention et ses principaux effets. Vu leur diversité et la condition mentale de certains clients, le risque est grand que le thérapeute puisse travailler à la réalisation de certains buts sans avoir consulté préalablement le client à ce sujet. Notre observation de différents intervenants qui utilisent cette approche dans des contextes variés nous a permis de constater qu'une des raisons des échecs thérapeutiques observés était l'absence de précision quant aux buts poursuivis. En effet, par rapport à ces buts, certaines conditions doivent être respectées. Elles consistent avant tout à préciser ces buts au regard des attentes du client et à les évaluer périodiquement. Là-dessus, les cliniciens ont tendance, en début de thérapie, à définir des buts. Cependant, au fil des rencontres, s'ils n'y prêtent pas attention, ces buts seront facilement oubliés. Cela donnera lieu à une rencontre informelle souvent chaleureuse, qui prendra la forme d'une rencontre amicale non structurée et qui se terminera comme elle a commencé, sans se traduire par des progrès réels chez le client.

Une deuxième difficulté par rapport aux buts fixés réside dans une mauvaise évaluation des capacités du client ou encore des possibilités qu'offre la thérapie. Ces erreurs sont dues à la poursuite de buts irréalistes qui ont pour effet de décourager à la fois le thérapeute et le client. Aussi une évaluation périodique des résultats obtenus permet-elle de réajuster ces buts. Cette évaluation périodique est d'autant plus importante si le client présente des troubles dégénératifs de plus en plus invasifs. Parfois, la surévaluation des capacités du client peut refléter, aussi bien chez le client que chez le thérapeute, la difficulté de reconnaître la gravité de la maladie dont la personne est atteinte et des limites qu'elle engendre.

Une autre difficulté souvent éprouvée en fonction des buts est liée au fait que le client se sent peu préoccupé par eux ; il laisse au thérapeute l'entière responsabilité de prendre charge de lui. Le modèle médical fournit de nombreux exemples de ce genre de situation. Aussi le thérapeute doit-il veiller à s'assurer que les buts sont formulés avec le concours du client ou, tout au moins, qu'ils sont valorisés par lui et qu'ils respectent ses valeurs et ses croyances. Dans plusieurs cas, le thérapeute doit accepter de réduire ses propres attentes afin d'obtenir la participation du client, quitte à rechercher des résultats plus modestes. Dans le même ordre d'idées, certains intervenants ont tendance à surévaluer les capacités du client et l'efficacité de la thérapie en établissant des échéanciers irréalistes. S'ils ne sont pas sensibles à ce fait, ils auront tendance à modifier prématurément des buts qui auraient été atteignables dans des délais différents.

Le thérapeute peut être porté à formuler des buts dans des termes généraux qui laissent peu de place à l'observation directe. Aussi, leur traduction sous forme d'objectifs plus opérationnels aide non seulement à mieux comprendre les attentes, mais aussi à choisir les moyens de combler celles-ci. La démarche de soins utilisée en soins infirmiers ou encore les plans de traitement utilisés en milieu psychiatrique en sont de bons exemples.

La structure des rencontres

Dans une thérapie de soutien, la flexibilité des rencontres est plus grande que dans la thérapie expressive. Par exemple, les sessions peuvent être plus courtes ou plus longues suivant les besoins et les dispositions du client ; à certains moments de la thérapie, le client peut désirer que les rencontres soient plus ou moins fréquentes. Par exemple, dans la thérapie de soutien d'une personne qui présente une douleur intense ou encore une très grande fatigue physique, les rencontres peuvent être fréquentes et de courte durée. Ce type de rencontres réalisées, par exemple, par des infirmières a souvent lieu au chevet du client hospitalisé ou à son domicile. Dans une unité de soins aigus de psychiatrie, quand un client présente des troubles de l'attention volontaire ou quand il a beaucoup de difficulté à gérer son anxiété, il est préférable de tenir de courtes rencontres, qui pourront avoir lieu à quelques reprises au cours de la journée. Souvent, le choix des lieux se fera en fonction de la capacité du client de tolérer une certaine intimité. Il est parfois utile d'interrompre une rencontre si le client considère que « c'est suffisant pour aujourd'hui ». Dans la thérapie de soutien, la mise en place de ces variations dans la structure de l'entretien sert à réduire le stress du client et à éviter les conflits avec lui (Dewald, 1994).

Par ailleurs, la terminaison de la thérapie de soutien diffère quelque peu de ce qu'on observe dans la thérapie expressive. Dans la thérapie de soutien, la terminaison du traitement peut être annoncée comme une interruption de la relation qui permet au client d'aller tester certains apprentissages réalisés, mais où il est possible de poursuivre celle-ci dans l'avenir. Le processus de terminaison est ainsi fait que le stress et le sentiment de perte sont réduits au minimum. À cette fin, la fréquence des rencontres est progressivement espacée. Le client peut ressentir de la tristesse, de l'incertitude ou de l'anxiété en voyant la thérapie se terminer. Il faudrait aborder ses réactions ouvertement, mais se limiter au contenu conscient. On peut aussi conclure une entente selon laquelle le client téléphonera au thérapeute après un certain temps afin de lui donner de ses nouvelles (Dewald, 1994).

L'évaluation des résultats devrait se faire à partir des buts initiaux et des résultats obtenus. Aussi, comme nous l'avons vu au chapitre 1, cette évaluation sera différente de celle de la thérapie expressive. Par exemple, comme l'indique Dewald (1994), les modifications de comportements sans changement de la personnalité peuvent être considérées comme un succès dans la thérapie de soutien, mais être jugées non adéquates dans une thérapie d'*insight* ou dans une thérapie expressive. Dans ce dernier type de thérapie, jusqu'à la fin, le choix du contenu des échanges est laissé au client. Généralement, les thèmes abordés portent, en premier lieu, sur la relation et sur sa terminaison et, en deuxième lieu, sur certains effets spécifiques de la thérapie.

Les sujets abordés

Les sujets abordés dans la thérapie de soutien portent d'abord sur les problèmes conscients, sur les symptômes, sur les pensées, sur les sentiments et sur les souvenirs. Les affects ressentis par le client doivent être exprimés et gérés. Comme nous le verrons plus loin, différentes stratégies seront utilisées à cette fin. Cependant, les conflits, les réponses affectives et les processus inconscients doivent être gardés inconscients. Dans la thérapie de soutien, la plupart du temps les défenses ne sont pas ébranlées ; elles sont maintenues, voire renforcées, de manière à favoriser une meilleure adaptation (Dewald, 1994, p. 508).

À la différence de ce qu'on observe dans la thérapie expressive, le thérapeute peut, en tenant compte de l'état mental du client, suggérer des sujets à aborder au cours des entretiens. Sa qualité d'expert quant au contenu peut l'amener à prendre l'initiative de parler avec le client des sujets relatifs au traitement en cours ou présentant une continuité avec les rencontres précédentes. Cela est laissé à sa discrétion. Cependant, il devrait préférablement encourager le client à prendre cette initiative, par exemple en lui posant des questions générales comme : « Qu'est-ce que vous aimeriez aborder aujourd'hui ? »

6.4.3 *Les rôles du thérapeute*

Dans la thérapie de soutien, **le thérapeute est très actif**, car il utilise ses compétences d'expert et de facilitateur. À titre d'expert, il met au service du client ses connaissances professionnelles. Dans certains cas, il fait aussi appel à ses propres connaissances sur la vie et sur la façon de vivre en société. À ce propos, il se comporte comme un éducateur ou un parent qui se préoccupe de respecter l'unicité et l'autonomie des personnes qu'il aide. Ses interventions sont adaptées à la capacité plus ou moins grande des clients de se prendre en charge. À titre de facilitateur, il favorise de différentes façons l'émergence de toutes les capacités du client et sa participation active et éclairée à son traitement et à ses soins.

Dans certaines conditions où le client a des capacités réduites, **le thérapeute peut servir d'alter ego** pour l'aider à répondre à des besoins. Dans ces cas, il peut agir pour le client en l'aidant à résoudre certains problèmes, intervenir auprès d'un employeur ou des membres de sa famille, etc. Il contribue ainsi à réduire le stress du client et il lui sert de modèle de rôle (Dewald, 1994).

Le thérapeute adapte ses échanges à la personnalité du client en vue d'éviter l'affrontement ou de ne pas lui causer de stress et respecte sa façon habituelle de réagir à diverses situations. Par exemple, si le client a une personnalité de type obsessionnel, le thérapeute communiquera avec lui en lui fournissant de nombreux détails. Si le client a une personnalité dépendante, il nourrira cette personnalité en lui donnant des conseils ou d'autres formes de gratification. Par contre, si le client présente une formation réactionnelle à la dépendance, il invitera ce dernier à prendre des initiatives et évitera de lui donner des avis ou des conseils (Dewald, 1994).

Dans la thérapie de soutien, **le thérapeute est une personne réelle**. Aussi, l'abstention verbale n'est pas une position à adopter (Pinsker, 1994). Par exemple, quand le client pose des questions, le thérapeute doit apprendre à fournir une réponse succincte et appropriée avant de considérer l'utilité d'explorer les motivations du client à poser ces questions. En effet, cette approche thérapeutique, dont le style est conversationnel, doit être une activité disciplinée qu'il ne faut pas confondre avec une conversation courante. Le client doit toujours être le centre de l'attention. Le thérapeute doit apprendre à lui répondre sans toutefois aller trop loin. Il peut aussi lui permettre d'exprimer ses émotions et ses désirs d'une façon à la fois satisfaisante pour le client et acceptable pour le milieu et l'aider à limiter ses demandes quand elles sont excessives et inappropriées. Il peut amener le client à reconnaître les dangers externes que celui-ci peut occasionner ; de même, il peut agir comme un bon parent et lui imposer certaines limites quand il profère des menaces.

De plus, **le thérapeute exprime de façon verbale et non verbale des signes d'approbation** (des sourires, des encouragements, des regards, des touchers, etc.) pour les comportements qui permettent d'atteindre les objectifs fixés en espérant que, si le client parvient à adopter des comportements plus appropriés, l'environnement réagira positivement, ce qui l'incitera à maintenir ces nouveaux comportements. Dans le sens contraire, il peut également informer le client qu'il ne peut poursuivre le traitement à moins que celui-ci ne coopère, par exemple en prenant sa médication, en allant aux rencontres des Alcooliques anonymes ou en ne faisant plus certains gestes antisociaux (Werman, 1992).

En somme, le lien que le thérapeute entretient avec le client, où il lui offre la sécurité et le soin dont il a besoin, ressemble à celui qui existe entre un parent et son enfant. Le thérapeute utilise aussi la relation comme véhicule pour appliquer un certain nombre de stratégies spécifiques (Bloch, 1996). Nous verrons celles qui sont le plus couramment utilisées dans cette approche.

6.5 *LES STRATÉGIES THÉRAPEUTIQUES*

Comme nous l'avons vu dans les chapitres précédents, chaque approche thérapeutique privilégie l'utilisation de stratégies d'intervention en fonction des besoins que présente le client et des buts poursuivis au cours de l'intervention. Certaines de ces stratégies sont étroitement associées à des thérapies ; cependant, elles peuvent aussi être employées de façon ponctuelle dans d'autres approches thérapeutiques. En outre, ces stratégies sont utilisées à certains moments de la thérapie, soit seules ou combinées avec d'autres. À cet égard, la thérapie de soutien s'apparente aux autres approches thérapeutiques.

Les stratégies associées à cette approche proviennent du soutien social. En effet, on en reconnaît différentes applications dans la vie quotidienne chez un parent ou un ami qui accorde du soutien à un enfant ou à une personne en difficulté. Cependant, cette forme d'intervention se distingue de celle que l'on trouve dans la thérapie de soutien par le fait, notamment, qu'elle est dispensée par un thérapeute qui possède des connaissances et des habiletés particulières lui permettant de déterminer le moment et la façon de l'utiliser avec pertinence, et ce avec une intention thérapeutique qui tient compte des caractéristiques du client, des difficultés qu'il présente et des objectifs poursuivis. Les six stratégies thérapeutiques les plus souvent associées à cette approche thérapeutique sont les suivantes : rassurer, enseigner, encourager, favoriser la catharsis, servir d'agent de réalité et rendre l'environnement prothétique.

6.5.1 *Rassurer*

Rassurer est sans contredit la stratégie thérapeutique la plus étroitement associée à la thérapie de soutien. À ce propos, Werman (1992, p. 9) mentionne que l'on reconnaît généralement que l'objet de la thérapie de soutien est en premier lieu de rassurer. Cependant, dans le contexte d'autres approches, plusieurs intervenants utilisent cette stratégie de façon ponctuelle avec leurs clients. Aussi, nous nous référerons à ces deux contextes d'utilisation pour décrire cette stratégie. Vu son importance dans la thérapie de soutien, nous lui accorderons une attention particulière.

Les opinions sont partagées concernant la valeur de la « rassurance ». Certains auteurs affirment qu'elle est antithérapeutique, en s'appuyant sur leur expérience clinique et non sur les conclusions de recherches réalisées sur le sujet. De plus, ils adoptent une définition étroite de ce terme en mettant l'accent sur l'utilisation faussement optimiste de cette stratégie, qui peut se résumer dans le cliché suivant : « Ce n'est pas grave, ne vous en faites pas. Tout va bien aller. » De plus, ces auteurs réprouvent cette stratégie en se référant à un contexte de thérapie expressive visant l'*awareness* et l'*insight*, ce qui n'est pas le but premier de la thérapie de soutien, dans laquelle la rassurance occupe une place privilégiée. À partir de plusieurs écrits consultés sur ce sujet, Teasdale (1995) regroupe les principaux arguments contre l'utilisation de la rassurance :

- Cette stratégie d'intervention enlève au client la possibilité d'exprimer ses émotions.

- Le client a besoin qu'on l'aide à gérer son anxiété, et non à la nier.
- Cette stratégie peut rendre la personne rassurée dépendante de celle qui rassure.

Ces arguments opposés à la rassurance selon une compréhension restreinte de cette stratégie soulignent l'importance de préciser la rassurance, le contexte dans lequel cette stratégie doit être utilisée et la façon d'atteindre les buts visés tout en évitant les effets néfastes mentionnés par ces auteurs. Afin de mieux comprendre cette stratégie, nous expliquerons en quoi elle consiste, puis nous présenterons ses principales indications et, enfin, nous décrirons les techniques et les moyens qui permettent de rassurer.

Qu'entend-on par « rassurer » ?

Selon *Le Petit Larousse 1998*, «rassurer» signifie: «Rendre sa confiance, son assurance, sa tranquillité à quelqu'un, dissiper ses craintes.» Cette définition va dans le même sens que celle que présente Teasdale (1989) à partir de l'analyse de contenus de plusieurs écrits où le mot «rassurance» est utilisé, de même qu'à partir de différentes définitions répertoriées dans plusieurs dictionnaires. Cette auteure a précisé les trois façons suivantes d'utiliser ce terme dans le domaine de la santé.

La rassurance comme état d'esprit

La rassurance consiste dans l'état de confiance renouvelé ou restauré par une information orale ou écrite ou par une réflexion consécutive à un sentiment de menace physique ou psychologique accompagné d'émotions négatives, comme l'anxiété ou la peur.

La rassurance comme but à atteindre pour restaurer la confiance

La rassurance vise également à restaurer chez une personne un état de confiance ou d'assurance.

La rassurance comme vision optimiste

La rassurance constitue enfin une assurance renouvelée, le mot «assurance» signifiant ici «promesse» et «garantie».

Dans un article subséquent, Teasdale (1995, p. 79) a repris l'ensemble des significations possibles de la rassurance dans la définition suivante: «Rassurer, c'est tenter de communiquer avec des personnes anxieuses, inquiètes ou en détresse avec l'intention d'induire, de prédire qu'elles sont sauves et plus en sécurité qu'elles ne le croient ou ne le craignent.»

Dans une description plus élaborée de ce concept, Werman (1992) mentionne que «rassurer» peut avoir trois significations. Selon la première signification, le thérapeute tente d'aider le client à se sentir moins souffrant en minimisant ou en niant les réalités déplaisantes et en les remplaçant par des affirmations fausses mais plus plaisantes. Ainsi, le thérapeute et le client font une alliance en dehors de la réalité. Bien entendu, cette vision de la rassurance n'a aucune valeur thérapeutique ; elle a pour effet, à court terme ou à moyen terme, d'aggraver la situation du client.

Une deuxième forme de rassurance dont parle Werman (1992) est liée à l'attitude empathique du thérapeute qui permet au client de constater que le thérapeute reconnaît ce qu'il ressent et paraît sensible à sa souffrance. Quand un client vit cette résonance, il tend à se défaire de son sentiment de solitude et reconnaît que le thérapeute le comprend et est attentif à ses besoins. Cela aide aussi le client à coopérer à ses traitements.

Finalement, la rassurance qui semble la plus caractéristique de la thérapie de soutien s'applique quand le client est incapable d'apprécier de façon réaliste une situation donnée parce que ses fonctions cognitives et en premier lieu son test de la réalité fonctionnent de façon inadéquate. Cela peut être dû à un déficit de l'ego ou être causé par le fait que l'habileté à avoir une vision juste de la réalité est envahie par les émotions. Dans ces cas, le thérapeute travaille avec le client en l'aidant à reconnaître les possibilités réelles, en lui présentant d'autres possibilités et en l'aidant à faire des choix réalistes et valables.

Ces différentes descriptions de la rassurance donnent certaines indications générales sur les caractéristiques des personnes à qui s'adresse cette stratégie, sur le contexte de son utilisation de même que sur certaines manières de faire pour veiller à ce qu'elle ait des effets thérapeutiques. Reprenons plus en détail chacune de ces composantes en commençant par nous interroger sur les conditions cliniques qui invitent à rassurer.

Quand est-il indiqué de rassurer ?

Cette question nous incite à décrire le contexte de l'utilisation de la rassurance, en indiquant les caractéristiques des personnes à qui elle s'adresse et les principales raisons de son utilisation.

Nous avons décrit précédemment les caractéristiques des personnes qui peuvent bénéficier de la thérapie de soutien. Ce sont celles à qui s'adresse particulièrement cette intervention, et ce surtout au moment où elles présentent les symptômes suivants :

- Elles vivent une appréhension (anxiété, crainte) face à une menace présente ou anticipée concernant leur intégrité physique ou psychologique ou certaines valeurs jugées importantes, que cette menace soit réelle ou imaginée.
- Elles ont perdu confiance dans leurs capacités ou dans les ressources mises à leur disposition pour maîtriser cette menace perçue.

– Elles se sentent envahies au point d'être affectées de façon importante dans leur fonctionnement quotidien.

Comme nous l'avons vu, la controverse au sujet de l'utilisation de la rassurance est due en partie à la pertinence du fait de rassurer et au mauvais usage qui est parfois fait de cette stratégie. Quant à la pertinence de l'utilisation de la rassurance, la décision d'y recourir peut être justifiée par les objectifs généraux poursuivis dans une thérapie de soutien, lesquels diffèrent de ceux que poursuit la thérapie expressive, la première visant la prévention ainsi que le maintien et la consolidation des acquis, et la seconde étant davantage axée sur la prise de conscience de soi et sur la croissance. Quant à la crainte touchant l'usage inadéquat qui peut être fait de cette stratégie, il faut reconnaître qu'elle est particulièrement présente dans les soins donnés aux personnes qui présentent des difficultés majeures de fonctionnement. En effet, plusieurs intervenants peuvent se sentir démunis devant certaines manifestations de mal-être, voire de souffrance, chez ces personnes. Dans ces cas, la tentation est forte de rassurer faussement pour rendre l'expérience en cours plus tolérable pour soi ou pour le client. Voici quelques exemples d'un usage inapproprié de la rassurance.

Une phrase comme « Ne vous en faites pas, ça va bien aller » peut être utilisée par un intervenant qu'embarrasse la présence, chez un client, d'émotions telles que la tristesse, la colère ou l'inquiétude. De la même façon, l'intervenant peut rassurer un client prématurément, alors qu'il n'a pas assez de données sur la difficulté qu'il présente et sur sa capacité d'y faire face. En agissant ainsi, l'intervenant ne répond pas au besoin du client, mais à son propre besoin de calmer son malaise. Cette intervention peut alors avoir l'effet contraire de celui qui est désiré, soit en infantilisant le client, soit en le rendant davantage dépendant ou en lui faisant perdre sa confiance envers le clinicien si ce que ce dernier a annoncé ne se produit pas. Dans d'autres cas, un intervenant peut tenter de rassurer un client parce qu'il refuse les limites auxquelles ce dernier fait face.

Ces exemples d'une utilisation non judicieuse de la rassurance invitent donc le professionnel à la prudence quant à l'emploi de cette stratégie et soulignent l'importance d'être conscient des raisons réelles de son utilisation. Dans une recherche portant sur les conditions dans lesquelles il est préférable de rassurer, Teasdale (1989) mentionne que le premier motif se trouve dans le fait que les craintes du client sont jugées excessives et non réalistes.

En fonction de ces indications, les principaux buts poursuivis par la rassurance consistent à aider la personne à retrouver sa confiance, à corriger une fausse perception et, ce faisant, à réduire son malaise (anxiété ou crainte). En prenant le temps de connaître le client et les conditions qui suscitent chez lui un malaise, et en explorant ses attentes, le thérapeute qui décide de rassurer sait alors que le choix de cette intervention est pertinent. Celui qui désire rassurer peut utiliser différents moyens suivant les besoins du client et les objectifs qu'il poursuit.

Comment rassurer ?

Le fait pour un client de se sentir rassuré tient à la fois à la perception qu'il a de ses conditions de santé, à la confiance qu'il a dans les traitements qu'il reçoit, dans l'établissement de santé et dans les intervenants qui lui fournissent des services, et dans les compétences personnelles qu'il se reconnaît pour maîtriser la difficulté en cours.

À partir de ces différents aspects, qui peuvent être à la fois une source de crainte ou d'anxiété, il est possible de déterminer différents moyens de rassurer. Nous en avons retenu un certain nombre qui semblent tout particulièrement utiles en thérapie de soutien. Certains sont davantage applicables dans des situations spécifiques alors que d'autres sont applicables dans plusieurs contextes d'intervention dont le but est de rassurer. Nous avons regroupé ces moyens sous trois buts que peut poursuivre le thérapeute à travers la rassurance : être une présence rassurante grâce à ses qualités professionnelles, manifester de la compréhension en se sentant interpellé par le client et réduire l'incertitude par l'information.

Être une présence rassurante grâce à ses qualités professionnelles

Le moyen de rassurer qui semble à la base de tous les autres est sans doute celui qui consiste à être une présence rassurante. En nous inspirant particulièrement des travaux de Bowlby (1971) sur l'attachement, nous pouvons dire que dans certaines circonstances les intervenants sont capables de rassurer leurs clients par leur présence. Par extension, cette théorie pose que tout ce que le professionnel de la santé fait pour favoriser une relation de confiance accroîtra la possibilité qu'il soit reconnu comme une figure d'attachement rassurante (Teasdale, 1995). En effet, sans faire de gestes précis avec l'intention de rassurer, certains intervenants, par leur seule présence, rassurent le client. Cette façon d'être se manifeste de différentes manières, que ce soit par des comportements qu'ils adoptent ou par leur disponibilité physique.

Une présence physique rassurante peut se traduire chez un intervenant par un visage accueillant, un ton de voix posé, un regard direct, des gestes harmonieux, un débit verbal modéré, une peau bien oxygénée, la chaleur des mains, un toucher à la fois doux et assuré.

Cet effet rassurant peut aussi transparaître dans sa compétence professionnelle à travers un langage clair, des gestes professionnels précis, une qualité d'écoute, ou le fait qu'il soit digne de confiance parce qu'il respecte ses promesses ou prédit au client des choses qui se confirmeront. Toute incongruence ou tout manque d'authenticité, conscient ou non, de la part du thérapeute aura pour effet d'augmenter la présence de l'anxiété chez le client à plus ou moins long terme.

Par ailleurs, la disponibilité physique auprès du client peut prendre différentes formes. Par exemple, pour un client, le fait de voir un visage familier peut avoir un effet réconfortant. À ce propos, dans un milieu de soins, il est préférable d'affecter un personnel infirmier stable aux clients qui manifestent un niveau d'appréhension et d'anxiété élevé.

La présence constante d'un intervenant auprès d'un client est impossible dans la plupart des cas, sauf dans une situation de soins aigus. Cependant, si le client est assuré qu'il peut obtenir de l'aide promptement en cas de besoin et s'il sait comment procéder pour demander cette aide, il peut se sentir rassuré. À ce propos, dans le contexte d'une psychothérapie en bureau privé, nous avons observé à de nombreuses reprises l'effet rassurant qu'avait le fait d'accorder au client le droit de téléphoner en dehors des séances de thérapie pour prendre rendez-vous s'il en sentait l'urgence. Certains d'entre eux, à des moments difficiles de la thérapie, nous ont souligné de différentes façons l'effet sécurisant d'une telle possibilité. Toutefois, très peu de clients téléphonent.

Manifester de la compréhension en se sentant interpellé par le client

Pour que la rassurance soit efficace, la personne qui rassure doit se sentir interpellée par ce que vit le client. Plusieurs clients sont en mesure de sentir l'intérêt qu'on leur porte. En effet, le fait d'avoir le sentiment d'être entendu et compris est en soi rassurant. De plus, cela facilite l'intimité affective et favorise les confidences.

On peut manifester cet intérêt pour le client en l'invitant à parler davantage de ses craintes et des pensées qui les accompagnent. Cet échange fournira à la fois au client et à l'intervenant une image plus précise de l'expérience du client. Dans certains cas, cet échange permettra à ce dernier de reconnaître le fait que certaines de ses craintes ne sont pas fondées. Dans d'autres cas, le client aura le sentiment de mieux connaître l'objet de ses peurs, et donc de mieux maîtriser celles-ci. De plus, l'intervenant sera davantage en mesure d'apporter les informations ou les précisions qui s'imposent.

Réduire l'incertitude par l'information

Sur le plan cognitif, toutes les interventions qui permettent de prédire que l'événement perçu est moins grave que prévu ont un effet rassurant pour autant que les informations données correspondent à la réalité. À cette fin, l'intervenant peut informer le client de différentes façons, que ce soit par le recadrage, par la description de faits ou par la prédiction.

Le meilleur moment pour rassurer le client par le recadrage est celui où il a une fausse perception de sa situation, où il en exagère les aspects négatifs. Lorsque l'on remplace ses fausses croyances par des faits correspondant à la réalité, si celle-ci est moins pénible ou moins grave que celle qu'il a imaginée, le client se sent généralement plus rassuré. Cependant, le thérapeute doit veiller à ne pas se tromper, sinon il perdra la confiance du client. Par exemple, dans un milieu de soins d'urgence, une infirmière tente de rassurer les parents d'un enfant souffrant de douleurs abdominales en leur disant qu'ils n'ont pas raison de s'inquiéter et que dans une heure ils pourront retourner à la maison avec leur enfant. Trente minutes plus tard, à la suite des résultats d'examens sanguins, le médecin traitant décide d'hospitaliser l'enfant pour l'observer et procéder à d'autres examens. En donnant aux parents une information prématurée pour les calmer, l'infirmière devient beaucoup moins crédible à leurs yeux et peut même être l'objet de leur colère.

Un autre moyen très efficace de réduire l'anxiété du client est de lui donner de l'information sur son état de santé et de répondre à ses questions. Par exemple, une famille qui est dans la salle d'attente pendant que l'un des siens reçoit des soins d'urgence appréciera grandement qu'une infirmière vienne régulièrement l'informer de l'évolution de l'état du client. Elle évitera ainsi que les membres de cette famille ne s'inquiètent outre mesure et ne vivent une anxiété qui se transformera en colère si, en plus de lui refuser l'accès à la salle de traitements, on ne lui fournit pas l'information à laquelle elle a droit.

Certaines recherches démontrent que l'information aura un effet bénéfique pour autant qu'elle soit bien adaptée aux personnes à qui on l'adresse. Par exemple, l'utilisation d'un vocabulaire scientifique complexe peut augmenter la frustration des clients. Dans un contexte où le clinicien a jugé pertinent de rassurer un client, il y a de fortes chances que celui-ci présente un niveau élevé d'anxiété et, conséquemment, un niveau d'attention volontaire réduit. Il est donc important de le renseigner d'une façon descriptive, simple et brève.

Dans certains cas, l'information donnée peut augmenter l'anxiété du client, notamment si celui-ci ignorait que sa situation était aussi grave. C'est pourquoi, dans un contexte de rassurance, il est préférable, avant de divulguer de l'information au client, de vérifier quelle information il possède déjà. À partir de ces données, il sera plus facile pour l'intervenant de juger du type d'information à transmettre.

Par ailleurs, on peut aussi informer le client en lui prédisant ce qui se passera à plus ou moins long terme, que ce soit pour l'encourager ou pour l'aider à se préparer à cette situation et éviter les surprises inutiles. On utilise souvent cette stratégie avant de donner certains traitements, comme de la chimiothérapie, ou de pratiquer des interventions chirurgicales ou psychothérapeutiques. Voici des exemples de prédictions qui peuvent être faites :

– « À la suite du traitement, il se peut que vous ayez des nausées. »

– « Nous allons immobiliser votre bras. Par la suite, vous vous sentirez plus à l'aise. »
– « Il est possible qu'au cours des rencontres de thérapie et dans les jours qui suivent vous vous sentiez plus anxieux et irritable. »

En somme, l'intervenant qui désire rassurer un client doit d'abord connaître ce client et ses appréhensions. De plus, il doit avoir une bonne connaissance de lui-même, une certaine confiance dans ses compétences, dans celles de son client et dans l'effet bénéfique de cette intervention.

6.5.2 *Enseigner*

Comme pour toutes les autres stratégies utilisées dans la thérapie de soutien, il est indispensable, avant de réaliser une activité éducative, de s'assurer qu'elle répond aux besoins et aux attentes du client, et que les moyens utilisés pour le faire, de même que l'information communiquée, sont adaptés à sa personnalité, à ses habiletés intellectuelles, à ses préférences, à sa motivation et à son état mental. Lorsque l'on respecte ces règles, il y a plus de chances pour que l'enseignement offert soit reçu par le client et se traduise par l'acquisition de connaissances et l'adoption de comportements ou d'attitudes désirés. Dans le cas contraire, si, par exemple, l'enseignement est offert prématurément, alors que le client est encore à l'étape du déni de sa maladie, ou s'il ne tient pas compte de ses habiletés intellectuelles et de sa motivation, cette intervention risque d'entraîner plusieurs effets négatifs, notamment de la frustration et de la déception, et d'engendrer une certaine tension ou un certain désintérêt pour la suite de la thérapie. Aussi faut-il adapter l'enseignement au client en étant conscient que son manque de participation à cette activité constitue une information sur la perception qu'il a de lui-même et de sa maladie, sur sa confiance dans le traitement et sur l'importance qu'il lui accorde de même que sur le lien de confiance qui existe entre lui et le thérapeute.

Par exemple, pour certains clients, accepter de participer à un enseignement sur leur maladie et sur leur traitement, c'est reconnaître le fait qu'ils sont malades et que les déficits et les pertes qui accompagnent cette maladie sont réels et dans certains cas permanents. Pour d'autres clients, accepter cet enseignement et y participer activement, c'est perdre les bénéfices secondaires associés à une dépendance sécurisante à l'égard du thérapeute. Enfin, pour d'autres clients, la difficulté à apprendre est davantage liée à la difficulté qu'ils éprouvent à faire confiance à leurs capacités de prise en charge malgré les limites créées par la maladie. Ces exemples soulignent la complexité de la signification des réactions du client à un enseignement et invitent le thérapeute à éviter de conclure trop rapidement à la mauvaise foi du client et à son manque de collaboration.

Face au manque de participation du client à une activité d'enseignement ou au faible résultat obtenu, il est important de se poser certaines questions, comme les suivantes :

- Est-ce que le client a besoin de cet enseignement ? Dans certains milieux, on conclut très facilement que si un client ne respecte pas les traitements prescrits, c'est parce qu'il n'a pas compris les traitements et qu'il a besoin d'enseignement. Dans d'autres milieux, on a mis en place un enseignement standard auquel tous les clients qui utilisent le service sont soumis.
- Est-ce le bon moment pour offrir cet enseignement ? On prévoit souvent que tous les clients auront avant leur sortie de l'établissement de santé un enseignement préétabli, sans tenir compte de leur intérêt pour cet enseignement.
- Est-ce que les méthodes pédagogiques utilisées correspondent à la façon d'apprendre du client ?
- Est-ce que le vocabulaire utilisé est accessible au client ?
- Quelles sont les perceptions du client face à sa maladie et aux limites qu'elle engendre ?
- Dans quelle mesure le client a-t-il confiance en ses traitements ?
- Dans quelle mesure le client a-t-il confiance en ses ressources personnelles ?
- Dans quelle mesure le client a-t-il confiance dans le clinicien qui offre l'enseignement ?

Lorsqu'il répondra à ces questions, le thérapeute sera plus en mesure de conclure sur la pertinence de l'enseignement destiné au client. Dans le contexte d'une thérapie de soutien, on peut utiliser différents moyens dans le but d'aider le client à acquérir certaines connaissances reliées à ses difficultés et certaines compétences, que celles-ci soient cognitives (solution de problème), affectives (gestion des émotions), sociales (adaptation sociale) ou comportementales (savoir-faire), en vue d'accroître son autonomie. Pour cela, le thérapeute doit exercer à la fois des fonctions d'enseignant et d'éducateur, l'une faisant davantage appel à ses connaissances professionnelles et l'autre, à ses compétences de substitut parental. La fonction éducative exercée par le thérapeute peut s'exercer de façon structurée à l'intérieur d'une activité individuelle ou de groupe préparée à cette fin. Elle s'exercera aussi de façon moins formelle tout au long des entretiens individuels.

Par exemple, Fiddler (cité par Tessier et Clément, 1992, p. 103) suggère d'adopter un programme psychoéducatif à l'intention d'un groupe de personnes souffrant de troubles sévères et persistants, lequel programme poursuivrait les objectifs suivants :

- créer un environnement qui favorise l'apprentissage et la pratique des habiletés ;

- offrir aux clients des expériences qui les rendront plus autonomes et capables de jouer un rôle socioculturel approprié ;
- changer le rôle de bénéficiaire en rôle d'agent actif capable d'influencer et de diriger le cours de sa vie ;
- réduire au minimum la dépendance du client face aux spécialistes et aux établissements.

Tessier et Clément (1992, p. 103-104) ajoutent :

> [...] en plus de ces grands objectifs et contrairement aux autres modèles de formation aux habiletés, l'intervention psychoéducative favorise un processus d'apprentissage dans un contexte normal. Le thérapeute devient le professeur, le patient ou le client devient l'étudiant, et la clinique devient une salle de cours. Le plan de traitement est replacé dans un plan de cours, et le traitement lui-même prend la forme d'un cours.

Dans le contexte des entretiens individuels réalisés au cours d'une thérapie de soutien, la fonction éducative est présente pendant toutes les rencontres, que ce soit pour renforcer les apprentissages réalisés en groupe ou pour aider le client face à certaines difficultés qu'il éprouve en thérapie ou qu'il aborde au cours des rencontres. Par exemple, si, au cours d'un échange, le client réagit fortement à une remarque du thérapeute, s'il devient plus anxieux et commence à présenter des hallucinations auditives, celui-ci peut profiter de cette occasion pour aider le client à comprendre ce qui se passe, l'aider à trouver des moyens de gérer son stress et, si le contexte s'y prête, lui enseigner certaines techniques de diversion pour mieux maîtriser ses hallucinations. Ainsi, il peut exercer de différentes façons ses fonctions d'éducation et d'enseignement. Parmi ces façons, il y en a trois qui sont particulièrement utiles en thérapie de soutien : 1) expliquer et renseigner ; 2) guider ; 3) conseiller.

Expliquer et renseigner

La méthode consistant à expliquer et à renseigner est utilisée de manière différente en thérapie de soutien et en thérapie expressive. Dans le premier cas, les explications portent sur des questions concrètes du quotidien, sur la réalité courante du client. Il ne s'agit pas d'abord de favoriser une connaissance de soi d'une façon psychodynamique, mais d'accroître les habiletés d'adaptation en précisant la nature des problèmes et des défis, et les meilleurs moyens d'y faire face (Bloch, 1996).

En fournissant des explications au client et en le renseignant, le thérapeute tente de répondre à ses besoins de connaître et de comprendre. Cette méthode porte en premier lieu sur le **quoi** et le **pourquoi**. À cette fin, le thérapeute précise avec le client la nature de sa maladie et de ses symptômes, les raisons de l'utilisation de certains médicaments ou d'autres formes de traitement, les effets secondaires possibles ou la raison de ses rechutes. Toutes ces explications sont données dans un langage accessible au client. En l'informant, le thérapeute reconnaît :

- que ce que vit le client le concerne directement ;
- qu'il a le droit de connaître et de comprendre ;
- que les informations et les explications données l'aideront à faire des choix plus éclairés sur la façon de mener sa vie et de se comporter face aux traitements qui lui sont offerts.

Ces informations et ces explications peuvent être données d'une façon systématique au cours d'un enseignement en groupe, ou d'une façon ponctuelle au cours de rencontres individuelles. Par exemple, si un client se plaint de constipation à la suite de l'utilisation de psychotropes, le thérapeute peut lui expliquer en quoi cette difficulté est reliée à sa maladie ou à ses traitements. Il peut aussi l'informer sur certaines habitudes de vie qui favorisent l'élimination, que ce soit le choix des aliments, une meilleure hydratation ou l'introduction d'exercices dans son quotidien.

Guider

Une autre méthode utilisée au cours de la thérapie de soutien pour enseigner au client consiste à le guider. En utilisant cette méthode, le thérapeute met l'accent sur le **savoir-faire** et sur le **savoir-être** du client en fonction des limites engendrées par sa maladie et des forces que constituent ses capacités résiduelles.

Ainsi, dans le contexte d'une thérapie de soutien auprès d'une personne souffrant d'une maladie grave, le thérapeute ou un autre membre de l'équipe soignante peut la guider dans l'acquisition de certaines habiletés qui la rendront plus autonome quant à l'administration de ses traitements. Voici quelques exemples :

- Une personne souffrant de diabète peut apprendre à faire certains tests sanguins et urinaires, à interpréter leurs résultats et à décider de la quantité d'insuline qui lui convient. De plus, elle peut apprendre à s'injecter elle-même l'insuline.
- Une personne devenue aveugle à la suite d'un accident peut réapprendre à se déplacer et à acquérir une large autonomie grâce à un enseignement soutenu. Il en est de même pour une personne laryngectomisée à la suite d'un cancer, laquelle peut réapprendre à parler.
- Ce type de guidance s'applique aussi aux personnes souffrant de troubles mentaux sévères et persistants. Un clinicien peut aider une personne souffrant de schizophrénie à mieux gérer son stress, à apprendre à faire son budget, à acquérir certaines habitudes d'hygiène, à se trouver un emploi, etc.

En somme, dans une thérapie de soutien, cette méthode est utilisée dans diverses situations. Au cours de ce type d'enseignement, le thérapeute peut recourir à différentes stratégies pédagogiques, comme la démonstration, le jeu de rôle, la supervision directe ou la rétroaction à partir de situations simulées filmées sur vidéo.

Conseiller

Dans ses fonctions d'enseignant et d'éducateur, le thérapeute est souvent amené par le client à mettre à contribution ses connaissances scientifiques et ses compétences humaines par le biais de conseils ayant trait à son problème de santé ou à d'autres aspects plus personnels. Il n'est pas facile de déterminer quelles sortes de conseils donner, à quelles personnes et dans quelles circonstances. Quand on donne un conseil à une personne qui n'en a pas besoin, on lui envoie un message contraire à l'estime de soi. Habituellement, le conseil doit être limité aux domaines d'expertise du thérapeute et aux besoins du client. À des clients plus gravement atteints sur le plan cognitif, le thérapeute peut suggérer des actions ou des façons de penser s'appuyant sur le sens commun et sur les règles sociales courantes (Pinsker, 1994). Dans ce dernier cas, le thérapeute qui utilise cette méthode doit s'assurer qu'il ne se substitue pas au client quant aux choix de vie qu'il fait et qu'il n'essaie pas de répondre à son propre besoin de maîtriser son anxiété ou son malaise en présence d'un client qui a des valeurs, des priorités ou des goûts différents des siens.

Dans de pareils cas, au lieu de conseiller un client qui n'en fait pas la demande, le thérapeute qui ne partage pas les décisions du client devrait l'informer de son étonnement ou de son incompréhension. La technique du feed-back sur l'expérience peut alors être utilisée dans une telle situation. Afin de s'assurer que le conseil sera pertinent, le thérapeute doit respecter certaines règles.

D'abord, un conseil aura plus d'impact s'il est donné à la demande du client plutôt qu'imposé. Le thérapeute qui répond à cette requête doit s'assurer qu'elle ne cache pas d'autres messages, comme le fait de demander au thérapeute de le confirmer dans son incapacité d'avoir ses propres idées, dans son besoin de dépendance ou dans la perception négative qu'il a de lui-même. Aussi le thérapeute doit-il s'interroger sur l'origine de cette demande et sur la capacité du client d'y répondre.

Par ailleurs, si le thérapeute décide de donner au client un conseil qu'il n'a pas sollicité, il doit s'assurer que le client est intéressé à l'entendre. Par exemple, un thérapeute jugeant que son client a besoin d'un conseil peut lui dire : « Depuis quelques rencontres, je constate que vous semblez tourner en rond, que vous semblez avoir de la difficulté à trouver une solution à votre problème de cohabitation avec votre colocataire.

J'ai envie de vous proposer quelque chose. Est-ce que vous êtes intéressé à connaître mon point de vue ? »

Selon une autre règle à respecter, quand le thérapeute donne un conseil, il ne doit pas obliger le client à le suivre, mais plutôt présenter ce conseil comme une contribution à la réflexion en cours. Voici un exemple de formulation : « Je ne partage pas votre décision de quitter votre emploi à cause de la dispute que vous avez eue avec un collègue. Accepteriez-vous de retarder quelque temps cette décision pour que nous puissions envisager ensemble d'autres façons de réagir à cette situation qui vous met en colère ? »

En outre, il est important que le thérapeute invite le client à réagir au conseil qu'il vient de lui donner. La réponse du client l'aidera à constater de quelle façon son conseil a été reçu et dans quelle mesure son intervention comble les attentes du client.

En somme, cette stratégie d'enseignement et d'éducation, qui procure au thérapeute un statut d'expert à différents points de vue, doit être utilisée avec beaucoup de prudence. Comme toute autre stratégie thérapeutique où le thérapeute exerce son expertise personnelle et professionnelle en premier lieu sur le contenu de l'échange et en deuxième lieu sur le processus, il est important qu'il évite le piège, souvent très valorisant pour lui, consistant à se donner le rôle de « celui qui sait » et à faire jouer au client le rôle de « celui qui ne sait pas », avec toutes les conséquences négatives qui peuvent en découler.

6.5.3 *Encourager*

L'importance pour le thérapeute de prêter attention à son attitude et à sa motivation s'applique aussi à la stratégie qui consiste à encourager le client. En effet, cette attention doit être d'autant plus grande que, généralement, elle porte sur des situations où le client vit une certaine souffrance qui peut prendre la forme du découragement, voire du désespoir. Ces émotions risquent d'interpeller directement le thérapeute et de lui faire vivre des émotions troublantes. Il peut alors se produire une certaine confusion dans l'intention qu'il nourrit en encourageant le client. Dans certains cas, le thérapeute peut encourager le client en pensant qu'il le fait avant tout pour l'aider, alors que cette intervention vise d'abord l'atténuation de son propre malaise. En effet, il nous a été donné d'observer à plusieurs reprises des intervenants qui, devant des clients présentant des troubles sévères, imaginaient que ces derniers étaient plus souffrants qu'ils ne l'étaient en réalité ; ces thérapeutes, en confluence avec ces clients, leur prêtaient leurs propres ressentis.

Dans ces cas, il y a le danger d'utiliser cette stratégie à l'excès ou à de mauvais moments et de créer chez le client un sentiment de malaise s'il perçoit le besoin du thérapeute de se sécuriser. De plus, le client peut s'étonner que le thérapeute lui attribue des émotions qu'il n'éprouve pas ou qu'il n'éprouve pas aussi intensément que le thérapeute l'imagine ; ou encore, il peut s'inquiéter de la gravité que semble présenter son état pour le thérapeute. Ainsi, le thérapeute doit non seulement manifester une certaine compassion au client, mais aussi acquérir une conscience de soi élevée qui lui permettra de distinguer ses propres ressentis et ses propres besoins de ceux du client.

Les moyens utilisés pour encourager

Selon *Le Petit Larousse 1998*, encourager signifie : « Donner du courage à ; inciter à agir. [....] Favoriser la réalisation, le développement de. » À cette fin, il existe une foule de moyens verbaux et non verbaux. Le choix de ces moyens sera déterminé par plusieurs facteurs, notamment l'état mental du client, la perception qu'il a de son état de santé, la confiance qu'il place dans ses capacités résiduelles et dans ses traitements et, enfin, les buts poursuivis par le thérapeute lorsqu'il encourage le client.

Il est important de souligner que l'encouragement doit être réaliste, sinon il aura des effets antithérapeutiques. Les limites imposées par la condition du client et ses ressources doivent être respectées (Bloch, 1996, p. 306). Voici quelques-uns des buts que l'on poursuit en encourageant le client, et les moyens que l'on utilise pour le faire :

- Soutenir le client dans sa façon d'assumer sa maladie en lui manifestant une compréhension empathique au regard de ce qu'il vit. Cet accueil aura pour effet de valider ce qu'il ressent et de briser le sentiment de solitude souvent présent dans une telle expérience.
- Soutenir le client dans ses efforts d'apprentissage et d'adaptation face à ses limites, par exemple en lui soulignant les progrès qu'il a réalisés quant à sa capacité de gérer son stress, à son assiduité au travail, à son amplitude articulaire ou à la réduction de la durée des périodes d'hospitalisation.
- Aider le client à continuer d'espérer de faire des progrès en ce qui concerne une meilleure acceptation de sa situation de santé ou l'amélioration de son état. Pour cela, le thérapeute peut lui indiquer les possibilités d'amélioration, l'amener à clarifier ses attentes ou l'inviter à imaginer comment il se sentira dans la situation désirée – comment il se voit marcher sans canne, comment il s'imagine moins tendu au travail, comment il envisage le retour à la maison entouré de ses objets familiers, etc.
- Inviter le client à maintenir une certaine mobilisation de ses énergies malgré les efforts que cela lui demande ou les résultats lents à venir. Pour ce faire, le thérapeute peut, au cours des soins et des traitements,

lui adresser des paroles d'encouragement comme celles-ci : « Nous avons presque fini ; encore un petit effort, vous en êtes capable » ; « Ça va bien, continuez... » ; « Vous vous débrouillez bien » ; « Je constate une certaine amélioration ».

À ces signes verbaux d'encouragement peuvent se joindre certains signes non verbaux amicaux tels qu'un sourire, un clin d'œil, un contact physique, comme prendre la main du client ou poser une main sur son épaule.

En fait, dans le contexte d'une thérapie de soutien, le thérapeute peut encourager le client en s'appuyant sur ses connaissances professionnelles pour faire certaines constatations positives sur l'état de santé du client. Il peut aussi le faire en manifestant pendant quelques instants sa compassion à l'un de ses semblables qui souffre et cherche avec courage un sens à donner à une expérience difficile et des moyens de s'en sortir. Comme pour les autres stratégies utilisées dans la thérapie de soutien, le thérapeute qui encourage un client doit graduer ses interventions en gardant à l'esprit que le but ultime consiste à aider le client à utiliser ses propres ressources avec l'aide du thérapeute. Un autre but, qui s'applique souvent à cette approche, est d'apprendre au client à demander et à recevoir, sur une base temporaire ou permanente, l'aide dont il a besoin.

6.5.4 *Favoriser la catharsis*

Le contexte sécuritaire propre à la relation thérapeutique permet au client d'exprimer avec soulagement certaines émotions comme la peur, la peine, la déception, la frustration ou l'envie. Le milieu clinique est souvent le seul endroit où le client peut exprimer librement et en toute sécurité de telles émotions (Bloch, 1996, p. 306). En effet, en dehors du contexte de la thérapie, les personnes qui entourent le client, soit sa famille, ses collègues de travail et ses amis, sont souvent elles-mêmes affectées par ce que vit le client et ont parfois de la difficulté à contenir leurs émotions. De plus, elles se sentent malhabiles lorsqu'il s'agit de répondre aux réactions de la personne, notamment à ses réactions émotives. Aussi ont-elles tendance, pour se protéger, à fuir ou encore à faire de la fausse rassurance, laissant entendre à la personne qu'elles préfèrent qu'elle ne partage pas avec elles ses émotions ou certaines idées pessimistes qu'elle entretient sur son état de santé. Aussi, si le client désire garder ces personnes autour de lui, il tentera de répondre à leurs attentes malgré certains débordements.

Retenons que, selon *Le Petit Larousse 1998*, la catharsis est une méthode psychothérapeutique reposant sur la « décharge émotionnelle [...] liée à l'extériorisation du souvenir d'événements traumatisants et refoulés ». Dans une thérapie de soutien, on peut poursuivre différents buts en utilisant cette stratégie.

Ainsi, le client peut partager avec le thérapeute certaines émotions et pensées reliées à la maladie et à ses effets quotidiens. Cela lui permet de se libérer d'une certaine tension et d'une certaine souffrance pour autant qu'il ait le sentiment d'être entendu et compris. Pour ce faire, le thérapeute peut recourir aux différentes habiletés relationnelles que nous avons décrites dans le volume 1 (Chalifour, 1999).

Cependant, comme le souligne Pinsker (1994), cette stratégie comporte des limites. Il est important d'interrompre au besoin le client afin de l'amener à comprendre que la thérapie est un dialogue, et non un monologue. Sinon, les rencontres peuvent être utilisées uniquement comme un déversoir qui libère momentanément le client, mais qui ne l'aide pas à progresser. Aussi, suivant l'état mental du client, cette verbalisation peut être une occasion privilégiée de rechercher un sens aux expériences douloureuses que vit le client en faisant des liens avec son problème de santé, sa personnalité.

Ce partage peut aussi être l'occasion pour le thérapeute d'enseigner au client à mieux gérer ses pensées et ses émotions au lieu de les contenir. De même, il peut lui montrer à choisir les personnes avec qui les partager et à trouver une façon plus acceptable de le faire.

Voici un exemple qui illustre comment peut s'appliquer cette stratégie auprès d'un client présentant des propos délirants sur des sujets religieux. Un infirmier qui rencontrait, tous les quinze jours depuis quelques années, en thérapie de soutien un client tenant ce type de propos est parvenu à l'aider à prendre conscience que ses propos délirants avaient pour effet de créer un grand malaise chez ses collègues de travail et de les éloigner de lui. Ensemble, ils ont convenu que lorsque le client avait vraiment besoin d'exprimer ses idées délirantes, il pouvait prendre rendez-vous avec l'infirmier afin de parler de cela pendant trente minutes. L'autre partie de la rencontre était consacrée à l'exploration des conditions stressantes de sa vie qui pouvaient entraîner la présence de ces propos délirants. Au cours de la thérapie, le client a appris à mieux gérer ses propos délirants, à reconnaître les effets bénéfiques de cette maîtrise sur ses contacts avec ses collègues et à mieux gérer certaines situations stressantes.

En somme, en favorisant la catharsis, le thérapeute aide le client à se libérer d'une certaine tension et à utiliser cette énergie de façon constructive. Celui-ci n'a plus à endiguer ses pensées et ses émotions, par crainte qu'elles ne se manifestent à des moments inopportuns et ne suscitent le malaise chez lui et chez les personnes qui l'entourent.

6.5.5 *Servir d'agent de réalité*

Un des problèmes les plus importants auxquels fait face le thérapeute concerne la distorsion que le client fait de la réalité, incluant sa difficulté à reconnaître ce qui est à l'intérieur de lui – comme ses sentiments, ses pensées et ses besoins à différents moments – et ce qui est dans son environnement. Les distorsions de la réalité peuvent prendre différentes formes et varient grandement en intensité. À un bout du spectre se trouvent les difficultés de perception importantes comme les hallucinations et les idées délirantes, et à l'autre bout, les illusions, les doutes et les incertitudes. Les distorsions peuvent être strictement perceptuelles, comme les hallucinations, ou purement psychologiques, comme les défenses, qui, d'une façon ou d'une autre, nient quelque chose à propos de soi, de quelqu'un ou de quelque chose (Werman, 1992, p. 98-99).

Par exemple, certains clients, de façon répétitive, peuvent rapporter avec colère et confusion des situations dans lesquelles ils se sont sentis humiliés, ignorant le rôle qu'ils ont joué dans l'apparition ou le maintien de la situation. Ils se voient comme des victimes, à la merci de leur famille, de leurs professeurs, de leur employeur ou de la société en général. Le thérapeute doit aider ce type de client à distinguer clairement la réalité des distorsions. De plus, il doit reconnaître que le client n'est pas toujours responsable de ces situations et qu'il peut aussi être victime de celles-ci (Werman, 1992).

La théorie perceptuelle nous enseigne que, d'un point de vue subjectif, nous avons tous une vision unique de la réalité et que cette vision est le fruit de nos expériences passées ainsi que de la perception que nous avons de nous-mêmes et de ce qui nous entoure. Aussi, dans la thérapie de soutien, en vertu de la stratégie thérapeutique qui consiste à servir d'agent de réalité au client, le thérapeute doit notamment s'intéresser à la perception que le client a de lui-même et de son environnement s'il veut avoir une vision globale de lui.

En gros, cette stratégie consiste à aider le client à augmenter la connaissance qu'il a de lui-même en acquérant la vision la plus exacte possible de ses caractéristiques, y compris ses forces et ses limites. De plus, le thérapeute aide le client à reconnaître la perception que celui-ci a de la réalité et les fondements de cette perception. À cette fin, le thérapeute peut encourager le client à acquérir une conscience et une connaissance de lui plus élevées, à utiliser ses sens de façon plus consciente, à valider ses impressions et certaines perceptions. Cet exercice de réalité peut être particulièrement menaçant pour le client. Aussi doit-on s'assurer de la qualité du lien thérapeutique avant de confronter le client. Le thérapeute doit avant tout se placer du côté de la réalité. Il ne doit pas contester toutes les distorsions du client, mais il doit, à différents moments du traitement, relever les principales erreurs du client au regard du test de la réalité. Werman (1992, p. 99) donne un exemple de stratégie de confrontation moins menaçante qui fait appel à une formulation plus hypothétique qu'affirmative :

> « Peut-être que votre épouse avait d'autres motifs de dire cela (d'agir ainsi). Est-il possible que vous ayez contribué d'une certaine façon à cette situation ? » Si le patient réagit fortement, il est préférable de ne

pas insister. Il ne s'agit pas d'avoir raison à tout prix. Il vaut mieux dans un tel cas répondre en disant : « Si une pareille situation se reproduit, peut-être comprendrons-nous davantage ce qui se passe. »

Par exemple, quand le client présente des propos délirants ou a des hallucinations, le thérapeute, dans une thérapie de soutien, ne travaille pas à partir du contenu du délire ou des hallucinations, mais il tente plutôt, comme agent de réalité, de l'amener à reconnaître qu'il est en présence d'idées délirantes ou d'hallucinations. Il soulignera, par exemple, qu'il reconnaît que le client entend des voix sans que lui les entende. Il peut aussi lui suggérer de considérer le fait que les voix qu'il entend puissent être liées à sa maladie. Comme agent de réalité, il peut l'encourager à prendre des médicaments.

Dans l'utilisation de cette stratégie thérapeutique, le thérapeute doit être très respectueux des perceptions du client et prendre le temps de l'écouter, même si ses propos semblent exagérés ou peu vraisemblables. Malheureusement, les journaux rapportent régulièrement des situations où des personnes ont consulté des cliniciens parfois à plusieurs reprises afin de recevoir de l'aide, sans parvenir à se faire entendre, car leurs plaintes semblaient invraisemblables. Plusieurs de ces situations se sont soldées par des drames.

En somme, cette méthode ne consiste pas tant à approuver le client ou à opposer les perceptions du thérapeute aux siennes qu'à explorer les perceptions du client en tentant de l'aider à comprendre sur quoi elles s'appuient. De plus, le thérapeute doit, à la lumière de ses expériences et de ses connaissances, inviter le client à reconsidérer la signification qu'il accorde à certaines expériences. À ce propos, la technique du recadrage que nous avons décrite dans ce chapitre peut être très utile. Plus l'état mental du client est perturbé, plus le thérapeute doit miser sur la qualité de la relation et utiliser avec précaution les techniques de confrontation. Il doit même se poser la question de l'utilité de vouloir corriger à tout prix la perception qu'a le client de la réalité. Dans certains cas, comme dans l'exemple que nous avons donné précédemment, il est préférable d'aider le client à mieux gérer ses idées délirantes ou ses hallucinations, afin qu'elles aient le moins d'effets négatifs possible sur lui et sur les personnes qui l'entourent, que de s'acharner à les faire disparaître.

6.5.6 *Rendre l'environnement prothétique*

Comme nous venons de le souligner, la personne vit dans un environnement donné. Aussi, dans la thérapie de soutien, le thérapeute doit-il, en collaboration avec le client et parfois avec d'autres intervenants comme la famille et le milieu de travail, s'assurer que le client se trouve dans un environnement qui l'aide et qui renforce les acquis réalisés en thérapie.

Lorsque le milieu familial ou le milieu de travail est inadéquat, le thérapeute peut, avec l'aide des membres de l'équipe interdisciplinaire, aider le client à trouver un milieu de vie ou de travail qui correspondra davantage à ses capacités de prise en charge. Par exemple, certains clients qui présentent des troubles sévères et persistants peuvent être hébergés dans des foyers de groupe ou dans des appartements supervisés. Des clients ayant des problèmes physiques majeurs seront hébergés dans des centres hospitaliers de longue durée ou dans des foyers, où ils recevront les soins que nécessite leur état.

Dans le cas de clients qui souffrent de maladies physiques graves, le thérapeute peut les aider à trouver les ressources nécessaires pour rendre leur environnement prothétique, qu'il s'agisse d'aménager un lieu de séjour ou de se procurer les appareils nécessaires au maintien optimal de leur autonomie. Les clients seront incités à utiliser les ressources mises à leur disposition. L'importance de la participation du thérapeute variera selon les capacités du client. Ces démarches s'appliquent non seulement au lieu de séjour, mais aussi à la recherche d'un emploi ou à toute autre ressource dont peut profiter le client.

Au cours de la thérapie, en plus de bénéficier des rencontres avec le thérapeute, le client doit être incité à participer à diverses activités prévues à son intention, qu'il s'agisse d'activités d'ergothérapie, d'activités de loisir ou de rencontres avec un groupe de soutien. Ce faisant, il pourra tirer profit de différents services et ressources qui contribueront au développement de ses capacités résiduelles et à son autonomie.

À ce propos, en plus du plan d'intervention qu'il met en place avec son client, le thérapeute doit s'assurer que ses interventions s'inscrivent dans le plan d'intervention auquel participent les professionnels d'un organisme qui interviennent auprès d'un même client. Si le client bénéficie des services offerts par plusieurs organismes, le thérapeute vérifiera, durant les réunions visant la mise en place d'un plan de service individualisé, qu'il existe une cohérence entre les ressources offertes. Il veillera à ce que chacune d'entre elles contribue à la réalisation d'objectifs communs, de façon à prolonger ou à maintenir les acquis du client.

Résumé

Dans ce chapitre, nous avons défini la thérapie de soutien, décrit la clientèle à laquelle elle s'adresse de façon particulière et présenté les règles de son déroulement. Nous avons ensuite décrit

→

six stratégies qui permettent d'accorder du soutien : rassurer, enseigner, encourager, favoriser la catharsis, servir d'agent de réalité et rendre l'environnement prothétique. Nous avons souligné à plusieurs reprises la position délicate qu'occupe le thérapeute, qui joue les rôles d'expert et de facilitateur dans cette approche. Une bonne connaissance de lui-même et de son client l'aidera à juger de son degré d'engagement personnel dans la thérapie, et de la place qu'il accordera au client en ce qui concerne la détermination des objectifs et le choix des interventions, qui tiendront compte des capacités résiduelles du client.

Bibliographie

Anderson, D., Deshaies, G. et Jobin, J. (1996). « Social support, social networks and coronary artery disease rehabilitation : a review », *Canadian Journal of Cardiology*, vol. 12, n° 8, p. 739-744.

Antonovsky, A. (1974). « Conceptual and methodological problems in the study of resistance resources and stressful life events », dans B.S. Dohrenwend et B.P. Dohrenwend (sous la dir. de), *In Stressful Life Events : Their Nature and Effects*, New York, Wiley.

Bloch, S. (1996). « Supportive psychotherapy », dans S. Bloch (sous la dir. de), *An Introduction of the Psychotherapies*, 3e éd., New York, Oxford Medical Publications, p. 294-319.

Bowlby, J. (1971). *Attachment*, Londres, Pelican.

Buchanan, J. (1995). « Social support and schizophrenia : a review of the literature », *Archives of Psychiatric Nursing*, vol. IX, n° 2, avril, p. 68-76.

Callaghan, P. et Morrissey, J. (1993). « Social support and health : a review », *Journal of Advanced Nursing*, vol. 18, p. 203-210.

Caplan, J. (1974). *Support Systems and Community Mental Health*, New York, Behavioral Publications.

Chalifour, J. (1999). *L'intervention thérapeutique*, vol. 1 : *Les fondements existentiels-humanistes de la relation d'aide*, Boucherville, Gaëtan Morin Éditeur.

Cobb, S. (1976). « Social support as a moderator of life stress », *Psychosomatic Medicine*, vol. 38, p. 300-314.

Conte, H.R. (1994). « Review of research in supportive psychotherapy : an update », *American Journal of Psychotherapy*, vol. 48, n° 4, automne, p. 494-503.

Dewald, P.A. (1994). « Principles of supportive psychotherapy », *American Journal of Psychotherapy*, vol. 48, n° 4, automne, p. 505-517.

Fareed, A. (1996). « The experience of reassurance : patients' perspectives », *Journal of Advanced Nursing*, vol. 23, p. 272-279.

French, H.P. (1979). « Reassurance : a nursing skill ? », *Journal of Advanced Nursing*, vol. 4, p. 627-634.

KING, K.B., REISS, H.T., PORTER, L.A. et NORSEN, L.H. (1993). « Social support and long-term recovery from coronary artery surgery : effects on patients and spouses », *Health Psychology*, vol. 12, n° 1, p. 56-63.

KRISHNASAMY, M. (1996). « Social support and the patient with cancer : a consideration of the literature », *Journal of Advanced Nursing*, vol. 23, p. 757-762.

LAWRENCE, H.R. (1995). « Advances in supportive psychotherapy », *Current Opinion in Psychiatry*, vol. 8, p. 150-153.

NOVALIS, P.N., ROJCEWICZ, S.J. et PEELE, R. (1993). *Clinical Manual of Supportive Psychotherapy*, Washington, American Psychiatric Press.

PINSKER, H. (1994). « The role of theory in teaching supportive psychotherapy », *American Journal of Psychotherapy*, vol. 48, n° 4, automne, p. 530-541.

PINSKER, H., ROSENTHAL, R. et MCCULLOUGH, L. (1991). « Dynamic supportive psychotherapy », dans P. Crits-Christoph et J.B. Barber (sous la dir. de), *Handbook of Short-Term Dynamic Psychotherapy*, New York, Basic Books, p. 220-244.

ROCKLAND, L.H. (1995). « Advances in supportive psychotherapy », *Current Opinion in Psychiatry*, vol. 8, p. 150-153.

SHUMAKER, S.A. et BROWNELL, J.A. (1984). « Toward a theory of social support : closing conceptual gaps », *Journal of Social Issues*, vol. 40, n° 4.

TEASDALE, K. (1989). « The concept of reassurance in nursing », *Journal of Advanced Nursing*, vol. 14, p. 444-450.

TEASDALE, K. (1995). « Theoretical and practical considerations on the uses of reassurance in the nursing management of anxious patients », *Journal of Advanced Nursing*, vol. 22, p. 79-86.

TESSIER, L. et CLÉMENT, M. (1992). *La réadaptation sociale en psychiatrie. Défis des années 90*, Boucherville, Gaëtan Morin Éditeur.

WERMAN, D.S. (1992). *The Practice of Supportive Psychotherapy*, New York, Brunner/Mazel.

Nous reconnaissons l'aide financière du gouvernement du Canada par l'entremise du Programme d'aide au développement de l'industrie de l'édition (PADIÉ) pour nos activités d'édition.